Cyberplanète

À l'occasion de la parution de l'ouvrage *Cyberplanète*, nous sommes heureux de vous annoncer la création, au sein des Éditions Autrement, d'un nouveau département :

autrement

Multi média

Contact : Jean-Claude Béhar
Tél. 01 40 26 06 06
Fax 01 40 26 00 26
E-mail : autrement@filnet.fr

Cyberplanète

Notre vie en temps virtuel

Par Philip Wade et Didier Falcand

Éditions Autrement - Collection Mutations n° 176

Sommaire

1. *Le XXIe siècle a déjà commencé*   25

L'informatique, longtemps confinée à des applications de gestion, a connu une véritable révolution avec la mise en réseau et le multimédia. Le virage du numérique, amorcé au début des années 90, a rapidement touché le grand public. En même temps, de grandes manœuvres impliquant les géants de l'audiovisuel, des télécommunications, de l'informatique et de l'édition ont commencé à recomposer un paysage où apparaissent de nouveaux leaders.

Les signes précurseurs   27

Entre la mise au point des premiers prototypes de machines à calculer mécaniques et l'industrialisation des gros ordinateurs, trois siècles se seront écoulés. Le passage de ces machines au micro-ordinateur aura demandé moins de trente ans, et il n'aura fallu attendre que quinze ans à peine pour que ceux-ci deviennent communicants. Le numérique et le multimédia ouvrent la voie des autoroutes de l'information.

Les grandes manœuvres

L'explosion technologique a fait sauter les barrières entre l'informatique, l'audiovisuel et les télécommunications. Les grandes sociétés multinationales spécialisées dans ces secteurs tissent des alliances stratégiques pour étendre leur domaine de compétence. L'apparition de nouveaux acteurs et la dérégulation des télécoms accélèrent le mouvement. Pour les uns comme pour les autres, les positions ne sont jamais acquises.

Les cybernautes

Le fait marquant de la révolution du numérique est que, pour la première fois, il est davantage question d'usages nouveaux que d'outils. Le multimédia devient le vecteur par lequel professions et individus peuvent enfin s'approprier un nouveau moyen de communication. Les premiers cybernautes sont les précurseurs d'une nouvelle culture créatrice dont les applications s'étendent à tous les domaines.

2. *La vie avec le multimédia*

Les possibilités offertes par le multimédia vont profondément modifier nos façons de vivre, d'apprendre, de travailler et de consommer. Nos enfants vont grandir avec ces nouvelles technologies et se les approprier, à condition que l'éducation les intègre pleinement. Cette mutation ne se fera pas sans heurts, mais elle est inéluctable. Elle a d'ailleurs déjà commencé dans bien des domaines, aux États-Unis, mais aussi en France et dans la plupart des pays occidentaux. S'il s'agit encore souvent d'expérimentations, la démarche commence à se développer, avec le souci d'apporter une réelle valeur ajoutée.

Apprendre

L'introduction de l'informatique et du multimédia dans l'enseignement est sans aucun doute l'enjeu majeur de la société de l'information qui s'esquisse. L'inaction aboutirait à sacrifier une génération et à compromettre les capacités créatives, scientifiques et industrielles de la France à l'horizon 2020. Fort heureusement, une prise de conscience

s'opère et des mesures commencent à être prises. Le défi
concerne l'enseignement initial, mais aussi la formation, qui
prend un sens nouveau avec le recours aux outils
multimédias.

Travailler

L'informatique a contribué à la disparition de certaines
catégories d'emplois, mais en a créé d'autres. Il en est ainsi
aujourd'hui du multimédia et des possibilités ouvertes par le
travail à distance, l'un et l'autre bouleversant les conditions
d'exercice des métiers traditionnels. Les grandes entreprises
comme les PME-PMI sont touchées par cette évolution.

Consommer

Demain, il sera possible pour l'internaute qui le souhaite de
vivre sans jamais sortir de chez lui. Tâches administratives,
recherche d'emploi, accès à tous les médias, recours à des
banques de données, shopping électronique, les nouvelles
technologies de l'information ouvrent, ou ouvriront bientôt,
toutes les portes, jusqu'aux loisirs qui pourront être
préparés, voire pratiqués, de façon virtuelle. Commodité ou
folie ? À chacun de choisir.

3. *Un nouveau monde*

*Les nouvelles technologies ne vont pas manquer
d'introduire un nouvel espace-temps. Leur impact sur
nos modes de vie et sur l'aménagement du territoire ne
peut encore qu'être esquissé, mais tout laisse à penser
que des équilibres nouveaux, conciliant tradition et
modernité, vont apparaître au siècle prochain. Avec le
développement du télétravail, l'essor des mégalopoles
devrait être freiné, favorisant ainsi un retour des lieux
de vie et de travail dans des villes à échelle humaine,
reliées entre elles par les autoroutes de l'information.
Dans ce cybervillage mondial, l'individu pourrait
retrouver à la fois une identité et des valeurs, avec
l'appartenance à une communauté en interaction avec
d'autres ensembles socioculturels. L'existence d'un réseau
mondial ouvert peut constituer un nouveau forum pour
la pratique démocratique. En même temps, son essence
d'espace libre autorise toutes les déviations. Big Brother
et extrémismes peuvent remettre en cause cette*

cyberdémocratie naissante. Laboratoires d'expérimentation sociale à l'échelle planétaire, les nouveaux réseaux commencent à façonner le monde de demain. Peut-être manque-t-il encore à cette « sixième dimension » sa charte des droits du cybercitoyen.

Un nouvel équilibre du territoire 153

L'abolition des notions de temps et de distance remet complètement en question le rôle des villes. Pourquoi continuer à s'entasser par millions dans des espaces restreints, souvent synonymes de pollution, de stress, de gaspillage et de cadre de vie dégradé, alors qu'il est aujourd'hui possible de vivre sereinement dans les zones les plus éloignées ? Avec les technologies multimédias, le développement économique n'est plus obligatoirement lié aux centres urbains. Le désenclavement d'une région reculée et peu accessible ne passe plus forcément par la construction d'un réseau routier hors de prix, mais par la connexion aux autoroutes de l'information. Reste à trouver le bon équilibre pour concilier perspectives mondialistes et exigences locales.

La cyberdémocratie 169

L'ère des réseaux inaugure un nouveau mode de relations entre les citoyens et les hommes politiques. La transparence accrue de l'information, son accessibilité plus simple et plus immédiate, la possibilité de formuler son avis, voire d'interpeller en direct, vont modifier les règles du jeu démocratique. Avec les formes de démocratie les plus directes, les intermédiaires traditionnels (médias, syndicats, associations) pourraient voir leur rôle dilué dans l'agora électronique. Cacophonie ou populisme, anarchie ou dictature, le chemin qui mène de la liberté à sa privation est bien périlleux.

Des enjeux culturels 186

Si les Égyptiens avaient bénéficié, à leur époque, d'outils comme l'Internet ou les CD-ROMs, le fonds mythique de la bibliothèque d'Alexandrie pourrait être consulté aujourd'hui par tout un chacun. En plus d'ouvrir des capacités proprement vertigineuses de stockage du patrimoine, ces technologies permettent aussi l'action culturelle. Ainsi le réseau Internet offre une possibilité unique de développer la francophonie à travers le monde. À l'heure où l'anglais semble s'imposer comme un nouvel espéranto, la création d'un cyberespace francophone est une chance à saisir. Enfin,

à l'instar de la découverte de l'imprimerie, qui a largement
contribué à l'essor de la Renaissance, le multimédia
bouleverse déjà fortement la création artistique.
Contrairement à ce que certains Cassandre laissent
entendre, la culture électronique peut favoriser l'écrit
traditionnel en suscitant une créativité nouvelle, comme le
cinéma l'a déjà démontré.

4. *La planète numérique*   201

*Au fil des époques, la puissance des empires et des
nations s'est mesurée successivement en bataillons,
puissance navale, possessions coloniales, production
industrielle et, enfin, par la détention de l'arme
nucléaire. Au XXIᵉ siècle, la puissance planétaire sera
redistribuée en termes d'« intelligence collective ». Le
palmarès des nations s'établira en fonction du taux de
raccordement des foyers, écoles et entreprises aux
autoroutes de l'information, du développement du
télétravail comme facteur d'aménagement du territoire
et du rapport coût/efficacité pour la collectivité d'un
système de santé informatisé. Dans ce contexte, le
leadership américain est évident, et il en va de même
pour le dynamisme japonais, alors que l'Asie dans son
ensemble s'affirme. Et l'Europe ? La situation y est
contrastée. Quant au tiers-monde, c'est une nouvelle
chance de développement qui s'offre, à condition de ne
pas être relié au village global que par des chemins
vicinaux.*

Facteurs de puissance   203

Les industries de l'information et de la communication
représentaient un marché international de plus de
1 450 milliards de dollars en 1996 : 650 pour les
équipements, logiciels et services informatiques, et 800 pour
les équipements et services de télécommunication. Un
chiffre très supérieur aux exportations mondiales de produits
agricoles ! Leurs croissances sont les plus rapides de toutes
les industries, avec un taux moyen annuel de 15 % par an
depuis 1990 pour l'informatique et de 10 % pour les
télécommunications. Leur contribution au PIB mondial
devrait dépasser 10 % d'ici à l'an 2000 et poursuivre son
expansion au-delà.

La société de l'information introduit de nouveaux facteurs de puissance et des terrains de compétition supplémentaires entre les nations. Dans ce contexte, trois ensembles géopolitiques sont en rivalité et en coopération, ce que l'on appelle désormais la « coopétition », tant les intérêts sont à la fois concurrents, enchevêtrés et complémentaires. Il s'agit des États-Unis, du Japon et de l'Union européenne.

Au sein de la galaxie multimédia, le Québec fait figure de pionnier avec un programme ambitieux concernant l'« autoroute de l'information », aux applications diversifiées, alors que la population est déjà très impliquée dans l'utilisation de l'Internet. En Europe, l'Allemagne et le Royaume-Uni ont un nombre de terminaux connectés à l'Internet respectivement quatre et deux fois plus élevé qu'en France, avec des populations comparables. La Finlande apparaît comme un précurseur : le passage à une véritable société de l'information y est déjà engagé. Le programme du G7, quant à lui, permet à tous les pays d'échanger leurs expériences et d'engager un vaste programme de coopération internationale sur les autoroutes de l'information.

Le XXI siècle sera numérique. Et le numérique entraîne une accélération vertigineuse : puissance des microprocesseurs multipliée par deux tous les dix-huit mois, doublement annuel du nombre d'utilisateurs sur le Web, innovation continue dans les applications. Mais le réseau pourra-t-il suivre ? Déjà passablement encombré, il ne pourra croître sans une série de mesures techniques et financières dont l'élaboration s'avère délicate. Concernant le droit de l'Internet, qui conditionne le développement harmonieux de la diffusion de l'information, de la communication et du commerce virtuel, les idées ne manquent pas ! En revanche, l'établissement d'un consensus international sur les règles de fonctionnement du réseau ne fait que commencer. La France y fera d'autant plus sentir son influence qu'elle sera capable de rattraper son retard.

Réseaux et applications   261

L'Internet tiendra-t-il ses promesses ? Son succès est tel que
la saturation du Web à certaines heures entraîne des délais
de connexion, voire l'interruption momentanée de celle-ci.
Chronique d'un effondrement redouté ou promesse de
capacités illimitées, les scenarii les plus extrêmes sont
formulés. Quant au développement fantastique de
l'audience de l'Internet, il suscite bien des convoitises du
côté des publicitaires, même si le marché demeure encore
assez restreint. Pour leur part, fournisseurs d'équipement et
concepteurs de logiciels font le pari du virtuel et de la
connectivité. Terminaux de plus en plus conviviaux,
applications intelligentes et disponibilité en tous lieux de ces
services et de ces machines communicantes, voilà l'avenir
numérique.

Le cyberespace juridique   290

Le développement de l'usage des réseaux soulève de
multiples questions sur le plan juridique. Pourtant,
contrairement à certaines idées reçues, les nouvelles
technologies de l'information ne révèlent pas de vide
particulier. Certes, il est nécessaire d'adapter le cadre légal et
réglementaire, mais les principes en vigueur, du moins en
Europe, sont adéquats. Aujourd'hui, les dispositions qui
protègent les droits des particuliers et des entreprises
peuvent s'appliquer à l'Internet. Encore faudrait-il qu'une
coopération internationale permette effectivement leur
respect. En effet, comment faire respecter les droits de la
personne sans limiter la liberté d'expression ou freiner le
développement du Net ? En Europe et aux États-Unis,
différentes approches sont tentées.

Les choix   309

Les nouvelles technologies de l'information et de la
communication ont un impact global. Leurs effets se font
sentir tant sur un plan national que local, dans le public
comme dans le privé, dans la sphère professionnelle comme
dans la vie personnelle. Le retard français dans le
multimédia n'est pas qu'une affaire de taux d'équipement, il
s'exprime aussi dans l'inconscient collectif en termes de
rigidités. Il se traduit également en termes
macroéconomiques par un certain nombre de freins qui
s'opposent à une pleine valorisation des atouts de notre
pays.

Préface : Résonances

Jacques Attali

Quand apparut l'imprimerie, beaucoup pensèrent que le latin allait s'imposer, face à toutes les autres langues, et que l'Église catholique allait généraliser son contrôle sur les esprits. Comme on le sait, c'est l'inverse qui se produisit : le Saint Empire romain germanique laissa la place aux Nations ; l'Église fut confrontée à la Réforme. La technologie n'explique pas tout ; le mouvement des idées, le génie des créateurs, les forces du marché, les dynamiques démographiques, économiques et sociales, l'émergence de l'individualisme en portent la responsabilité essentielle. La technologie n'est jamais responsable des mutations sociales majeures, mais il arrive qu'elle les accélère, comme deux bruits entrant en résonance pour créer une oscillation majeure.

La résonance est au cœur du triomphe du capitalisme. Elle a eu lieu à plusieurs reprises, le marché sélectionnant les technologies qui le renforcent. À chaque fois, elle a fabriqué un homme de plus en plus libre, de plus en plus précaire, de plus en plus nomade. Le phénomène est aujourd'hui encore d'actualité. Les révolutions technologiques du multimédia entrent de nouveau en résonance avec les mutations les plus profondes de la société. Et ce livre en trace avec lucidité et précision le vertigineux panorama. Il ne s'agit pas de la révolution technologique la plus grande de l'Histoire : en 1840, avec le train, le télégraphe et le bateau à vapeur, l'homme put enfin se déplacer et transporter des marchandises et des informations plus vite qu'on le faisait depuis l'aube du temps.

Aujourd'hui, il s'agit d'une nouvelle accélération des communications et de la création d'univers virtuels. Une fois de plus, les dynamiques du marché, celles de la technologie et de l'individualisme se renforcent pour créer, par résonance, une véritable révolution qui accélérera la privatisation des rapports sociaux, remplacera des services par des objets et fera de l'homme un nomade urbain, entouré d'objets nomades, en quête de tribus nouvelles, d'oasis hospitalières, d'ombres salvatrices.

Le nomade de demain, auquel concourt le multimédia, voyagera réellement, comme touriste ou travailleur, ou virtuellement par le télé-travail et le télé-achat. Les satellites, le Net, les ordinateurs portables, feront de lui un être branché, connecté, membre de tribus virtuelles sans cesse renouvelées. Plus tard, les organes artificiels, les machines à enseigner feront basculer d'autres pans du collectif dans le champ du privé, d'autres services devenant des objets. L'homme sera plus que jamais libre, grâce au jeu combiné du marché et de la technologie.

Libre d'être puissant ou misérable. Car d'autres nomadismes seront exacerbés par cette résonance. Le multimédia creusera la différence entre ceux qui participent du savoir et ceux qui en sont exclus. Entre ceux qui produisent les informations et ceux qui les subissent. Entre ceux qui manipulent les informations et ceux qui sont manipulés par elles. Entre les nomades de luxe et les nomades prolétaires qui devront voyager pour survivre.

Le progrès pourrait alors entrer en résonance avec la misère, dans de terrifiants voyages au bout de la civilisation. Le multimédia pourra-t-il aider à réduire ces différences, à humaniser le monde, à faire sauter des étapes dans un développement harmonieux du Sud ? Sans doute. Pour qui saura les détourner pour leur donner du sens.

Jacques Attali

Introduction

À trop rêver de l'an 2000, on ne l'a pas vu
arriver ! Après être parti à la conquête de l'espace et avoir foulé la
surface de la lune, l'homme se tourne désormais vers une dimension nouvelle, immatérielle - le cybermonde[1], porteur de tous les
espoirs et de toutes les craintes. Qui aurait pu prévoir il y a seulement quelques années que la numérisation de toutes les connaissances humaines et la pénétration du multimédia dans tous les
secteurs d'activité, sans exception aucune, allait devenir la grande
affaire de cette fin de siècle, annonçant pour le prochain millénaire
des bouleversements majeurs ?

Au cœur de cette révolution, qui fait converger audiovisuel,
télécommunications et informatique, se trouve la notion de réseau
planétaire, dont l'Internet est l'expression première. Pas plus que
la fin du monde bipolaire, ces mutations fondamentales n'avaient
été prévues par les futurologues.

De l'invention de l'imprimerie à la découverte de l'électricité
et de l'atome, il se sera écoulé environ quatre siècles. La société

---

1. De l'anglais *cyberspace*, terme inventé en 1984 par l'auteur de science-fiction William Gib-
son, dans son roman *Neuromancer*. Il désigne l'univers de communication au-delà du terminal.

industrielle, née il y a un peu plus d'une centaine d'années, cède maintenant la place à la société de l'information. L'histoire s'accélère et change de sens.

Nos références spatio-temporelles ont évolué de manière inquiétante, d'autant que le phénomène intervient dans un contexte de crise, qu'il est facile d'imputer, au moins en partie, à l'automatisation des tâches. Si les autoroutes de l'information peuvent bien être les vecteurs d'un savoir renouvelé, accessible au plus grand nombre, elles nous conduisent également vers des pratiques démocratiques originales. Une nouvelle civilisation s'esquisse.

De nouveaux repères spatio-temporels

L'homme se déplace maintenant dans un autre espace-temps : l'histoire s'accélère et les distances disparaissent. Il aura fallu plus d'un siècle à la société industrielle pour déployer ses infrastructures de transport et de communication, alors que la mise en place des nouveaux réseaux numériques transportant données, sons et images n'aura demandé que quelques années.

Même si les véritables autoroutes de l'information à haut débit, irriguant par des capillaires l'ensemble des foyers et entreprises, restent encore à réaliser, l'Internet est déjà potentiellement accessible de tout point de la planète. Protocole commun de communication, plus que réseau, ce dernier emprunte tous les autres, téléphone, câbles de télévision ou satellites, et permet de relier des millions d'ordinateurs différents. Son développement va maintenant être rythmé par l'élargissement de ses artères et l'accélération de sa vitesse de transmission, afin d'accueillir les internautes de plus en plus nombreux : 90 millions aujourd'hui, soit une multiplication par dix en moins de cinq ans, et un minimum de 300 millions en l'an 2000. Nicolas Negroponte, directeur du Media Lab du Massachusetts Institute of Technology, considère, lui, qu'ils seront même 1 milliard à cette date[2].

Le rapport au temps immédiat s'est également modifié. Il s'agit d'un changement à la fois d'échelle et de nature. Ainsi, plus de 100 millions de documents sur l'Internet multimédia, le fameux

---

2. *The Wall Street Journal*, septembre 1997.

« World Wide Web[3] », sont accessibles à tout moment. La messagerie électronique permet l'envoi instantané de messages qui effacent les décalages horaires. Ce n'est plus le temps de Greenwich, mais un nouveau temps universel qui pourrait se substituer au temps local. Perspective exaltante pour certains, terrifiante pour d'autres, car à l'accélération du temps correspond le rétrécissement de l'espace familier de chacun.

Les distances s'abolissent : vallons reculés, villages éloignés, lieux méconnus ne sont plus hors de portée. Certes, le virtuel fait perdre une part de rêve, mais procure bien des avantages : l'accès à des services de qualité ou au marché global n'est plus nécessairement réservé aux grandes zones industrielles ou aux métropoles. Si la nanoseconde se défie aussi facilement de la géographie, n'y a-t-il pas un risque qu'à la diversité culturelle et linguistique de l'humanité ne succède une sorte de melting-pot planétaire, à dominante américaine ? Alors que certains craignaient l'édification d'une nouvelle tour de Babel, les premières expériences tendent à montrer que le respect des patrimoines et le renouveau des cultures peuvent recevoir une nouvelle impulsion grâce à la numérisation. De l'appropriation du réseau mondial par un nombre croissant de pays à la multiplication des CD-ROMs consacrés à de grandes œuvres ou artistes du monde entier, cette tendance est indéniable.

Toutefois, réduit à une image électronique communiquant avec autrui par l'intermédiaire d'un écran, l'homme ne va-t-il pas être désincarné tel un robot ?

N'en déplaise aux réfractaires, force est de constater que le multimédia est porteur de promesses. Il va modifier le rapport à l'éducation comme à la formation, l'accès aux services et les conditions de travail. La proximité du maître ou du spécialiste n'est plus constamment nécessaire pour recevoir enseignement, apprentissage ou soins de qualité. Le travail peut s'accomplir à distance, à domicile, au moins en partie, tant pour le salarié que le travailleur indépendant.

La flexibilité qui caractérise ces nouvelles technologies autorise ainsi des modes de vie et des rapports sociaux différents. L'échange

---

3. Les Québécois l'appellent la « Toile », un terme parfois utilisé en France.

immatériel prend en effet tout son sens grâce à l'interactivité[4] : celle-ci est source de dialogue et d'ouverture entre ceux qui partagent les mêmes valeurs, intérêts ou préoccupations. Aux États nations et aux microstructures territoriales ou professionnelles s'ajouteront de nouvelles appartenances à des « tribus virtuelles ». Jusqu'à quel point celles-ci seront à l'origine d'un nouveau pouvoir d'influence sur les structures politiques, économiques ou sociales existantes, il est trop tôt pour le dire.

Le contexte

La fin du monde bipolaire et la globalisation de l'économie ont précédé de peu la révolution des nouvelles technologies de l'information et de la communication, qui accentuent elles-mêmes la portée de ces événements.

Mais cette ouverture ne saurait dissimuler un sentiment d'inquiétude face à la persistance du chômage et la montée des extrémismes, tendant à brouiller le message de progrès. Le monde né dans l'euphorie de la chute du mur de Berlin en 1989 demeure incertain : la mort des idéologies et le discrédit jeté sur le monde politique ont créé un vide que le processus d'unification européenne n'arrive pas à combler. Dans ce contexte de perte générale de repères apparaît une technologie qui abolit temps, espace et frontières, renforçant ainsi la tendance à la destruction des références autour desquelles la société internationale avait vécu depuis la fin de la guerre. Et cependant, suprême paradoxe, il n'y a pour l'instant ni désintégration anarchique ni reprise en main par un Big Brother fantasmé, mais l'apparition d'un nouvel espace de liberté.

Les voies nouvelles ainsi ouvertes dans tous les domaines se heurtent cependant aux dures réalités économiques qui prévalent dans de nombreux pays, d'autant plus que l'informatique en est souvent rendue responsable. Celle-ci a bien sûr fait disparaître des catégories entières d'emplois, souvent peu qualifiés, mais en même temps sont apparus de nouveaux secteurs d'activité et de nouvelles

---

4. Possibilité de communication bidirectionnelle permettant à l'usager d'établir un dialogue sur le réseau avec l'émetteur de l'information, grâce à une voie de retour. Se dit aussi d'un programme multimédia dont le déroulement peut être modifié par l'intervention de l'utilisateur (CD-ROM).

spécialités à forte valeur ajoutée. Contrairement aux idées reçues, ce sont les pays les plus dynamiques dans le secteur de l'information et de la communication, comme les États-Unis et certains pays asiatiques, qui créent le plus d'emplois. Dans le premier cas, les nouvelles technologies ont même fait émerger plus d'emplois que les mutations structurelles de l'économie en ont fait disparaître. L'ère du plein emploi semble pourtant bien révolue et c'est à la recherche d'autres formes d'activité qu'il faut désormais s'atteler. L'intégration des télécommunications et de l'informatique offre sur ce plan d'intéressantes possibilités autour de la notion de télétravail.

Tout bouleversement technique majeur, dans la mesure où il a un impact sur l'organisation sociale, comporte ses adeptes les plus passionnés et ses opposants les plus irréductibles. Ni les uns ni les autres n'ont contribué à éclairer l'opinion publique, qui a besoin de mesure et de repères pour s'adapter à un nouvel environnement. Cela est d'autant plus vrai que ceux que leur position socio-économique désigne naturellement comme des leaders dans ce domaine contribuent eux-mêmes au scepticisme entourant de nouvelles découvertes. Le P-DG de la Warner, par exemple, se demandait en 1927 qui pourrait bien être intéressé par l'introduction du son au cinéma, et le numéro un d'IBM, quant à lui, ne pensait pas, en 1943, qu'il y avait dans le monde un marché pour plus de cinq ordinateurs. Il faut dire qu'à l'époque ces machines étaient de coûteux mastodontes. C'est pourquoi il est essentiel que le « bruit ambiant » soit recouvert par une information précise, à la fois sur les réalisations prometteuses et les risques réels. Les médias et les hommes politiques peuvent jouer sur ce plan un rôle important pour clarifier la perception des évolutions technologiques. Certains élus, pas nécessairement parmi les plus connus, ouvrent déjà la voie par leurs réflexions et leurs actions.

Un nouveau savoir, une nouvelle démocratie

Le multimédia recèle un nouveau potentiel pour le savoir comme pour la démocratie, mais, comme les autres médias, il reflète le monde et la société tels qu'ils sont. C'est pourquoi l'on ne saurait empêcher ni les dérives commerciales ni les différentes formes d'intolérance, de violence ou de pornographie. Ces excès et ces comportements doivent être combattus comme ils le sont ailleurs. Il convient toutefois de tenir compte des principes fondamentaux de la liberté d'expression, comme de la difficulté d'engager des poursuites dans le cyberespace, et la déontologie mise en place peut contribuer à faire cesser les abus les plus choquants.

La révolution qui se prépare dans tous les domaines de la connaissance et de la vie dans la cité semble être d'une autre portée. Les nouvelles technologies introduisent de larges perspectives, qui redonnent tout son sens à l'entreprise de conservation du savoir de l'humanité, déjà tentée grâce à la bibliothèque d'Alexandrie et à l'invention de Gutenberg. Au fil des siècles, la masse des œuvres, travaux et recherches accumulée par le génie inventif de l'homme était telle que son identification, sa conservation et son exploitation représentaient une tâche toujours plus colossale. En outre, son accès était généralement réservé à une élite de chercheurs, savants ou créateurs. La numérisation du patrimoine mondial, engagée dans nombre de pays, modifie radicalement les données et ce à plusieurs niveaux. Le stockage sur disque optique (CD-ROM) d'écrits, sons et images et l'accès universel à des bases de données en ligne apportent une contribution décisive à la démocratisation de la connaissance. De plus, le caractère indestructible du support électronique gravé au laser permet d'envisager la conservation de manuscrits et d'enluminures, et aussi de films 35 mm, subissant la lente mais inexorable dégradation du temps. Ainsi conservées, ces œuvres, longtemps inaccessibles, reprennent vie pour le plus grand nombre.

Mais il n'y a pas que l'accès au savoir qui reçoive un nouvel élan, c'est sa nature même qui est appelée à changer, grâce à la mise en réseau. La valeur de l'information partagée est d'autant plus importante que le nombre de sources est élevé. Plus il y a d'acteurs, plus la valeur ajoutée de chacun a d'impact et plus le résultat est pertinent. Les voies de l'immatériel apparaissent ainsi comme de véritables démultiplicateurs de l'intelligence collective. Ce « cerveau planétaire » ou « cybionte » - pour reprendre l'expression de Joël de Rosnay dans son ouvrage *L'Homme symbiotique* - pourrait être considéré comme une vue de l'esprit ou une utopie, mais il n'en est pas moins l'expression d'un potentiel fort, qui commence à se concrétiser dans un nombre croissant de secteurs. Serions-nous à l'aube d'un « nouvel humanisme » ? Il est permis de l'imaginer, les conditions qui ont prévalu à la Renaissance étant réunies aujourd'hui : possibilités d'échanges et de connaissances réciproques, nouvelles tentatives de recherche et de création. La perspective a marqué le Quattrocento, tout comme la photographie a ouvert la voie à l'impressionnisme, et le cinématographe au 7e art. À son tour, « l'art virtuel », encore peu connu, pourrait profondément contribuer à renouveler l'expérience créative individuelle ou collective, de même que la perception du message.

Au-delà des formes d'expression et de création, les schémas de pensée eux-mêmes paraissent dépassés par les évolutions en cours. Cela produit un impact sur les structures et les organisations sociales, ainsi que sur notre pratique démocratique. En effet, la pensée linéaire et cartésienne ne paraît plus en mesure de saisir les évolutions multiformes et imprévisibles qui se font jour en se défiant des catégories reconnues. Le mode de communication direct et immédiat, induit par les nouvelles technologies en réseau, interpelle ainsi les hiérarchies traditionnelles et les intermédiaires de toute nature. Dans une « économie informationnelle » ouverte, la détention d'information n'est plus en soi une source de pouvoir puisque la logique est dans le partage. La structuration des organisations, qu'il s'agisse des administrations, des entreprises, des partis ou des syndicats, ne manquera pas d'en être affectée.

Quant à la vie dans la cité, les possibilités et les risques engendrés par la démocratie directe électronique amènent à nous interroger sur notre conception de la République et le rôle des élus. L'existence d'un réseau planétaire peut enfin constituer un allié précieux partout où les libertés sont menacées : l'Internet demeure une porte ouverte sur le monde extérieur.

Préparer l'avenir

L'« informatisation de la société », notion popularisée par l'ouvrage de Simon Nora et Alain Minc il y a tout juste vingt ans, est plus que jamais d'actualité. En effet, l'arrivée du Minitel, malgré ses capacités interactives, n'a pas entraîné de bouleversement majeur dans la pratique de la communication ou l'accès au savoir, que ce soit en raison de son coût d'usage, de ses limitations graphiques ou de sa portée exclusivement nationale. Le propos ici n'est pas de faire le procès de cette étape de développement télématique, qui représente un capital d'expérience en partie transposable à la réalité nouvelle du multimédia. Il s'agirait plutôt de tenter de répondre à une question simple : comment prendre sa place dans le village global tout en restant soi-même ? Ni l'Europe ni la France n'ont sur ce plan de complexes à avoir : le World Wide Web est né au Centre européen de recherches nucléaires (CERN) à Genève, de grands chercheurs français contribuent à ses évolutions, et des entreprises de notre pays sont déjà des acteurs internationaux du multimédia. Malgré cela, il y a bien un « retard français » dans le domaine de l'informatique, tant « culturel » que réel, tant au niveau du grand public que dans les entreprises. Comment le combler ?

Tel est l'objet de cet ouvrage qui vise à éclairer le nécessaire débat national sur ces questions qui engagent l'avenir. Certes, la presse évoque beaucoup le multimédia et les pouvoirs publics prennent diverses mesures destinées à favoriser les évolutions indispensables. L'accélération du mouvement suppose une information complète et une perception claire des enjeux. Il faut pour cela une réflexion de fond analysant l'impact pour chacun, à tous les niveaux. Autrement dit, il s'agit, sans dissimuler les risques, de faire apparaître l'« utilité globale » d'un outil auquel aucun domaine d'activité n'est aujourd'hui étranger. Alors que de nouveaux usages apparaissent, chacun doit pouvoir s'approprier équipements et logiciels. Leur finalité est de permettre sans peine l'accomplissement de tâches routinières et d'accompagner l'utilisateur dans des applications qui ont pour effet, tant sur un plan personnel que professionnel, d'augmenter savoir et capacité. Les enfants et les adolescents, plus familiers de l'informatique, dont ils ont une approche ludique, acquerront le niveau nécessaire à l'école. On ne peut cependant attendre la maturation de la « génération Internet » pour que la France se positionne comme un acteur majeur de la révolution engagée. Il y a bel et bien urgence nationale. En même temps, fait rare, il y a matière à consensus, pour rassembler les énergies venues de tout horizon.

1. *Le XXIe siècle a déjà commencé*

L'informatique, longtemps confinée à des applications de gestion, a connu une véritable révolution avec la mise en réseau et le multimédia. Le virage du numérique, amorcé au début des années 90, a rapidement touché le grand public. En même temps, de grandes manœuvres impliquant les géants de l'audiovisuel, des télécommunications, de l'informatique et de l'édition ont commencé à recomposer un paysage où apparaissent de nouveaux leaders.

Les signes précurseurs

Entre la mise au point des premiers prototypes de machines à calculer mécaniques et l'industrialisation des gros ordinateurs, trois siècles se seront écoulés. Le passage de ces machines au micro-ordinateur aura demandé moins de trente ans, et il n'aura fallu attendre que quinze ans à peine pour que ceux-ci deviennent communicants. Le numérique et le multimédia ouvrent la voie des autoroutes de l'information.

1. De l'informatique à la micro-informatique

L'informatique est née il y a seulement cinquante ans des théories de quelques mathématiciens brillants et des prototypes de certains ingénieurs particulièrement inventifs. Son développement a été accéléré par les nécessités de la guerre en attendant les applications commerciales, professionnelles, puis « grand public » engendrées par le progrès technologique : l'invention du transistor puis des circuits intégrés, sans lesquels l'informatique n'occuperait pas la place primordiale qui est la sienne aujourd'hui.

Les pionniers

Les premières machines à calculer et les grands principes régissant l'informatique remontent pourtant au XVIIᵉ siècle. C'est Blaise Pascal le premier, qui, en 1642, a mis au point une machine mécanique destinée à faciliter le calcul grâce à un système de roues crantées de dimensions différentes. Mais la « Pascaline » ne permettait de procéder qu'à de simples additions. Leibniz, une trentaine d'années plus tard, a conçu un calculateur mécanique incorporant les principes de Pascal pour l'accomplissement des additions, en incluant un « chariot » mobile pour accélérer les additions répétitives nécessaires aux multiplications et divisions. Tant Pascal que Leibniz étaient mus par la nécessité de simplifier des calculs longs et fastidieux : le jeune Blaise travaillait avec son père inspecteur des impôts, et Leibniz, dans ses travaux d'astronomie, cherchait un moyen pratique pour exploiter les données chiffrées qu'il établissait.

La carte perforée, « ancêtre » des programmes informatiques transmettant des instructions à la machine, est née en 1804 des travaux de Jacquard sur le métier à tisser. À chaque dessin à reproduire correspondait une carte, avec des perforations différentes commandant le passage de la navette.

L'anglais Babbage, après un premier échec avec une complexe « machine à différences », conçoit l'idée d'une « machine analytique » destinée à accomplir un ensemble de tâches arithmétiques en fonction des instructions de l'utilisateur, codées en cartes perforées. Celle-ci, qui devait être mue par la vapeur, n'a jamais été construite. Si cela avait été le cas, Babbage aurait été l'inventeur de l'ordinateur car tous les principes de base de l'informatique moderne étaient incorporés dans ses plans. La société IBM lui doit beaucoup. L'Américain Hermann Hollerith a en effet utilisé le système des cartes perforées dans le calculateur qu'il a mis au point pour recueillir et traiter les données du recensement de 1890. Pour commercialiser son invention, il fonde la Tabulating Machine Company qui devint, en 1924, l'International Business Machine Corporation (IBM). Le Mark One, conçu par IBM pendant la Seconde Guerre mondiale pour les besoins de la Défense, était bien le premier ordinateur programmable à usage universel, tel qu'il a été imaginé par Babbage. Toutefois, la machine était déjà obsolète au moment où elle a été construite car il lui manquait une caractéristique essentielle et désormais générique de l'informatique : le codage binaire des informations stockées et traitées.

Le binaire

Leibniz a été le premier en Occident qui a eu l'intuition, dans son traité *De arte combinatoria* (1666), de l'utilité d'un langage universel capable de réduire toute réflexion à des instructions logiques et mathématiques d'une exactitude parfaite. Dix ans plus tard, sans doute influencé par la lecture du *Yi-king* chinois (« Livre des mutations ») fondé sur la complémentarité du yin (féminin) et du yang (masculin), il entreprend de transposer en une combinaison infinie de zéros et de un les chiffres du système décimal. Cependant, il n'utilise pas le résultat de ses recherches à la mise au point de son calculateur conçu sur la base de la numérotation décimale, reculant sans doute devant la complexité de la tâche.

En 1854, l'Anglais Georges Boole, avec son *Étude des lois de la pensée*, apporte une contribution décisive à la réflexion scientifique sur les rapports entre les mathématiques et la pensée logique. L'algèbre booléenne, ensemble de règles applicables aux objets et aux instructions, permet de réduire à un langage symbolique simple un ensemble de propositions, traitables ensuite comme des nombres ordinaires. La pensée logique était désormais réductible aux trois opérations de base *et/ou/non*, seules nécessaires pour additionner, soustraire, multiplier et diviser. Cela permettait également d'établir un schéma binaire selon les propositions *vrai/faux, oui/non, ouvert/fermé, zéro/un.*

Un siècle plus tard, Claude Shannon, étudiant du prestigieux Massachusetts Institute of Technology (MIT), s'attèle, à la demande de son professeur Vannevar Bush, à l'amélioration de l'« Analyseur » qu'il vient de mettre au point. Dans sa thèse publiée en 1938, Shannon développe ainsi ses idées sur l'union des principes binaires, de l'algèbre booléenne et des circuits électriques. La proposition, d'une grande simplicité, allait constituer la base de toute l'informatique moderne : une charge électrique positive (circuit ouvert) = un, et l'absence de charge électrique (circuit fermé) = zéro. Le codage numérique binaire était né[1].

Trois autres chercheurs sont arrivés en même temps aux mêmes conclusions que Shannon. L'ingénieur berlinois Konrad Zuse imagine en 1936 un calculateur reposant sur les principes binaires et

---

1. Le télégraphe, inventé en 1874 par Émile Baudot, utilisait déjà un système de codage binaire simplifié. En 1938, l'Anglais Alec Reeves, employé des laboratoires français LCT (groupe ITT), conçut le PCM (Pulse Code Modulation) décomposant la voix en paquets numériques. Cette découverte déboucha sur des applications militaires aux États-Unis, après guerre. La transmission téléphonique T1, d'usage standard outre-Atlantique, s'inspire de ces mêmes principes.

réalise son premier prototype en 1938, le Z1. De son côté, Georges Stibitz, chercheur des laboratoires Bell, comprend que la logique booléenne peut être transposée aux relais électromécaniques du téléphone et développe un prototype, chez lui, en 1937. Quant à John Atanasoff, professeur de physique à l'université d'Iowa, il achève fin 1939 la construction d'un calculateur basé sur un système binaire.

L'impact de la guerre

La guerre va donner un coup d'accélérateur important au développement de l'informatique par la mise en place de projets financés sur crédits militaires. Aux États-Unis, c'est le cas du Mark One, mis en service en 1943 par IBM, et de l'Electronic Numerical Integrator and Computer (ENIAC), achevé après l'armistice, deux projets développés pour effectuer des calculs de balistique. Monstre de trente tonnes, l'ENIAC marque un progrès important par rapport au Mark One par l'utilisation de tubes à vide, qui lui permettent de fonctionner à la vitesse de 100 000 impulsions par seconde. Mais avec 17 000 tubes, les pannes étaient fréquentes !

L'ENIAC à peine achevé, une deuxième équipe est mise sur pied à l'école Moore de Philadelphie pour réaliser l'EDVAC (Electronic Discrete Variable Computer), sur la base de nouveaux principes fondamentaux pour le développement ultérieur de l'informatique : mémoire programmée avec instructions stockées sur un support électronique (basée sur les idées formulées par l'Anglais Turing en 1936) et traitement binaire de l'information. L'équipe de l'EDVAC, avec Mauchly et Eckert, a été complétée en 1944 par von Neumann, brillant mathématicien d'origine hongroise. Ce dernier publie en 1945 une communication faisant date, considérée comme la bible de l'informatique moderne, « L'architecture de Neumann » ; ce texte, qui doit beaucoup aux travaux de l'ensemble de l'équipe, décrit les cinq composants que sont l'unité arithmétique et logique à numérotation binaire, l'unité centrale programmée, la mémoire, l'unité d'entrée (clavier) et de sortie (écran). L'EDVAC a été achevé en 1951, mais c'est l'EDSAC (Electronic Delay Storage Automatic Calculator), mis au point en 1949 par le Britannique Wilkes, qui a été le premier calculateur universel à programme stocké du monde. Wilkes, qui avait suivi les conférences de Mauchly et Eckert, se serait inspiré de leurs principes.

L'ère de l'informatique commerciale commence avec la société UNIVAC, fondée par Mauchly et Eckert, dont la première machine est devenue opérationnelle en 1951 au Bureau de recensement américain, sous la marque Remington Rand, qui avait racheté la société un an auparavant. L'ordinateur UNIVAC recevait ses instructions via une bande magnétique à haute vitesse au lieu des cartes perforées utilisées jusque-là. C'est pourtant le LEO (Lyons Electronic Office), mis en service au Royaume-Uni quelques mois plus tôt pour gérer les bulletins de salaire des employés de la chaîne de salons de thé Lyons, qui peut s'enorgueillir du titre de premier ordinateur commercial en service dans le monde. Deux « premières » britanniques donc, mais l'Oncle Sam allait ensuite rapidement réaffirmer son leadership.

Le transistor et les microprocesseurs

L'ère de l'informatique commerciale était ouverte, mais c'est l'invention du transistor qui va lui apporter l'élan décisif. Cette découverte a été rapportée en juillet 1948, dans un article du *New York Times*, suite aux recherches menées dans les laboratoires Bell du New Jersey par William Shockley, Walter Brattain et John Bardeen, ce qui leur valut de recevoir en 1956 le prix Nobel de physique. Les compagnies de télécommunications cherchaient alors à remplacer les circuits électromécaniques et les tubes à vide dans les centraux téléphoniques par des interrupteurs et des amplificateurs plus fiables, moins encombrants et plus économes en énergie.

La technologie du transistor repose sur les principes de la semi-conduction de minerais cristallins, comme le germanium ou le silicium, qui ne laissent passer qu'une faible quantité de courant, susceptible d'être modifiée par l'adjonction d'autres minerais en doses infinitésimales comme le phosphore ou le bore. La superposition de couches de charge différente, avec un fil conducteur entre les deux, constitue l'« architecture de base » du transistor. Dès 1954, le germanium est abandonné au profit du silicium, moins cher et très répandu en tant que composant principal du sable.

L'utilisation d'une matière première si bon marché permet de baisser le prix des transistors d'un facteur 10, ce qui les rend très compétitifs par rapport aux tubes à vide.

Le second progrès essentiel a été l'intégration du circuit, évitant le câblage et le soudage manuels, mise au point par un ingénieur de Texas Instruments en 1959, Jack Saint Clair Kilby. Le procédé, qui consiste à imprimer au préalable par photogravure la configuration du circuit avec ses résistances et ses composants, est amélioré par Fairchild Semi Conductor avec la « technique planaire » qui permet d'en diminuer l'épaisseur. Dès 1962, elle est, avec Texas Instruments, la première entreprise dans le monde à produire des circuits intégrés en série. La miniaturisation et sa corrélation - la plus grande puissance à prix identique - a rapidement suivi : alors qu'en 1964, une « puce » de 0,25 cm^2 contenait dix transistors, en 1970, 1 000 transistors étaient regroupés sur cette même surface, pour le même coût. Au même moment, la puce devient « intelligente » grâce à l'intégration d'une mémoire, selon un procédé mis au point par une jeune entreprise née deux ans plus tôt, Intel (Integrated Electronics).

Le microprocesseur 4004 est non seulement plus puissant, mais encore ses composants sont disposés de manière à être programmés pour remplir n'importe quelle fonction, à l'instar de l'unité centrale d'un gros ordinateur. La technologie MOS (Metal Oxyde Semi-Conductor) permet de regrouper davantage de composants sur une puce et fait ainsi chuter les prix. Gordon Moore, l'un des fondateurs d'Intel, prédit alors que la capacité des microprocesseurs doublera au moins tous les deux ans à prix égal ou inférieur[2]. Cette tendance, connue sous le nom de loi de Moore, va progressivement entamer la suprématie des gros ordinateurs apparus au début des années 50, puis des « mini » nés dans les années 60 sous l'impulsion de Digital Equipment.

Une première étape est ainsi franchie avec la bureautique, en attendant la micro-informatique puis le multimédia. Ces prévisions continuent à se vérifier aujourd'hui : la puce 486 d'AMD,

---

2. La loi de Moore s'est non seulement avérée exacte, mais selon les estimations de son auteur, le cycle initial s'est réduit à dix-huit mois dans la période récente.

lancée en 1991, comportait 200 000 transistors, tandis que le K6, commercialisé en mai 1997, contient 8,8 millions de transistors gravés sur une surface équivalente à une pièce de 5 centimes. L'entreprise Cyrix, quant à elle, a mis au point un circuit de 6 millions de transistors, le moins cher sur le marché à ce niveau de puissance. Intel, de son côté, après avoir réalisé le Pentium Pro en 1995, propose désormais le Pentium II avec 7,5 millions de transistors. L'entreprise a aussi annoncé, en septembre 1997, un nouveau procédé qui permet de doubler, à taille égale, la mémoire des microprocesseurs sans augmentation du nombre de transistors[3]. Leader incontesté du marché, Intel a désormais des concurrents désireux de menacer sa position, ce qui a pour effet de maintenir la course à la miniaturisation et à la réduction des coûts[4]. Les vitesses de calcul requises par le marché émergeant du multimédia, en particulier pour le son et l'image animée, ouvrent à cet égard de belles perspectives.

L'ère du micro-ordinateur

Le premier micro-ordinateur au monde a été conçu en 1972 par deux ingénieurs français, André Truong et François Gernelle, qui ont utilisé le microprocesseur 8008 d'Intel. L'histoire retiendra le nom de Micral, peut-être arrivé trop tôt ou sans les appuis industriels nécessaires. Elle se souviendra aussi de l'Altaïr 8800, révélé en janvier 1975 dans la revue *Popular Electronics*. Sans langage de programmation, sans clavier, c'était un produit pour « accros » de l'informatique, vendu en kit pour 420 dollars. L'Altaïr était doté d'une mémoire de seulement 4 000 caractères. À titre de comparaison, la plupart des micro-ordinateurs ont aujourd'hui

3. L'accroissement de capacité entraîne une diminution du prix par rapport à la quantité d'informations stockées. Le procédé serait basé sur une reconnaissance de « mode intermédiaire » par rapport au mode binaire. La première application concernera des microprocesseurs de 64 Mbits (les plus puissants ont aujourd'hui une mémoire de 256 Mbits). Parallèlement, Motorola et IBM lançaient le G3, qui équipe les nouveaux ordinateurs Apple. Sa puissance, qui serait supérieure de 15 à 44 % à celle du Pentium II selon les opérations, découle de la très faible largeur de gravure (0,25 micron).
4. IBM a également annoncé, en septembre 1997, la mise au point, après dix ans de recherches, d'un procédé qui remplace l'aluminium par le cuivre pour les fils conducteurs du microprocesseur. Ce métal, beaucoup moins cher, offre une meilleure conductibilité et permettrait de réaliser des fils 400 fois moins épais qu'un cheveu.

une mémoire de 4 à 8 millions de caractères. La réussite sera sans lendemain, car l'entreprise IMTS qui le fabrique ne vivra que quelques années, n'ayant pu faire suffisamment évoluer l'Altaïr pour répondre à la demande. D'autant que la concurrence de Commodore, Radio Shack et Apple, fondée en 1977 par Steve Jobs et Steve Wozniack, était vive dès le départ. C'est pour l'Altaïr qu'un certain Bill Gates, associé à son camarade Paul Allen, écrit un langage de programmation sous Basic, créant alors une entreprise de logiciels, baptisée Microsoft[5].

Bill Gates quitte Harvard à 19 ans et Paul Allen son emploi de programmeur pour s'engager dans une prodigieuse aventure. Microsoft emploie aujourd'hui plus de 17 000 personnes dans le monde et a réalisé 8,67 milliards de dollars de chiffre d'affaires en 1996, essentiellement comme fournisseur de systèmes d'exploitation des micro-ordinateurs, dont elle contrôle aujourd'hui 80 % du marché mondial, avec le fameux logiciel Windows, dont la dernière version date de 1995.

Le concept de micro-ordinateur, perfectionné notamment par Apple, à partir d'idées développées dans les laboratoires de Rank Xerox à Palo Alto (les icones et la fameuse « souris », dont l'inventeur serait un certain Douglas Englebart, récompensé à ce titre en 1997 par le MIT), rencontre immédiatement du succès, dans les grandes entreprises, puis dans les PME et dans le grand public. IBM se lance à son tour dans la bataille en 1981 avec l'IBM-PC, pour assurer sa présence, mais sans véritablement croire au développement de ce segment de marché, laissant de nouvelles firmes comme Apple ou Compaq lancer les produits les plus performants.

La même année, Osborne commercialise le premier portable, qui ne pèse pas moins de 11 kg. Avec le micro s'ouvre l'ère de l'informatique domestique, que peu de gens avaient prévue. En 1977, Ken Olsen, P-DG de Digital, déclarait en effet ne voir aucune raison de posséder un ordinateur chez soi. Aujourd'hui, plus de 50 % des micro-ordinateurs vendus aux États-Unis sont à usage domestique, la croissance de ce marché ne pouvant qu'être renforcée par l'explosion de l'Internet.

---

5. Voir p. 54.

2. De l'Internet aux autoroutes de l'information

La date de naissance de l'Internet peut être fixée en 1969, avec la réalisation du réseau Arpanet par l'UCLA (University of California, Los Angeles). Mais sa conception remonte en fait à douze ans plus tôt quand le gouvernement américain crée l'Arpa (Advanced Research Project Agency, ou « Agence pour les projets de recherche avancée ») pour renforcer les recherches scientifiques susceptibles d'être utilisées à des fins militaires.

Les premiers pas

Il faut en effet se remettre dans le contexte politique de l'époque, c'est-à-dire en pleine guerre froide, au moment où l'Union soviétique vient de remporter une victoire capitale en lançant en 1957 le premier satellite dans l'espace, le fameux Spoutnik. Pour éviter que l'avance soviétique ne s'étende à d'autres secteurs, les politiques et les militaires américains décident d'investir massivement dans un nouveau programme de recherche.

En 1962, le scientifique Paul Baran suggère à l'US Air Force de fonder ses systèmes de communication sur le principe d'un réseau informatique décentralisé à structure maillée. L'avantage est évident : dès lors que le réseau ne possède plus de point central, il peut parfaitement résister à une destruction partielle, due par exemple à un bombardement nucléaire. Finalement, il faudra sept ans pour que la société de consultants BBN préconise un mode de communication par paquets doté d'un protocole original, le Network Control Protocol. Un an plus tard, le premier réseau de ce type est créé entre quatre universités : UCLA, l'Université de Californie à Santa Barbara, l'Université de Stanford et celle d'Utah à Salt Lake City.

En 1972, le réseau fonctionne avec une quarantaine de sites, qui échangent surtout des messages électroniques. Dans le même temps, la France donne le coup d'envoi de son projet Cyclades, et le Royaume-Uni, le Japon, la Suède et la Norvège se lancent aussi. Devant cet engouement, chacun comprend qu'il est nécessaire de déterminer un standard pour pouvoir dialoguer. Organisée à

Washington, la première Conférence internationale sur les communications informatiques a pour but de répondre à cette interrogation, en essayant de définir des protocoles de communication communs.

À cette occasion est créé l'InterNetwork Working Group. Très rapidement, son président, Vinton Cerf, âgé de 29 ans, définit ce que pourrait devenir l'architecture de ce futur réseau mondial, c'est-à-dire un ensemble de réseaux autonomes reliés entre eux par des passerelles.

La standardisation de l'Internet

Deux ans plus tard, Vinton Cerf et Robert Kahn publient le protocole TCP (Transmission Control Protocol), qui préfigure ce que sera le futur protocole IP (Internet Protocol). Ensuite, tout s'accélère : en 1976, Mike Lesk, des laboratoires Bell, crée le protocole UUCP (Unix to Unix Copy), un logiciel qui permet d'échanger fichiers et messages électroniques entre utilisateurs de machines Unix. En 1977, le format des messages est défini, ce qui n'empêche pas le développement simultané de plusieurs langages. Devant cette situation, l'Arpa crée en 1979 l'ICCB (l'Internet Configuration Control Board) pour contrôler l'évolution du réseau. Mais l'adoption d'un premier véritable langage commun est, cette fois encore, à mettre à l'actif de Vinton Cerf, qui autorise, en 1980, la mise à disposition gratuite des spécifications du protocole TCP/IP. Un véritable coup de génie. Par ce biais, TCP/IP prend une longueur d'avance sur tous les autres protocoles de transmission d'informations. Repris par de nombreux utilisateurs, il peut viser le statut de norme internationale. Mais il lui faudra encore une bonne dizaine d'années pour s'imposer définitivement et être reconnu par les universitaires comme l'outil le plus efficace pour interconnecter leurs ordinateurs.

Dans les années 80, les réseaux se multiplient. À côté d'Arpanet et de CSnet (développé par l'université du Wisconsin), l'université de la ville de New York lance en 1981 Bitnet, qui offre notamment un système de conférence électronique proposant près de 4 000 sujets de discussions. En 1983, Arpanet se scinde en deux, avec l'arrivée de Milnet, réservé aux militaires américains. Peu à peu, Arpanet s'impose comme la véritable colonne vertébrale de l'Internet aux États-Unis. Ce n'est qu'en 1990 qu'il cède la place à NSFnet, le réseau à très haut débit créé par la National Science Foundation, qui est resté l'épine dorsale du système jusqu'en 1995, date à laquelle il a été remplacé par plusieurs grands réseaux interconnectés.

La naissance du World Wide Web

Aussi performant qu'il soit, l'Internet ne serait peut-être resté qu'un simple outil utilisé par les universitaires du monde entier si Tim Berners-Lee, chercheur britannique du Centre européen de recherche nucléaire (CERN) de Genève, n'avait mis au point en 1989 un système de présentation des serveurs d'informations sous forme de documents hypertextes. Ce système, qui offre un accès direct à d'autres documents, deviendra le langage de programmation HTML (HyperText Markup Language).

En 1993, le logiciel client Mosaic, élaboré par une équipe de chercheurs du NCSA, le National Center for Supercomputing Applications, complète l'édifice, transformant un système informatique compréhensible des seuls initiés en un outil convivial, simple d'utilisation et aux capacités multimédias immenses, le World Wide Web[6].

Le succès est considérable. Entre la fin de 1993 et le début de 1994, l'attrait de Mosaic est tel que l'équipe de la NCSA se scinde en deux, certains de ses membres décidant de commercialiser leur logiciel de navigation sous la marque Netscape. C'est ce jour-là que l'Internet a quitté les laboratoires et commencé sa conquête du grand public, avant d'acquérir son statut de star internationale. En quelques mois, le nombre de machines connectées a explosé, passant de 1 à 2 millions en 1992 et à près de 50 millions vers le milieu de 1997. Parallèlement, le nombre de sites Web a suivi la même tendance : les experts estiment que leur nombre double tous les deux ou trois mois.

---

6. Voir p. 261.

Schéma et coût de connexion Internet grand public

1. Coût d'accès au réseau

Pour accéder au réseau Internet, il faut disposer d'un micro-ordinateur multimédia (10 000 TTC environ), PC ou Macintosh, avec modem (de 1 000 à 2 000 F TTC selon la vitesse). Les modems rapides (28,8 Kbps ou mieux 56 Kbps) sont conseillés. L'abonnement peut être obtenu auprès d'un fournisseur d'accès ou ISP (Internet service provider), au nombre de 200 en France, ou auprès d'un service en ligne (America On Line, Wanadoo, Infonie, Club Internet, Compuserve, MSN), ces derniers offrant en plus leurs propres services spécialisés (information, voyage, loisir, etc). Les tarifs varient selon les formules (forfait complet ou non, durée de connexion avec ou sans plafond, assistance client, plus connue sous le nom de « hot line ») de 60 F à 150 F TTC par mois environ. Plusieurs prestataires proposent des formules à moins de 100 F/mois pour une durée de connexion illimitée.

À l'abonnement, il convient d'ajouter la facturation téléphonique, selon le palier horaire, à moins d'accéder via un réseau câblé, ce qui est aussi plus rapide pour le segment local. Sur la base d'un abonnement mensuel proche de 150 F (1 700 F sur 12 mois), avec une durée de connexion hebdomadaire de 6 heures (près d'une heure par jour), qui représente 3 300 F de facture téléphonique correspondant à l'accès Internet et avec un coût moyen d'équipement de 10 000 F amorti sur 3 ans (3 000 F/an), cela donne une dépense réelle annuelle moyenne de 8 000 F (ou 5 000 F en coût de fonctionnement, soit un peu plus de 400 F/mois, hors amortissement).

2. Schéma de connexion au réseau

La requête de connexion au réseau formulée par l'utilisateur depuis son micro-ordinateur va être transmise au modem de son ISP, qui l'achemine lui-même vers le routeur Internet (via une liaison spécialisée) le plus proche. Jusqu'au modem de l'ISP, le recours à une liaison télécom (boucle locale) explique la facturation de la communication par l'opérateur : France Télécom ou l'un de ses concurrents depuis le 1er janvier 1998. Depuis le routeur Internet, la requête est acheminée de manière aléatoire à travers le réseau jusqu'au routeur le plus proche du serveur à consulter. Une fois la connexion établie, le « paquet » d'informations correspondant à la page d'accueil du serveur est expédié par tout chemin disponible jusqu'au micro-ordinateur de l'utilisateur. Chaque page consultée donnera lieu au même schéma. Les pages déjà lues sont temporairement stockées dans le disque dur pour éviter de nouvelles requêtes en cas de consultations multiples. En bout de ligne, les coûts sont couverts par l'« éditeur » du serveur (conception et hébergement du site par un prestataire, accès à celui-ci).

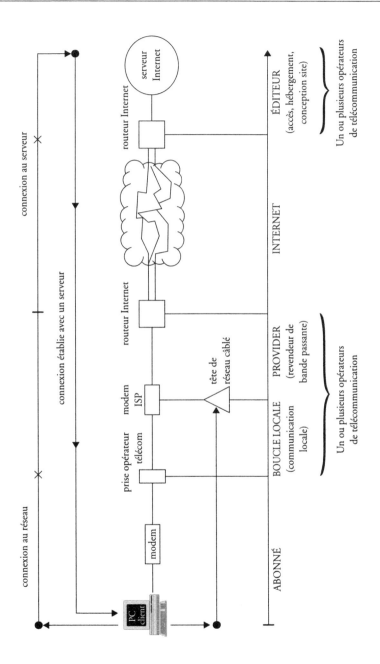

Les autoroutes de l'information

Ces développements, qui n'avaient pas encore beaucoup retenu l'attention des médias, ont pourtant été remarqués par un certain Al Gore. Pendant la campagne électorale de 1992, le candidat démocrate à la vice-présidence des États-Unis évoque pour la première fois les fameuses « autoroutes de l'information », dont l'Internet constitue une préfiguration. À cette occasion, il souligne la nécessité de réaliser ces infrastructures et de favoriser la création de contenus innovants.

Après la « nouvelle frontière » et la conquête de l'espace chères à Kennedy, après la « guerre des Étoiles » de Reagan, Al Gore lance un programme frappant l'imagination, capable de mobiliser les énergies. Tout comme son père, conseiller du président Roosevelt et inspirateur du programme de constructions autoroutières conçu à l'époque du New Deal, le futur vice-président songe déjà à la contribution de l'« Information Super Highway » à la relance de l'économie américaine.

Un véritable défi, dans la mesure où l'informatique est rendue responsable d'une partie du chômage. Devenu projet industriel, le NII (National Information Infrastructure), rendu public le 15 septembre 1993 par le président Clinton, est surtout dans son esprit un projet de société : *La révolution de l'information changera pour toujours la façon dont les gens vivent, travaillent et communiquent les uns avec les autres.*

Pour favoriser le déploiement des autoroutes de l'information, le gouvernement américain lance alors un vaste programme de dérégulation, dix ans après la décision historique du juge Greene, qui s'était traduite par la fin du monopole d'ATT et son démantèlement. Cette fois-ci, il s'agit de donner une traduction juridique au rapprochement des technologies de l'audiovisuel, de l'informatique et des télécommunications, tout en assurant une large ouverture à la concurrence.

Le secteur privé est incité à engager les actions nécessaires, le gouvernement fédéral limitant son intervention, en collaboration avec le gouvernement des États et les collectivités locales, au lancement de projets pilotes dans quelques domaines comme l'éducation, les bibliothèques, la santé et le commerce électronique.

La nouvelle donne permet enfin de doter plus rapidement les entreprises américaines d'outils d'information et de communication performants, leur procurant dans ce domaine une avance stratégique.

L'Europe ne tarde pas à se pencher sur ces questions avec la publication, en juin 1993, du livre blanc de la Commission européenne intitulé *Croissance, compétitivité et emploi*, qui place la société de l'information au centre des préoccupations de l'Union européenne. En mai 1994, le rapport Bangemann, consacré à *L'Europe et la société de l'information planétaire*, propose la libéralisation du cadre réglementaire et suggère des initiatives majeures pour bâtir la société de l'information, en particulier l'enseignement à distance et le télétravail.

En France, le gouvernement avait, dès 1993, confié une mission à Thierry Breton, actuel P-DG de Thomson Multimédia, sur le télétravail[7], dont le rapport a été remis fin 1993, et sur les téléservices[8], présenté six mois plus tard.

À la fin 1994, c'est au tour de Gérard Théry, ancien directeur général des télécommunications et père du programme Minitel lancé à l'époque de Valéry Giscard d'Estaing, de déposer ses recommandations concernant les autoroutes de l'information. Si le rapport Breton étudie les différentes formes de travail et de services susceptibles d'être accomplis à distance, le rapport Théry examine le problème des infrastructures et propose le développement d'un ambitieux programme de câblage à large bande en fibre optique.

L'appel à propositions, lancé début 1995 par le ministère de l'Industrie, des Postes et des Télécommunications, intègre les deux démarches d'innovation sur les contenus (programmes et applications) et les contenants (« plates-formes technologiques »), en suscitant au départ la formulation de quelque 635 projets, à vocation

---

7. Modalité d'exécution du travail exercé à distance, à temps plein ou partiel, en utilisant les modes de communication électroniques, informatiques et télématiques. Voir p. 115.
8. Prestation à valeur ajoutée, effectuée entre des entités juridiques distinctes, en utilisant les outils de télécommunications.

régionale et locale. 260 propositions au total, sur la période 1995-1997, feront l'objet d'une labellisation nationale, assortie dans certains cas d'une aide financière[9].

Le Royaume-Uni et l'Allemagne, après diverses études publiées en 1994, lancent de leur côté des plans d'action en février 1996, respectivement l'Information Society Initiative et Info 2000. Le Japon n'est pas en retard : les ministères des Postes et Télécommunications d'une part, de l'Industrie et du Commerce extérieur d'autre part, définissent les stratégies dès mai 1994 dans deux rapports intitulés respectivement *Vers la société intellectuellement créative du XXIe siècle* et le *Programme pour une infrastructure de communication avancée.* La prochaine libéralisation du secteur des télécommunications est annoncée, en même temps que le déploiement d'un réseau complet de fibres optiques pour 2010.

Autant les principales puissances industrielles sont en concurrence les unes avec les autres en matière d'infrastructures, d'équipements et d'applications, autant le caractère planétaire des enjeux ne pouvait que susciter une action internationale pour accélérer, au bénéfice de tous, la mise en place des fameuses autoroutes de l'information.

En février 1995, le G7 (groupement des principaux pays industrialisés) consacre le sommet de Bruxelles à ce sujet et lance un programme de coopération ouvert à toutes les nations, touchant notamment à l'éducation, la santé, la culture (bibliothèques et musées) et aux administrations[10]. La valeur stratégique des nouveaux réseaux pour les pays du Nord comme pour ceux du Sud et l'ambition des premiers sont ainsi solennellement proclamées, même si la nature exacte des futures autoroutes de l'information reste encore à déterminer.

---

9. Les crédits directement alloués représentent au total près de 300 millions de francs, sans compter les aides de l'Agence nationale de valorisation de la recherche (Anvar) destinées à ce titre aux PME. Voir aussi p. 318.
10. Voir p. 253.

3. Du numérique au multimédia

Numérique, multimédia, autoroutes de l'information : comment s'y retrouver, quelle parenté établir entre ces termes, quelle part faire aux supports de communication et aux nouveaux usages et programmes ? Une fois lancé dans la sphère des médias, le mot n'est plus signifiant en termes scientifiques, il le devient en termes médiatiques, avec un sens qui n'a souvent qu'un lointain rapport avec le concept, l'invention ou l'idée d'origine. Une clarification est donc nécessaire pour une compréhension rationnelle des fondements de l'évolution technologique et de ses implications pour chacun d'entre nous.

Le numérique

Le codage binaire de l'information, imaginé dans l'entre-deux-guerres selon les principes de l'algèbre booléenne, a été appliqué à la fin des années 40 dans la conception des premiers ordinateurs universels. Principe de base de l'informatique, le codage binaire est la clé qui permet le stockage, le traitement et la transmission d'une masse considérable d'informations. L'idée d'appliquer le codage binaire non seulement au texte et aux calculs complexes, mais également au son et à l'image, constitue une suite logique.

Dans un système analogique, les éléments constitutifs du son ou de l'image sont décomposés en une succession de vibrations sonores et/ou optiques (enregistrement, émission d'un signal de radio ou de télévision), qui sont ensuite recomposées par un lecteur (platine de tourne-disque, poste de radio, téléviseur) analysant les impulsions électriques reçues. Les limites du système sont liées aux problèmes susceptibles d'être rencontrés lors du transport du signal (interférences) ou de sa lecture (microsillon endommagé, altération d'un support film ou magnétique).

Avec un système numérique, chaque son ou image est décomposé en une série d'informations binaires immuables, représentatives soit de l'analyse d'un son (grave, aigu, amplitude, durée, etc.), soit de la structure d'une image (définition, contrastes). Pour une image noir et blanc, l'analyse ne concerne que sa texture (nombre de points sur une surface donnée). Dans le cas de la polychromie, chaque couleur élémentaire est décomposée en une série de nuances à définition binaire, traduites en « pixels ». Aujourd'hui, les micro-ordinateurs les plus performants sont capables d'analyser et de reproduire 16 millions de couleurs.

La percée du numérique dans les domaines de l'image et du son n'a cependant été possible qu'à partir du moment où la reproduction et la transmission des innombrables informations nécessaires à la traduction mathématique d'un son ou d'une image étaient susceptibles d'être réalisées dans des conditions économiques acceptables. La mise au point des techniques de compression a permis de répondre à cette préoccupation en réduisant, par le recours à des algorithmes, la capacité nécessaire au stockage, au traitement et à la transmission (par « paquets » aléatoires) des informations caractéristiques d'images ou de sons.

Le Compact Disc audio (CD audio), lancé par Philips en 1982, a introduit le numérique dans le domaine de la haute-fidélité. Il utilise la technique du laser[11], inventée en 1960 par l'américain Maiman, à la fois pour graver l'enregistrement et le lire. L'intensité du rayon laser, variable en fonction de celle du son, permet d'élaborer la matrice avec une suite de cavités plus ou moins profondes d'après les caractéristiques du son, puis de restituer celui-ci avec un lecteur. Un CD audio peut comporter jusqu'à 5 milliards de cavités !

Le CD-ROM[12], apparu en 1984, constitue la première application grand public des techniques numériques à l'image. C'est la capacité de stockage du support optique (650 mégaoctets, soit l'équivalent de 600 disquettes informatiques) qui a permis le développement du premier outil multimédia, puisqu'il combine texte, son et image fixe ou animée. Mais comme la vidéo occupe beaucoup d'espace disque, l'étape suivante est franchie avec le DVD (Digital Video Disc), commercialisé depuis 1996 et dont la capacité de stockage peut aller en l'état actuel de la technologie jusqu'à 4,7 gigaoctets[13], soit huit fois plus qu'un CD-ROM. Un film de deux heures peut ainsi être visionné sans difficulté sur une seule face.

---

11. Light amplification by stimulated emission of radiations.
12. Read Only Memory.
13. Il est prévu de fabriquer des DVD avec deux couches sur une seule face (8,5 gigaoctets), puis deux couches sur deux faces (17 gigaoctets).

Dans ses différentes versions, DVD-vidéo, DVD-ROM, DVD-RAM (réenregistrable une fois) et DVD-E (réenregistrable plusieurs fois), ce nouveau support, qui nécessite un lecteur spécifique, est appelé à remplacer progressivement à la fois les cassettes audio et vidéo, et les disques optiques existants.

Quant à la télévision, la généralisation du numérique n'était concevable que par l'utilisation poussée des techniques de compression, l'image animée occupant une bande passante considérable. Ainsi, à 30 images/seconde, standard de l'industrie audiovisuelle, une image vidéo représente 27 millions de bits, comprimables à un million de bits. Grâce à ces techniques, la qualité de l'image et du son demeure excellente, tandis que la capacité de transmission des câbles et satellites a été multipliée par un facteur d'au moins huit. Alors qu'auparavant il fallait gérer une pénurie de fréquences hertziennes, même pour les satellites, il y a désormais abondance. En matière de câble, la limite était le coût élevé de l'infrastructure par rapport au nombre de programmes distribués. La multiplication de capacité autorisée par le numérique, sans accroissement significatif de l'investissement nécessaire, permet de diffuser une quantité de programmes généralistes et thématiques : les fameux « bouquets numériques » apparus aux États-Unis en 1995 et en Europe un an plus tard. Même avec la fibre optique, la compression numérique s'avère très utile en raison du trafic élevé sur les liaisons principales. En outre, pour des raisons d'ordre économique, il n'est pas du tout certain qu'il soit possible de prévoir le raccordement de tous les foyers en fibre optique, le dernier segment, en fil de cuivre, étant moins cher, mais aussi de moindre capacité, ce que la compression permet de compenser. La problématique est la même pour le téléphone mobile, la rareté des fréquences pouvant être surmontée par l'utilisation des techniques de compression numérique. Cela explique le succès du système GSM[14].

L'Oncle Sam a tiré la conclusion logique de l'ensemble de ces évolutions avec l'annonce, en avril 1997, de la généralisation de

14. Global System for Mobile Communications.

la télévision numérique aux réseaux hertziens d'ici à 2006. Cela signifie à terme le renouvellement complet du parc de récepteurs, avec une première étape fin 1998, offrant des émissions en numérique dans les dix plus grandes villes. Cela donnera enfin une qualité d'image convenable aux téléspectateurs, sans nécessairement s'abonner au câble ou au satellite. En effet, le procédé de télévision analogique NTSC[15], en vigueur aux États-Unis, est compris comme *Never Twice the Same Color*, « jamais deux fois la même couleur » ! Le nombre de canaux sera bien sûr accru, mais surtout la convergence informatique/audiovisuel pour le grand public sera accélérée. Dès lors que les programmes de télévision et le Web seront accessibles à partir d'un seul appareil et sans boîtier spécifique, c'est le terminal lui-même qui sera réellement multimédia[16]. De belles batailles en perspective entre les fabricants de téléviseurs et les constructeurs de micro-ordinateurs, qui ont déjà commencé à mettre en avant leurs propres critères techniques, pour essayer d'influencer les choix de la FCC (Commission fédérale des communications).

Le multimédia

La numérisation de l'image et du son, après l'écrit, a donné naissance au multimédia. À la combinaison écrit-image-son s'ajoute une caractéristique essentielle et novatrice : l'accès instantané à toute information par un ensemble de liens directs, dits liens hypertextes, qui permettent de passer sans discontinuité d'un serveur ou d'une rubrique à une autre. Les liens hypertextes entre serveurs permettent, à partir d'un mot clé, de consulter plusieurs sources d'information sur le même sujet pour comparer ou compléter une recherche, en passant facilement de l'une à l'autre. Selon le même principe, la consultation d'un CD-ROM s'apparente à un geste familier, celui qui consiste à feuilleter un livre, à revenir en arrière, pour relire ou reconsulter un chapitre. Il permet aussi d'approfondir un thème par la lecture d'informations complémentaires à partir d'un mot qualifiant.

---

15. North American Television Standard for Color.
16. Voir p. 280.

Dans les médias audiovisuels traditionnels, le choix est simple : regarder, écouter telle chaîne, telle station ou zapper, puis s'arrêter si un programme convient. Avec le off line ou le on line[17], le choix est multiple et personnalisé : accès et retour à telle rubrique, cheminement de serveur en serveur... Le « zappeur » devient alors « surfeur ».

Le multimédia, ainsi appelé en raison de sa capacité de mise en relation d'informations et d'émetteurs d'information, constitue bien plus qu'une simple addition de médias existants, accessibles à partir du même terminal : le multimédia est un nouveau média. Un CD-ROM ne se conçoit pas comme une compilation de sources d'informations connues, pas plus qu'un serveur Internet comme une simple base de données en ligne. Dans l'un et l'autre cas, il existe un synopsis et une écriture spécifiques. Le multimédia n'échappe pas à la règle selon laquelle tout nouveau support de communication favorise de nouvelles formes d'expression et de créativité. L'auteur multimédia est à la fois un écrivain et un cinéaste[18].

De nouveaux horizons interactifs

À la faveur de l'arrivée du numérique et du multimédia, un changement qualitatif est introduit avec l'interactivité, qui annonce le passage d'une société de l'information à une société de la communication. Actuellement, avec les mass media, l'information est diffusée de manière unidirectionnelle. Celui qui reçoit l'information (ou le programme de divertissement) a certes « choisi » d'écouter ou de regarder, mais il ne peut qu'être passif. Bien sûr, son choix s'est élargi avec la multiplication des canaux de distribution de programmes audiovisuels, qu'il s'agisse de télévision hertzienne « terrestre », de câble, de satellite ou encore de radio avec les stations locales. Bien sûr, nombre de programmes de télévision ou de radio permettent au téléspectateur ou à l'auditeur de s'exprimer en direct, en posant des questions ou en formulant un avis par téléphone ou Minitel. Mais ces opportunités sont

---

17. *Off line* : application disponible en local, comme le CD-ROM. *On line* : service ou réseau, comme l'Internet, accessible par un ordinateur muni d'un modem.
18. Voir p. 194.

relativement peu fréquentes : le dialogue demeure l'exception et le contenu des programmes n'en est guère modifié.

Avec l'arrivée de l'Internet, toute information dispensée, quelle qu'en soit la nature, peut faire l'objet, de manière systématique, de questions et de remarques sur la base d'un dialogue entre l'émetteur de l'information et celui qui la reçoit... qui peut devenir à son tour émetteur. Le courrier électronique en est le vecteur, chaque serveur ayant son adresse E-mail propre. Tour à tour, le citoyen et le consommateur ont la parole, ce qui constitue une innovation importante.

L'Internet est aussi une vaste agora électronique autorisant les échanges, en direct ou en différé, entre cybernautes. Les premiers sont les fameux *chat-lines*, sortes de cafés du commerce électroniques apparus d'abord sur les BBS *(bulletin board services)* ou « babillards », selon l'appellation québécoise désormais usitée dans les pays francophones. Les seconds sont constitués par les forums thématiques - il en existe sur tous les sujets - qui permettent d'entrer en relation avec les personnes s'intéressant aux mêmes questions, quel que soit leur lieu d'habitation sur la planète. Bien sûr, il vaut mieux connaître l'anglais, mais les forums dans d'autres langues, dont le français, se développent rapidement.

Les *chat-lines* ou forums, par leur côté convivial ou l'intérêt des affaires débattues, contribuent à définir de nouvelles formes de communication de groupe, mais la « poste électronique » constitue un support plus répandu, tant pour la communication personnelle que professionnelle. Le courrier électronique, qui s'affranchit allègrement des fuseaux horaires, est aujourd'hui, mesuré en nombre de caractères, le moyen de communication le meilleur marché, le plus fiable et le plus rapide qui soit. De plus, il ne se perd pas ! Alors qu'une télécopie de 2 000 caractères (l'équivalent d'une page dactylographiée) adressée de Paris à New York coûte 1,80 franc, il suffit de 10 centimes pour envoyer la même information par courrier électronique. Dans ces conditions, il n'est pas étonnant que l'E-mail connaisse un tel succès : il représente 60 % du trafic sur l'Internet.

Quant à ceux qui souhaiteraient avoir « pignon sur rue » sur le Net - c'est le cas de nombreux chercheurs, scientifiques ou

écrivains, mais aussi de simples particuliers -, la création de sites
Internet « personnels », hébergés sur d'autres serveurs[19], est possible
moyennant un investissement raisonnable. Mais ce n'est pas tout :
la visiophonie, réservée jusque-là, en raison de son coût, aux
grandes entreprises, est désormais accessible à tous avec le système
Cu-See-Me (prononcé « *seeiou seemi* », c'est-à-dire « je te vois, tu
me vois »), qui permet d'établir un dialogue « audio-visuel » en
temps réel.

.

---

19. Certains fournisseurs d'accès proposent avec l'abonnement à l'Internet la création d'une
page « personnelle ».

Les grandes manœuvres

*L'explosion technologique a fait sauter les barrières entre l'informatique,
l'audiovisuel et les télécommunications. Les grandes sociétés multinationales
spécialisées dans ces secteurs tissent des alliances stratégiques pour étendre leur
domaine de compétence. L'apparition de nouveaux acteurs et la dérégulation
des télécoms accélèrent le mouvement. Pour les uns comme pour les autres, les
positions ne sont jamais acquises.*

1. Les nouveaux empires

Big is beautiful. Forts du constat selon lequel les investissements
seront colossaux dans l'univers du multimédia, les principaux
groupes mondiaux, présents dans l'édition, l'audiovisuel, les
télécommunications et l'informatique se sont lancés depuis
deux ans dans une course au gigantisme. Pour eux, rien n'est
trop beau pour s'imposer, même s'il faut pour cela dépenser des
milliards de dollars, afin de consolider leurs positions sur leur
métier de base, tout en exploitant les possibilités de diffusion
multisupports.

Les États-Unis en avance

Les grandes manœuvres ont débuté au cours de l'été 1995. En
quelques semaines, le monde de la communication a basculé dans
le gigantisme... à cause de Mickey. C'est en effet Walt Disney qui
a lancé le mouvement en annonçant le rachat du groupe Capital
Cities/ABC, propriétaire du premier network hertzien des États-
Unis (devant NBC et CBS) et de 225 stations de télévision affiliées.
D'un montant de 19 milliards de dollars (soit près de 100 milliards

de francs), cette opération constituait tout simplement la deuxième fusion-acquisition de l'histoire.

Ce rapprochement n'aura permis au groupe Disney de devenir nº 1 mondial de la communication que l'espace de quelques semaines. Pour 8,5 milliards de dollars, Time Warner a en effet pris peu après le contrôle à 100 % de Turner Broadcasting System (CNN), créant ainsi un mastodonte de plus de 100 milliards de francs de chiffre d'affaires.

Au même moment, le conglomérat Westinghouse reprenait à son tour le network CBS pour près de 5 milliards de dollars... avant, quelques mois plus tard, de séparer totalement ses activités médiatiques (radio et télévision, pour un chiffre d'affaires de plus de 4 milliards de dollars) de ses activités industrielles mises en vente (centrales électriques, réfrigération, etc.), afin de concentrer son développement sur le seul univers des médias, sous le nom de CBS Corporation.

Déraison, démesure, inconscience ? Pas du tout. Ces mégafusions répondent à une logique économique implacable. Roi des loisirs dans le monde entier, Disney - qui est avant tout un producteur - se devait de contrôler davantage la distribution de ses produits. Quoi de plus logique alors que de prendre le contrôle d'une chaîne de télévision. D'autant que la réglementation américaine interdisant aux *networks* de produire et commercialiser leurs programmes en *prime time* est désormais levée, ce qui les libère de la toute-puissance des studios de production. En reprenant ABC, Disney réconcilie d'un coup l'offre et la demande, et maîtrise désormais l'ensemble de la chaîne, de la production d'un film à sa diffusion sur un réseau TV.

Dans ce domaine, Michael Eisner, le patron de Disney, n'a rien inventé : Paramount a été racheté par Viacom et Rupert Murdoch contrôle la 20th Century Fox. De même, Time Warner/ Turner est présent à l'entrée comme à la sortie de la chaîne audiovisuelle. Côté production, le groupe est l'un des leaders du secteur avec les studios Warner, New Line, Castle Rock. Côté distribution, il est présent dans le cinéma, la vidéo et le câble. Enfin, il ne faut pas oublier qu'il est l'éditeur du célèbre hebdomadaire international, *Time Magazine*.

L'Europe prend le relais

Si elle a pris du retard sur les Américains, l'Europe a également été touchée par cette vague de rachats et de regroupements. L'année 1996 a été, de ce point de vue, extrêmement riche d'enseignements. Les annonces d'alliances et de contre-alliances n'ont cessé de se succéder. L'exemple de News Corp, le groupe de Rupert Murdoch, est tout à fait significatif. Décidé à s'implanter en Europe continentale, le magnat australo-américain a d'abord annoncé la conclusion d'une alliance avec la CLT[1], avant de se tourner vers l'axe Canal+/Havas/Bertelsmann, pour finalement se marier avec le groupe allemand Kirch, puis divorcer quelques mois plus tard.

Cependant, la première opération d'envergure, finalisée début 1997, est à mettre à l'actif de l'Allemand Bertelsmann, troisième groupe mondial de communication avec un chiffre d'affaires de 73 milliards de francs. En fusionnant ses activités audiovisuelles avec la CLT, l'un des principaux opérateurs de radio et télévision en Europe, le leader européen de la communication a pris tout le monde à contre-pied. Pourtant, ce rachat s'inscrivait dans une logique évidente. Déjà très présent dans l'imprimerie, l'édition (France Loisirs), la presse *(Géo, Capital, Ça m'intéresse)* et le divertissement, comme dans l'industrie du disque (avec le label BMG), Bertelsmann avait un besoin urgent de se renforcer dans l'audiovisuel.

L'annonce, en septembre 1996, de la fusion de Canal+ avec les activités européennes de NetHold (filiale d'un groupe sud-africain) répondait à la même préoccupation. Leaders dans le domaine de la télévision payante, les deux groupes sont parfaitement complémentaires sur le plan géographique. Ensemble, ils représentent un chiffre d'affaires de 11 milliards de francs et près de 10 millions d'abonnés, dans de nombreux pays d'Europe. Bien plus, ce rapprochement donne à la nouvelle entité une force de frappe spectaculaire, un facteur majeur dans une négociation d'achat de droits (cinématographiques ou sportifs), qui représentent le nerf de la guerre d'une chaîne de télévision payante.

---

1. Compagnie luxembourgeoise de télédiffusion.

À l'instar des États-Unis, où les 10 millions d'abonnés de DirecTV suscitent toutes les convoitises², l'Europe s'est lancée rapidement dans la bataille des bouquets numériques. Le Royaume-Uni a ouvert la voie dès le début des années 90 avec deux opérateurs par satellite concurrents, qui ont finalement fusionné pour donner naissance à BSkyB, société ayant rapidement atteint, avec plus de 4 millions d'abonnés, une rentabilité exceptionnelle³. Partis quelques années plus tard, l'Allemagne (Premiere), l'Italie (Telepiù) et la France sont encore loin d'avoir atteint l'équilibre. Dans l'Hexagone, la bataille CanalSatellite-TPS tourne pour l'instant à l'avantage du premier, qui revendiquait, fin 1997, 600 000 abonnés, contre 350 000 pour le second. Quant à l'outsider ABsat, après un rapprochement avec CanalSatellite, il paraît tenté par un accord avec TPS. Si les bouquets numériques représentent à coup sûr un relais de croissance, leur développement coûte pourtant cher. Pour la seule année 1997, ils ont ainsi pesé sur les comptes de TF1 pour 110 millions de francs (600 sur cinq ans) et de Canal+ pour 200 millions (500 sur trois ans).

La course à la taille critique

Dans ces conditions, la recherche de la taille critique est aujourd'hui devenue une obsession stratégique pour les principaux groupes mondiaux, car elle est à la fois un facteur de pérennité et de résistance aux aléas de la conjoncture. Elle permet à la fois de minimiser les risques et d'avoir les moyens de la recherche et du financement des produits et services, notamment technologiques, attendus par la clientèle d'aujourd'hui et de demain. Le numérique nécessite en effet des investissements importants que seule la taille permet d'assumer.

L'avènement de cette technologie a complètement bouleversé le paysage audiovisuel mondial. Les diffuseurs, jusque-là seuls sur leur marché, doivent composer avec d'autres intervenants, issus de

---

2. Les principaux opérateurs de télévision directe par satellite aux États-Unis sont PrimeStar et EchoStar. Le groupe Murdoch, après une tentative d'alliance avec le second, a annoncé un accord avec le premier.
3. En 1996, son résultat net était de 1,8 milliard de francs, sur un chiffre d'affaires de 7,9 milliards.

secteurs industriels très éloignés - l'Américain Westinghouse en est le parfait exemple -, mais qui disposent d'une surface financière et d'une capacité d'investissement fabuleuse.

En France, la montée en puissance des groupes Lyonnaise des Eaux et Générale des Eaux dans le secteur de la communication s'inscrit dans les mêmes perspectives. Après avoir exploité leur savoir-faire et leur connaissance des services aux collectivités locales en matière d'infrastructures câblées, ils ont poursuivi sur leur lancée en s'intéressant aux contenus. Lyonnaise Communication est ainsi actionnaire de la chaîne de télévision M6, et la Générale des Eaux est devenue début 1997 l'actionnaire de référence du groupe Havas, le cinquième groupe mondial avec un chiffre d'affaires communication de 37 milliards de francs. Le groupe Lagardère assure 60 % de son chiffre d'affaires dans la communication (33 milliards sur 55) : radio (Europe 1), production audiovisuelle *(Julie Lescaut)*, presse *(Télé 7 jours, Paris Match, Elle)* et édition (Grasset, Fayard, Stock, Livre de Poche). Mais il oriente aussi sa stratégie vers le secteur du multimédia. Cette activité est placée sous la bannière de Grolier, éditeur américain d'encyclopédies et d'ouvrages de référence racheté en 1988, une filiale présente à la fois sur le marché du off line et du on line.

La nouvelle donne de l'Internet

Les alliances et rapprochements se multiplient également pour la maîtrise de l'exploitation de l'Internet. Toutes les sociétés informatiques sont concernées. Parti après ses concurrents, Microsoft a ainsi mis les bouchées doubles, à partir de décembre 1995, pour rattraper le temps perdu. Plutôt que de chercher à imposer son réseau propriétaire (Microsoft Network), Bill Gates a préféré développer son propre logiciel de navigation sur l'Internet, l'Explorer, destiné à contrer le Navigator de Netscape. Sans cette mesure, le risque était de voir ébranlée, à terme, sa suprématie sur les systèmes d'exploitation. Conscient qu'il n'a pas les moyens d'imposer tout seul sa loi sur ce nouveau marché, Bill Gates a choisi de nouer de multiples alliances. Après avoir tenté de créer son propre langage de programmation pour l'Internet, le numéro un mondial des logiciels a adopté celui de Sun Microsystems. Java est désormais intégré dans le système d'exploitation Windows 95. Ensuite, il a multiplié les rachats d'entreprises : en trois ans, de 1995 à 1997, il a investi quelque 8 milliards de francs pour l'acquisition de jeunes sociétés de haute technologie. Il est également entré dans le capital d'Apple et de Comcast, le quatrième opérateur américain de télévision par câble, l'un des seuls à proposer un service d'accès à l'Internet à grande vitesse. Microsoft a aussi développé des partenariats avec des groupes internationaux, comme le Japonais Nec pour les grands systèmes informatiques et l'Allemand Siemens dans les réseaux télécoms.

La bataille ne se situe pas seulement sur le terrain des logiciels, mais également sur celui des terminaux. Les grands groupes d'équipement informatique et de hi-fi se positionnent en effet sur le créneau d'un accès plus large à l'Internet, dans les entreprises comme dans le grand public, avec des systèmes plus simples et moins chers que les micro-ordinateurs : le Network Computer (NC), micro-ordinateur simplifié sans disque dur, ou un boîtier connecté au téléviseur[4].

L'importance stratégique de ce marché suscite toutes les convoitises : en mai 1996, Oracle annonce une alliance autour du premier concept, regroupant une trentaine d'entreprises, dont Sun, Netscape, Akaï, Nokia, Motorola, ainsi qu'IBM et Apple. Les groupes d'électronique grand public ne sont pas en reste : Hitachi, Samsung et Sharp ont déjà présenté des téléviseurs dotés de capacité de navigation sur l'Internet. Philips et Sony proposent des décodeurs à brancher sur la télévision. Quant à Panasonic, il a préféré assurer l'accès à l'Internet par le couplage du téléphone et de la télévision. Microsoft s'est également engagé dans la bataille en rachetant la société WebTV, qui a développé un système d'accès par téléviseur.

Un marché qui pourrait s'avérer extrêmement porteur dans les années à venir, avec l'arrivée en force des compagnies de télécommunication et des câblo-opérateurs.

---

4. Voir p. 282.

L'Intranet, enjeu économique majeur

L'autre enjeu sur lequel tous les grands de l'informatique se font concurrence est l'Intranet[5], réseau privé utilisant la technologie de l'Internet. Dans ce domaine, le constat est simple : aujourd'hui, les entreprises sont de plus en plus nombreuses à découvrir le potentiel que représente l'utilisation de la technologie et des standards ouverts de l'Internet au sein de leurs propres réseaux.

Les leaders technologiques du marché et les opérateurs de télécommunication ont répondu à cette attente, en proposant des solutions évolutives, facilement gérables et suffisamment sécurisées pour diffuser de façon fiable des quantités massives de données vers des milliers d'utilisateurs simultanés, quels que soient les matériels et les logiciels utilisés. Nul besoin d'être grand clerc pour comprendre que l'enjeu économique est majeur et que le moindre faux pas est irréversible. D'ici à l'an 2000, les ventes de serveurs Intranet atteindront en effet le chiffre annuel de 4,5 millions d'unités, soit dix fois plus que le marché des serveurs Internet. C'est pourquoi les plus grands groupes mondiaux continuent à dépenser des milliards de dollars en recherche et développement pour créer et lancer de nouveaux produits. Une véritable course contre la montre pour imposer leur loi au marché.

Même pour ces géants, il n'est plus vraiment possible aujourd'hui de se risquer tout seuls dans la bataille. Symbole de cette stratégie, Oracle, qui rêve de détrôner Microsoft, a réuni autour de lui les principaux acteurs de l'informatique, des télécommunications, des loisirs et du commerce électronique pour instaurer un standard commun dans le domaine des logiciels multimédias. Avec l'Object Definition Alliance, le groupe américain souhaite surtout développer la création de nouveaux services dans les domaines de la télévision interactive, des réseaux multimédia et du commerce électronique. Pour réussir son pari, son P-DG, Larry Ellison, s'est associé aux plus grands, notamment Time Warner, MasterCard, Visa, MCI, Apple, Compaq et Xerox. Tout un symbole !

---

5. Voir p. 109.

2. Les opportunistes

Si les plus grands groupes mondiaux de la communication, des télécommunications et de l'informatique investissent aujourd'hui massivement le monde du multimédia, ils ont été précédés par des pionniers, qui ont saisi avant tout le monde l'intérêt et le potentiel de ce nouveau marché.

Des *start'up* au succès foudroyant

L'entreprise pionnière la plus connue est bien sûr Netscape, créée en 1994, dont le fondateur, Jim Clark, a compris très tôt l'eldorado que représentait le logiciel que les Américains appellent *browser* et les Québécois « butineur » ou « fureteur ». Cet homme, qui avait fondé Silicon Graphics[6] en 1982 pour construire des ordinateurs ultrapuissants, n'a pas hésité.

Dans un premier temps, il a recruté Mark Andreessen, le créateur de Mosaic, le programme de navigation le plus populaire sur le Web. Ensuite, il a choisi de mettre gratuitement ce nouveau logiciel, baptisé Navigator, à la disposition des utilisateurs de l'Internet, afin de s'imposer rapidement comme le standard mondial. Enfin, il s'est attaqué au monde de l'Intranet, avant de s'associer à IBM et Sony pour créer Navio, une filiale destinée à étendre les produits Internet à l'électronique grand public, cédée à Oracle début 1997.

Mais Jim Clark n'est pas tout seul au royaume des *start'up* au succès foudroyant. L'histoire de Yahoo est tout aussi édifiante[7]. Au départ, en avril 1994, deux jeunes fous d'informatique, Jerry Yang et David Filo, ingénieurs en électricité et en sciences informatiques de l'université de Stanford, créent un annuaire électronique pour se repérer facilement dans les méandres du réseau Internet et localiser rapidement les sites intéressants. En quelques mois, le succès du premier annuaire de recherche sur le Net[8] est si important qu'ils décident d'introduire leur société au Nasdaq, à

---

6. Ces ordinateurs étaient les seuls capables de réaliser des images de synthèse spectaculaires pour le cinéma, comme les dinosaures de *Jurassic Park*.

7. Voir p. 222.

8. Voir p. 80.

la bourse de New York. Comme pour Netscape, l'engouement est tel que les deux hommes deviennent milliardaires en quelques heures. Mais ils n'en perdent pas pour autant la tête. Adossés à des actionnaires solides comme le Japonais Softbank[9], ils sont aussitôt passés à l'offensive en développant des filiales à l'étranger, notamment en France.

Un marché en pleine explosion

Derrière ces deux références, une multitude de sociétés se sont engouffrées dans la brèche. Aux États-Unis, il ne se passe pas une semaine sans qu'une nouvelle *start'up* Internet ne voie le jour. Si la Silicon Valley a drainé au début la majeure partie des investissements de capital-risque, elle n'est plus la seule : de nombreuses sociétés, plus spécialisées dans les contenus, se sont regroupées au sein de la Silicon Alley, au sud de Manhattan, en plein New York, entre la 28e rue et Spring Street, sur une bande s'étalant sur six blocs à l'est et à l'ouest de Broadway. L'immeuble Flatiron[10] en est l'emblème. A la fin de 1997, cette toute jeune industrie des nouveaux médias représentait déjà 2,8 milliards de dollars de chiffre d'affaires, à travers plus de 2 000 entreprises employant environ 57 000 personnes, selon un rapport réalisé en octobre 1997 par Coopers and Lybrand pour la New York New Media Association.

Et ce n'est certainement qu'un début, tant les financiers du capital-risque paraissent friands de tels projets. Signe de cet engouement, ils interviennent à des stades de plus en plus précoces : les fonds dédiés aux créations d'entreprise aux États-Unis, représentant un montant de plus de 2 milliards de dollars, ont doublé au cours de la seule année 1996, et ceux qui sont destinés aux premières phases de développement, presque 10 milliards de dollars, ont augmenté de 40 % pendant la même période. Un enthousiasme qui s'explique par des retours sur investissements exceptionnels, en moyenne de 50 % en 1995-1996, soit le taux le plus élevé depuis dix ans.

---

9. Voir p. 230.
10. La forme de l'immeuble évoque un fer à repasser.

En France, les stars du multimédia s'appellent Infogrames et Ubi Soft, deux entreprises créées dans le courant des années 80 sur la vague des logiciels de jeux pour micro-ordinateurs. Logiquement, elles se sont tournées peu à peu vers la production, l'édition et la diffusion de logiciels de loisirs interactifs, ainsi que vers le marché éducatif.

Très porteur, ce dernier progresse extrêmement rapidement (de l'ordre de 30 % par an en Europe), mais il est très gourmand en capitaux. Les cinq frères Guillemot, dirigeants d'Ubi Soft, évaluent par exemple leur besoin en recherche et développement à 50 millions de francs par an, pour un chiffre d'affaires 1996 de près de 250 millions de francs, en hausse de 30 % en 1997, internationalisation (notamment aux États-Unis) oblige. Ce n'est donc pas un hasard si ces deux sociétés ont tenté avec succès l'aventure de la Bourse : Infogrames en 1993 et Ubi Soft en 1996.

Ce qui leur permet aujourd'hui de rivaliser avec les majors américains de l'industrie des loisirs interactifs et du ludo-éducatif que sont Microsoft, Broderbund ou Electronics Arts. En fusionnant au printemps 1996 avec l'éditeur britannique Ocean, puis en reprenant les activités de Philips Media Software, Infogrames revendique, fin 1997, un chiffre d'affaires de 1,1 milliard de francs, et s'impose comme l'un des cinq premiers éditeurs mondiaux de multimédia.

Les services en ligne

Infogrames a aussi élargi son spectre d'activité aux services en ligne. Infonie, le plus ancien service en ligne français, vise une cible familiale en offrant des centaines de programmes interactifs dans les domaines de l'information, des jeux, du cinéma ou du sport. Lancé le 6 octobre 1995, puis introduit au Nouveau Marché de la Bourse de Paris (l'équivalent du Nasdaq américain), Infonie a eu beaucoup de mal à démarrer.

C'est pourquoi il s'est résolu à reformuler complètement son offre en y intégrant l'accès à l'Internet et en proposant un service de téléphonie par le biais de ce réseau[11]. Mais, avec 40 000 abonnés à la mi-1997, il restait loin de ses objectifs initiaux.

Ce constat concerne tous les services en ligne. Confrontés à l'explosion de l'Internet, ils doivent aujourd'hui se positionner très différemment. Nés pour la plupart aux États-Unis dans le courant des années 80, ces services propriétaires (par opposition au réseau ouvert qu'est l'Internet) se sont surtout développés en offrant des services de messagerie électronique, de discussion (forums) et de transfert de fichiers.

Après une croissance soutenue au cours des années 80, ils ont véritablement atteint leur âge d'or en 1995. À cette date, Compu-Serve revendiquait plus de 4,5 millions d'abonnés, America On Line (AOL) 3,5 millions et Prodigy 1,5 million. Deux ans plus tard, les choses ont bien changé et la situation des services en ligne apparaît fragilisée. AOL (9 millions d'abonnés dans le monde, dont 50 000 en France) a repris, en septembre 1997, son grand concurrent CompuServe (3 millions d'abonnés dans le monde, dont 80 000 en France), mais connaît une situation économique très difficile[12]. Cette opération devrait lui permettre de franchir un cap en termes de taille, tout en se positionnant dans tous les secteurs. CompuServe s'adresse en effet aux professionnels et AOL au grand public.

En France, la situation est tout aussi difficile. Sur un marché encore balbutiant, les opérateurs se bousculent. Après le rapprochement AOL/CompuServe, on ne recense pas moins de six offres différentes, sans compter le précurseur, le fameux Télétel, réseau vidéotex de France Télécom, qui a donné naissance au Minitel et s'enorgueillit toujours de 14 millions d'utilisateurs, mais sans abonnement, il est vrai. AOL, CompuServe - les deux marques subsistent -, Club Internet (groupe Hachette), Infonie, Havas On Line (Cegetel), Wanadoo (France Télécom) et Microsoft Network ont tous le même objectif : parvenir le plus rapidement possible à 100 000 abonnés, chiffre considéré en France comme le niveau

---

11. Voir p. 282.
12. L'opérateur Worldcom est au centre de cette opération : il a permis le regroupement des deux services en ligne, en récupérant au passage leurs réseaux.

minimal pour vivre et développer des services adaptés. En novembre 1997, Wanadoo s'est ainsi rapproché de MSN en prenant en charge la gestion de ses abonnés en France, et envisage une fusion avec Club Internet.

Les nouveaux métiers du multimédia

L'explosion d'Internet a permis l'éclosion de nouveaux métiers. Le premier d'entre eux est celui de fournisseur d'accès. Après avoir laissé de petits opérateurs (CalvaCom, Internet Way, etc.) ouvrir la voie, les grandes entreprises - France Télécom, Havas et Hachette - ont fini par investir le marché. Pour s'en sortir et se différencier - au milieu de 1997, on en recense environ 200 en France -, chacun a dû étoffer son offre de services : tout en fournissant des accès toujours plus performants et toujours plus puissants, ces différentes sociétés ont véritablement créé de nouveaux métiers, qui vont de la conception graphique de services au développement informatique, en passant par l'hébergement de sites Web, la réalisation de réseaux Intranet et, actuellement, des solutions de commerce électronique sécurisées.

Décidés à profiter de la vague Internet, d'autres ont choisi d'offrir des prestations de services aux utilisateurs. En France, on ne compte plus, aujourd'hui, le nombre d'entreprises - ou de free lance - qui se positionnent sur le créneau de la conception ou de la réalisation de sites Web, voire la réalisation de projets multimédias en général. De même, le succès américain des guides thématiques ou des moteurs de recherche comme Yahoo, Alta Vista, Lycos ou Magellan a fait des émules. Témoin le lancement de Nomade, Ecila ou Eurêka, guides des services Internet en français. Dans un tout autre domaine, d'anciens « pirates informatiques » ont décidé d'exploiter leur savoir-faire technique en proposant aux entreprises... de les protéger contre les *hackers*[13] en testant les défenses de leurs réseaux. Et ça marche : Intrinsec protège aussi bien des sites militaires que des grandes entreprises. Ses fondateurs ont même conçu le système de paiement sur l'Internet que commercialise SG2, la SSII filiale de la Société Générale.

---

13. *Hacker* : « pirate » informatique.

3. La dérégulation

La libéralisation totale des infrastructures de
télécommunications européennes a vu le jour comme prévu le
1er janvier 1998, tandis que celle qui a été engagée aux
États-Unis au milieu des années 80 est en train de s'achever. Le
mouvement est mondial : la fin des monopoles et la
privatisation concernent la plupart des pays. Pour s'y préparer,
les principaux opérateurs se sont lancés dans une véritable
course à la taille critique, en multipliant les alliances, les fusions
ou les partenariats. Leur but : offrir aux utilisateurs des services
et des réseaux couvrant toute la planète.

Un marché mondial

Le jeu, il est vrai, en vaut la chandelle. Le marché mondial des
télécommunications, équipements et services dépasse les 3 000 milliards de francs, dont près du tiers pour le seul marché européen.
Un chiffre impressionnant, qui devrait continuer d'augmenter pendant de nombreuses années, tant la croissance du secteur est élevée.
Tous les experts s'accordent par exemple à dire que le marché
européen des télécoms mobiles, qui affiche une croissance à deux
chiffres (plus de 30 % en 1997), n'est pas prêt de se tarir. En 1998,
il pourrait ainsi approcher les 200 milliards de francs. Dans ces
conditions, on comprend pourquoi il suscite autant de convoitises,
notamment de la part des opérateurs américains, déjà très présents
dans les pays de l'Est et en Allemagne.

Il faut dire que le téléphone américain a déjà fait sa révolution
depuis longtemps. Après quatre années de négociations et de lob-
bying, le Congrès a voté, début 1996, un projet de loi qui a mis
fin à plus de cinquante ans de barrières entre l'industrie de l'audiovisuel et celle des télécommunications. Autrement dit, les compagnies du câble peuvent se lancer dans le téléphone, et les opérateurs
de télécoms ont la possibilité de transmettre des programmes
audiovisuels sur leurs lignes téléphoniques. Le marché du téléphone local, assuré jusque-là par sept compagnies régionales, les
fameuses Baby Bells issues du démantèlement d'ATT en 1984,
s'ouvre en même temps à la concurrence des opérateurs longue
distance.

Avec le recul, l'opération pourrait surtout bénéficier aux Baby Bells, puisqu'il semble plus simple d'acquérir des parts de marché sur les longues distances que de le faire sur des marchés locaux déjà passablement verrouillés. Mais les gros opérateurs n'ont pas pour autant dit leur dernier mot. Le numéro un américain, AT&T, ne cherche-t-il pas en effet à acquérir par tous les moyens l'une des sept compagnies régionales. De même, ce n'est pas un hasard si le numéro deux, MCI, a cherché un rapprochement avec BT (British Telecom) au cours de l'année 1997, avant de jeter l'éponge et d'accepter les conditions de l'OPA de WorldCom[14]. Pour BT, l'affaire s'avère finalement lucrative, puisque la cession de sa participation lui assure une plus-value de 12 milliards de francs. Mais l'opérateur britannique doit désormais trouver d'autres alliances internationales.

À l'heure du gigantisme

Ces opérations traduisent une nouvelle phase de globalisation du marché. Aujourd'hui, pour exister, les sociétés de télécommunications doivent regrouper leurs forces. L'équation, de fait, est simple : la concurrence entraîne une baisse des tarifs, mais le volume des investissements, colossal, tend à augmenter. Il faut donc trouver de nouvelles recettes ou faire de nouvelles économies.

Mais le regroupement des forces ne passe pas seulement par des fusions aussi poussées. Les entreprises de télécommunications multiplient également les échanges de participations capitalistiques. BT et MCI, malgré l'abandon de leur projet de fusion, maintiennent pour l'instant des relations étroites au sein du groupe Concert (75 % BT, 25 % MCI), qui vise le marché des entreprises et dans lequel figure aussi Telefonica. En avril 1997, l'opérateur espagnol a en effet signé un accord, par lequel il cède 2 % de son capital contre 0,6 % de celui de Concert. Dans le même temps, les deux parties créent une filiale commune pour s'attaquer au marché sud-américain, estimé à 60 milliards de dollars en l'an

---

14. Quatrième opérateur longue distance américain, derrière AT&T, MCI et Sprint. Développé à coup d'acquisitions, WorldCom cherche à pénétrer le marché local et les services aux entreprises. Ses dirigeants ont, aussi, bien saisi l'importance stratégique des services en ligne et de l'Internet, en procédant, courant 1997, au rachat des infrastructures d'AOL et de CompuServe.

2000, dans lequel Telefonica est déjà implanté. Portugal Telecom est associé à cet ensemble par le biais de participations croisées.

L'entrée de BT dans le capital de Cegetel, le pôle télécommunication du groupe Générale des Eaux, aux côtés de l'allemand Mannesmann traduit le même besoin de recherche de la taille critique. En offrant 8,85 milliards de francs pour acquérir 25 % du capital de Cegetel, le groupe britannique parvient enfin à prendre pied de façon significative dans l'Hexagone. Il doit être aussi satisfait d'avoir écarté un peu plus AT&T du marché français, alors que l'américain avait conclu un accord limité avec la Générale des Eaux. De son côté, cette dernière réussit enfin à doter sa filiale d'actionnaires internationaux stratégiques et dispose désormais de la surface financière suffisante pour ses investissements futurs. De plus, Cegetel pourra commercialiser les produits dédiés aux services de télécommunications pour les entreprises mis au point par ses partenaires. Un atout considérable face à l'offre commune de Bouygues et Telecom Italia qui représente, avec France Télécom et Cegetel, l'un des trois pôles français. Le groupe Bouygues, présent dans la téléphonie mobile et la messagerie, a en effet choisi comme allié Telecom Italia, 6e mondial dans son secteur, pour concurrencer les deux autres opérateurs. Par le biais de sa participation de 15 % dans Bouygues Telecom, l'allemand Veba est aussi partenaire, de même que le britannique Cable and Wireless.

La création de Global One, l'alliance qui réunit Deutsche Telekom, France Télécom et Sprint, le troisième opérateur américain, s'inscrit dans la même logique. Mais elle est désormais moins ambitieuse qu'au départ. Apparemment satisfaits de leur association, les trois partenaires ne paraissent pas prêts à s'engager plus avant. Leurs dirigeants semblent se contenter dans l'immédiat de prises de participations croisées, à l'occasion de l'ouverture du capital de France Télécom et de la privatisation de Deutsche Telekom, voire d'un renforcement de leurs liens pour développer des projets communs à l'international.

La carte de l'Internet
L'Internet constitue aussi une source de revenus non négligeable pour les opérateurs de télécommunication. Le développement de la

téléphonie sur le réseau pourrait accentuer cette tendance, si le volume du trafic nouveau est suffisant[15]. Elle permet à l'utilisateur de réaliser des économies considérables sur les communications longue distance, le facteur de gain variant dans une fourchette de 10 à 100. De plus, elle apporte également une réelle valeur ajoutée, en réunissant la voix et les données sur un même réseau de transport... pour un coût relativement modeste. Les entreprises peuvent notamment créer plus facilement de nouveaux services, sans investissements supplémentaires, pour elles comme pour leurs clients. Il est ainsi relativement peu coûteux de mettre en place des numéros de téléphone vocaux interactifs via l'Internet.

Reste pour cela à définir des standards et mettre au point des logiciels adaptés. Les opérateurs de télécommunication sont très attentifs à cette question, afin de maintenir une qualité de services suffisante, d'autant que la capacité du réseau devrait être renforcée[16]. Mais il s'agit davantage d'un problème de calendrier plutôt que d'un problème technique. BT et MCI (qui a embauché le fameux Vinton Cerf) se lancent ainsi résolument sur ce marché, tandis que AT&T dépense des centaines de millions de dollars pour créer un nouveau *backbone* (la colonne vertébrale du réseau) aux États-Unis. Quant à Microsoft et Netscape, ils sont déjà prêts, avec leurs propres logiciels de téléphonie sur l'Internet.

Si une telle évolution paraît inéluctable, du moins sur le marché professionnel, pour des activités de téléconférence ou d'audioconférence, il est encore difficile d'évaluer son potentiel. Selon l'institut IDC, le téléphone sur l'Internet sera pratiqué par environ 15 millions de personnes dans le monde d'ici à l'an 2000, soit 12 % des utilisateurs du Web. Un chiffre qui pourrait être largement dépassé si une solution standard était adoptée très rapidement et si l'utilisation de l'Internet continuait à croître au rythme actuel. Concernant le marché des logiciels de téléphonie, IDC estime qu'il représentera 500 millions de dollars d'ici à l'an 2000.

---

15. Voir p. 261.
16. Voir p. 282.

Les cybernautes

Le fait marquant de la révolution du numérique est que, pour la première
fois, il est davantage question d'usages nouveaux que d'outils. Le multimédia
devient le vecteur par lequel professions et individus peuvent enfin
s'approprier un nouveau moyen de communication. Les premiers cybernautes
sont les précurseurs d'une nouvelle culture créatrice dont les applications
s'étendent à tous les domaines.

1. Le profil des utilisateurs

Le cybermonde est, à plus d'un égard, encore largement dominé
par les États-Unis. Le multimédia y est né, qu'il s'agisse du
CD-ROM ou de l'Internet. Les leaders de la micro-informatique,
tant dans le domaine des composants que des terminaux ou des
logiciels, sont américains. C'est dans ce contexte favorable (plus
de 40 % des foyers américains sont équipés d'un
micro-ordinateur) que le off line comme le on line ont pu
prospérer, d'autant plus que le marché américain est vaste. Aux
États-Unis, à la fin de 1996, on comptait dans les foyers
environ 25 millions de lecteurs CD-ROM et près de 15 millions
de connexions Internet. Les cybernautes américains[1]
représentent environ les deux tiers des utilisateurs de l'Internet
et le premier marché mondial du off line.

---

1. Leur profil tend à ressembler de plus en plus à celui de l'Américain moyen, si l'on en croit
une enquête publiée dans l'hebdomadaire *Business Week*, en mai 1997. Ils seraient à cette date
une quarantaine de millions d'utilisateurs (21 % des adultes), soit le double de l'année précédente, dont 41 % de femmes. Les jeunes ne sont plus les seuls adeptes : les plus de 40 ans
représenteraient 45 % de cette population branchée au réseau. Les consultations se font pour
50 % à la maison, 30 % au bureau et 20 % dans les universités ou les écoles. La recherche
d'informations diverses serait l'activité numéro un, suivie de la consultation de sites éducatifs,
de l'actualité et des loisirs.

La France à la traîne

Certains pays européens sont toutefois déjà aussi « branchés » sinon plus que les cybercitoyens américains. Le Danemark, la Suisse et les Pays-Bas possèdent une base installée de micro-ordinateurs comparable, en taux de pénétration, à celle des États-Unis, tandis que les pays scandinaves présentent les plus forts taux de raccordement à l'Internet, le taux finlandais (le plus élevé du monde) étant, en janvier 1997, de 555 ordinateurs reliés pour 10 000 habitants[2], contre 384 aux États-Unis. La percée de la micro-informatique est également sensible au Royaume-Uni, avec 25 % des foyers équipés à la mi-1996, et en Allemagne, avec 30 %. À cela correspond un engouement indéniable outre-Rhin, tant pour l'off line que pour l'on line : le marché allemand, premier en Europe, comprenait déjà plus de deux millions d'utilisateurs Internet au début de 1997.

En France, la médiatisation du multimédia, et de l'Internet en particulier, est au moins aussi forte que dans les autres pays. Pourtant, le marché français est en retard. Le taux de pénétration de la micro-informatique demeure inférieur à celui de la plupart des pays industrialisés (18 à 20 % au maximum début 1997[3]). Selon l'institut Médiangles, près de 40 % des foyers équipés d'un micro-ordinateur possédait au milieu de 1997 un lecteur de CD-ROM, soit environ 1,3 million d'unités installées. Quant à l'Internet, c'est encore l'apanage d'une minorité de privilégiés, le nombre de foyers réellement équipés demeurant assez modeste (300 000 au maximum). Entre 600 000 et 1 120 000 internautes étaient recensés au milieu de 1997 selon les études[4]. En raison du taux de progression des abonnements des particuliers, et plus encore du nombre d'entreprises dotées d'un Intranet (multi-utilisateurs), le chiffre était, six mois plus tard, au minimum de 1,4 million[5] et pourrait selon certains experts avoisiner les 2 millions[6].

---

2. Voir p. 247.
3. Un sondage TMO/*L'Ordinateur individuel*, réalisé en mars 1997, fait état d'un taux de pénétration de 20,5 % qui se situe dans la fourchette haute des enquêtes.
4. Hypothèse basse : France Télécom. Hypothèse haute : Médiangles.
5. Selon Intelliquest, un cabinet d'études américain.
6. Pour le grand public, le ratio généralement utilisé est de deux utilisateurs en moyenne par foyer connu disposant d'un accès. Pour les réseaux éducatifs et scientifiques, ainsi que les

La faute au Minitel...

Ces chiffres peuvent paraître surprenants, et pourtant... Une série de facteurs convergents contribuent à expliquer ce retard. En premier lieu, il convient de rappeler que la France est le seul pays au monde à disposer d'un véritable système grand public de vidéotex avec le Minitel, dont le terminal - fait unique - a été distribué gratuitement au départ, pour remplacer l'annuaire papier par un « annuaire électronique ». Cette politique, couplée avec la tarification kiosque, qui a encouragé le développement des éditeurs de contenu, explique que la France ait aujourd'hui 7 millions de terminaux et plus de 20 000 services sur Minitel. Le vidéotex Bildschirmtext en Allemagne et le système Ceefax au Royaume-Uni sont loin d'avoir connu le même succès : le terminal devait être acheté.

Au moment où les Français se passionnaient pour le Minitel, les Américains, les Scandinaves, les Allemands et les Anglais commençaient à s'intéresser à la micro-informatique. Il est normal qu'aujourd'hui nombre de Français bénéficiant du Minitel se demandent ce que l'Internet peut leur apporter de plus, d'autant que la majorité des serveurs sur le World Wide Web sont en anglais. De fait, le Minitel a vite réussi ce que les fabricants de micro-ordinateurs s'efforcent encore aujourd'hui de faire : mettre sur le marché un terminal d'usage simple, ne requérant aucun apprentissage, à la portée de tout utilisateur potentiel. À l'inverse, le Minitel est infiniment plus lent et n'offre ni les mêmes qualités graphiques ni la possibilité d'une « navigation » conviviale, grâce aux liens hypertextes, à travers le monde entier et pas seulement l'Hexagone. En plus, avec l'Internet, la connexion n'est payée qu'au prix d'une communication locale et rien n'est reversé à l'éditeur de contenu !

Une autre interrogation concerne l'« imperméabilité » du Français à la technique. Serait-il « technophobe » ? Combien savent réellement régler leur magnétoscope et tirer parti de toutes ses

---

entreprises, la mesure est plus aléatoire, le nombre de personnes raccordées variant avec la taille de l'établissement. Le cabinet Médiangles indiquait, en mai 1997, une multiplication du nombre d'utilisateurs par 2,6 en un an. L'application de ce coefficient donnerait un chiffre de 2 420 000 internautes fin 1997.

possibilités d'enregistrement ? Il est en effet étonnant de constater dans les sondages que 34 % des Français considèrent que l'Internet est trop compliqué, avant de l'avoir pratiqué. Mais 75 % des personnes modifient leur opinion après un premier essai.

Autre frein au développement du multimédia, les prix de l'électronique grand public en France, généralement plus élevés que dans d'autres pays : les taux de fiscalité appliqués (20,6 %) ne correspondent pas à des produits qui pourraient légitimement être considérés comme des produits à usage culturel (même si des utilisations très différentes sont possibles) susceptibles de bénéficier du taux réduit (5,5 %). Pour un équipement multimédia avec lecteur de CD-ROM et modem d'accès à l'Internet, il faut compter environ 12 000 francs TTC, ce qui n'est pas à la portée de tout le monde. À cet investissement, il faut ajouter le prix moyen élevé des CD-ROMs (plusieurs centaines de francs l'unité) et le coût d'abonnement minimal à l'Internet (60 francs par mois). La baisse de la TVA sur les disques optiques, annoncée par le président de la République lui-même en avril 1997, si elle reçoit le feu vert des instances européennes, contribuerait à en diminuer sensiblement le prix.

Dans ces conditions, il n'est pas surprenant de constater que 35 % des utilisateurs de l'Internet en France disposent d'un revenu annuel supérieur à 300 000 francs. Le niveau de formation est également plus élevé que la moyenne : 85 % des utilisateurs ont un niveau égal ou supérieur à Bac+2. Cette population est essentiellement masculine et répartie de manière égale entre les tranches d'âge. Dans les foyers, l'homme utilise le PC dans 68 % des cas, tandis que seule une femme sur dix a manipulé une fois un CD-ROM dans un foyer équipé, et 4 % ont « surfé » sur l'Internet. La France est loin des États-Unis, où 34 % des internautes sont des femmes (facteur essentiel pour le développement du commerce électronique).

Vers de nouveaux arbitrages

Le salut viendra sans nul doute des jeunes, qui ont une approche ludique de l'informatique, si l'on se réfère au succès des jeux vidéo : 15,5 % des foyers sont équipés en France de consoles, et ils constituent l'application dominante des CD-ROMs ! Il est vrai que de nombreux adultes en sont adeptes, mais ils ont souvent été initiés par leurs enfants... Par la suite, il s'agit de développer une motivation plus culturelle ou éducative, mais là encore, il convient d'être optimiste.

Les 18-24 ans sont les plus ouvertement favorables à l'Internet : 11 % se déclarent passionnés (contre 4 % tous âges confondus) et 52 % intéressés (contre 39 %). « Il faut le voir pour le croire », dit l'adage populaire. Les lieux d'apprentissage du multimédia, cyber-cafés, médiathèques, logithèques, et aussi écoles et universités, peuvent constituer une première étape.

En ce qui concerne leurs motivations, un sondage Ifop pour *L'Événement du jeudi*-CSA constatait en août 1997 que 44 % des personnes interrogées considéraient l'Internet comme une priorité importante pour leur vie personnelle ou professionnelle et 76 % pour l'économie française.

Parmi les utilisateurs du off line comme du on line, la démarche culturelle et éducative est l'une des plus importantes. Pour le off line, l'éducation des enfants constitue la première motivation d'acquisition. Pour le on line, l'internaute est intéressé avant tout par l'actualité et la culture, avant la vie pratique, l'érotique et le ludique.

La fréquentation du multimédia n'est pas un phénomène épisodique, mais réellement un comportement régulier, qui implique de nouveaux arbitrages dans le budget temps des utilisateurs. Avec six heures par semaine en moyenne consacrés à l'Internet, le chiffre est similaire à celui établi pour les États-Unis.

Fait important souligné dans les deux pays : la diminution du temps passé devant la télévision. Un utilisateur français sur deux déclarait en 1996 regarder moins le petit écran depuis qu'il avait découvert les joies du *netsurfing*. L'écrit est heureusement beaucoup moins touché : 18 % des utilisateurs déclarent lire moins de livres (5 %, davantage) et 15 % moins de quotidiens et magazines (12 %, davantage).

2. Une nouvelle culture ?

La diffusion de la micro-informatique est un processus plus ou moins rapide selon les pays. Dans le cas de la France, l'usage grand public en est à ses débuts, le Minitel ayant jusqu'ici suffi à répondre aux attentes de la majorité des utilisateurs.
Aujourd'hui, il s'agit de franchir le pas : la micro-informatique est ouverte à tous, même si elle suscite encore indifférence, méfiance ou peur chez beaucoup. Pourtant, il semble qu'une nouvelle culture soit en train de naître, et son accès est possible à tout âge.

La pénétration de l'informatique

L'informatique s'est d'abord installée dans le milieu professionnel - dans les grandes entreprises et les administrations, puis dans les PME et le commerce - pour des applications comptables, statistiques, financières, de gestion ou d'information. La percée décisive a été réalisée au milieu des années 80 avec la micro-informatique, qui a permis la multiplication des postes de travail polyvalents, capables d'effectuer aussi bien du traitement de texte que des applications de gestion. Parallèlement, l'outil informatique, d'abord exclusivement entre les mains de quelques spécialistes (recherche-développement) ou d'agents d'exécution (facturation, comptabilité), a commencé à se répandre à tous les échelons de l'entreprise, y compris l'encadrement.

Du lieu de travail au foyer, l'extension s'est réalisée très lentement et n'a longtemps touché qu'une frange « éclairée » de la population (chercheurs, scientifiques, « accros » de l'informatique). Le Minitel, terminal grand public par excellence, a rapidement permis le développement d'une gamme de services pratiques (banque, formalités administratives, voyage, messageries, roses ou non), propres à répondre aux besoins de la majorité de la population. Alors, pourquoi acquérir un micro-ordinateur, encore plus cher à l'époque qu'aujourd'hui, d'autant que la connexion à un réseau ne permettait le plus souvent d'accéder qu'à des bases de données en anglais et à caractère professionnel ?

C'est l'arrivée du multimédia qui a permis aux Français de découvrir l'intérêt spécifique de la micro-informatique et ses applications infinies : CD-ROM et Internet ouvrent l'accès à une somme considérable d'informations ou de connaissances, présentées de façon aussi attrayante qu'à la télévision. Du coup, le Minitel a pris un « coup de vieux ». Même en couleur et à plus grande vitesse, il ne peut plus soutenir la comparaison avec son rival. Dans cette phase de transition, l'utilité de la micro-informatique dans le grand public est toutefois encore loin de faire l'unanimité : 55 % des Français déclaraient en effet, en janvier 1997, ne pas vouloir de micro-ordinateur chez eux, aux termes d'une enquête réalisée par *SVM Micro* ! Cette population « réfractaire » se recrute surtout parmi ceux qui n'utilisent pas de micro au bureau, soit quatre personnes sur cinq, alors que deux personnes sur cinq équipées à domicile sont également utilisateurs sur le lieu de travail. Parmi les premiers, nombreux sont ceux qui proclament : « Je suis dépassé », « C'est trop compliqué pour moi », ou encore « Je ne vois pas à quoi cela pourrait me servir ».

L'ordinateur à tout âge

Les enfants possèdent, eux, une facilité pour comprendre et s'approprier l'outil informatique qui déconcerte plus d'un adulte. Ils ont une vision totalement ludique de l'informatique au travers des jeux vidéo. Ces derniers constituent leur univers avec leurs personnages, leurs graphismes et leurs rythmes. L'interactivité, la réactivité, la stimulation, la mesure de ses propres performances - fût-ce pour des passe-temps que certains considèrent peut-être comme futiles - constituent pour enfants et adolescents autant de repères familiers.

Cette faculté qu'ont les enfants d'appréhender les principes de base d'un ordinateur pour en tirer le meilleur parti ne signifie pas que tous les enfants soient pour autant situés au même niveau. Même si le jeu vidéo peut constituer un point d'entrée, il est facile de rester sur le seuil de la porte ! Pour maîtriser l'outil, l'apprentissage scolaire est indispensable. Or, peu d'établissements sont aujourd'hui équipés ou en mesure d'assurer la formation nécessaire. Cela explique peut-être l'ambivalence dont font preuve les jeunes face à l'arrivée du multimédia. L'enthousiasme de certains est contrebalancé par la prudence, voire la réserve des autres : ils ne comprennent pas toujours la nature ou le sens des mutations technologiques dont on leur parle et ont du mal à trier l'information pour forger leur propre jugement.

C'est ce qui ressort d'une enquête menée par Andersen Consulting, en juin 1996. Une « prédisposition générationnelle » pour l'informatique et les nouvelles technologies ne dispense donc pas d'une information adéquate sur les enjeux et les applications, notamment professionnels, ainsi que d'une formation adaptée. Déjà, certains adolescents font état de leur « retard » face aux tout-petits qui pianotent sur un clavier à l'école et commencent à bénéficier d'un apprentissage que leurs aînés sont loin d'avoir tous reçu. De là à dire que l'informatique constitue un jeu d'enfant, ce serait trop facile si d'autres facteurs n'intervenaient pas dans l'esprit de nombreux adultes.

Pour les plus de 40 ans, la micro-informatique est née quand ils étaient déjà dans le monde du travail. Pour beaucoup, sans sensibilisation ou formation préalable, son utilité ne peut ou ne saurait être perçue ou reconnue. Combien, dans cette tranche d'âge, sont capables de prendre le relais de leur secrétaire en cas d'urgence ? « Il faudrait que je m'y mette, mais je n'ai pas le temps » revient comme un leitmotiv. En réalité, il y a sans doute la peur de la perte de statut, voire de pouvoir. Les changements aujourd'hui perceptibles à cet égard sont souvent dus à la pression des circonstances. Le chômage a rendu nécessaire l'acquisition de ces compétences élémentaires, à moins que ce ne soient les enfants, dont l'avance ne saurait être trop longtemps tolérée... ou qui insistent pour avoir un micro-ordinateur à la maison.

Quant aux personnes âgées, elles montrent non seulement les mêmes aptitudes à apprendre l'informatique que les autres, mais elles ont souvent l'enthousiasme en plus. Cela va à l'encontre des idées reçues, dans une société qui sacralise la jeunesse et a vite fait de considérer les « vieux » comme dépassés. Toutes les expériences qui permettent de mesurer l'apprentissage de la micro-informatique par les personnes âgées, que ce soit aux États-Unis (Blacksburg, en Virginie) ou en France (Parthenay, dans les Deux-Sèvres), soulignent à la fois leur capacité et leur motivation à acquérir les connaissances de base nécessaires. « Rester dans la course »,

« bénéficier des derniers progrès technologiques », mais aussi « être autonome », « acquérir de nouvelles connaissances » ou encore « communiquer avec le monde entier », dans le cas de l'Internet, constituent les ressorts de cette motivation. Rompre l'isolement et rencontrer d'autres personnes âgées partageant la même passion du Net, tels sont les objectifs du club Internet d'une association de retraités bourguignonne, l'Iurrard (Intergroupe urbain et rural de la région dijonnaise), lancé en 1995 par un retraité âgé alors de 68 ans et qui n'avait jamais utilisé d'ordinateur. Franchissant un pas de plus, l'intéressé, Jean Rollet, a même créé un site Web avec un espace de discussion, un agenda des manifestations locales et... un cimetière virtuel où les postulants à un autre voyage pourront laisser des souvenirs ouverts à tous : photos, histoires, arbres généalogiques. Le Web, conservatoire des mémoires disparues...

Aux États-Unis, plus de 30 % des 55-75 ans possèdent un micro-ordinateur à domicile. Parmi les utilisations les plus répandues, le courrier électronique permet d'éviter l'isolement, en particulier pour les personnes à mobilité réduite, tout en renouant avec l'activité épistolaire. L'échange fréquent de nouvelles avec la famille devient facile et coûte nettement moins cher qu'affranchir une lettre ! Au Canada, c'est le même engouement : le site Age of Reason, très consulté, ne contient pas moins de 500 liens hypertextes vers des serveurs utiles aux personnes âgées : santé, soins, formalités, voyages organisés. En France, Club Internet a ouvert au début de 1997 un site destiné aux plus de 50 ans, s'inspirant des mêmes idées.

L'appropriation de la micro-informatique n'est donc pas une affaire d'âge ou de situation professionnelle : c'est une affaire d'information et de motivation, la première entraînant la seconde. L'utilisation d'un micro-ordinateur n'offre aujourd'hui aucune difficulté particulière, même sans formation préalable. De nombreux manuels de vulgarisation accompagnent si nécessaire les premiers pas pour compléter les notices des constructeurs.

L'aventure en ligne

Dans notre société hyperorganisée, de laquelle la surprise et l'imprévu tendent à être bannis, c'est paradoxalement le produit de la technologie la plus avancée, l'Internet, qui est désormais le refuge de l'imaginaire, de l'inattendu, de la découverte et de l'émerveillement.

C'est l'attrait du Web pour les premiers internautes, les aventuriers-nés, mais aussi tous ceux qui se sentent à l'étroit dans leur quotidien, leur travail ou leurs relations sociales. « L'aventure est désormais sur l'Internet », proclame Antoine Lefébure, l'un des promoteurs des radios libres à la fin des années 70 et qui a fondé la société multimédia TMS, spécialisée dans la création de sites sur le Net. Se référant à son expérience passée, il précise qu'il y a sur l'Internet « la même solidarité entre les pionniers pour faire triompher une nouvelle communication qui remette en cause les circuits et pouvoirs traditionnels, et un enthousiasme partagé entre ceux qui ont compris que le monde change plus vite que la représentation que l'on s'en fait ».

Surfer sur l'Internet, c'est non seulement découvrir un autre monde, mais aussi éprouver des sensations qui peuvent être fortes. Ne l'oublions pas, le surf est le plus ancien des sports de glisse nautiques et celui qui a longtemps été synonyme de liberté et d'aventure. Les surfeurs d'Hawaï ou de Californie formaient aussi une communauté très fermée, avec ses règles et références spécifiques... Sur l'Internet, naviguer c'est accomplir un voyage dont les étapes ne sont pas nécessairement prévues et dont la destination peut ne jamais être atteinte, à supposer qu'elle soit définie au départ.

Tantôt frustrante, tantôt enivrante, cette quête d'informations peut permettre de découvrir le trésor espéré ou révélé, selon la démarche de chacun. La recherche peut être logique ou systématique, elle peut aussi être dans l'instant, par association d'idées, d'images ou de mots, ou encore par curiosité momentanée. Dérive surréaliste, cette quête sans fin consiste en l'appropriation par chaque internaute d'un immense territoire qui se ferait sans conquêtes.

Il y a de la place pour tous dans ce « labyrinthe des temps modernes », ainsi qualifié par Jacques Attali dans son ouvrage *Les Chemins de la sagesse*, et où la pensée s'épanouit librement. En témoigne le succès d'un site comme Mygale[7], lancé dans un cadre universitaire par un étudiant effectuant une maîtrise sur l'Internet et qui abrite gratuitement plus de 6 200 sites associatifs ou personnels.

Diversité de pensée mais aussi espace ouvert à tous les fantasmes et tous les délires. Le netsurfeur anonyme peut assouvir virtuellement ses désirs les plus fous ou inavoués, transgresser les interdits ou céder à ses pulsions, qu'elles soient innocentes ou perverses.

Il peut aussi s'adonner aux plaisirs du travestissement en endossant une fausse (vraie) identité, comme « avatar virtuel » sur un site comme Alphaworlds ou le Deuxième Monde. Dans ce dernier cas, les cybernautes réincarnés dans le personnage de leur choix peuvent se promener dans un Paris virtuel, y rencontrer d'autres personnages imaginaires et dialoguer avec eux (mais derrière ceux-ci se dissimulent des internautes non moins réels), inviter leurs amis, se divertir, voter...

Si ce genre d'activité ne séduit pas nécessairement tout le monde, certains pourront assouvir une passion comme le jeu, en se rendant dans l'un des nombreux cybercasinos (souvent basés dans des paradis fiscaux, pour échapper à la réglementation existant dans la plupart des pays). Sans mettre leur fortune sur le tapis, d'autres préféreront tout simplement pratiquer des jeux vidéo en ligne avec d'autres internautes. Les cyberparties connaissent un succès croissant, notamment en France. Certains passent ainsi plus d'une centaine d'heures sur le réseau par mois. Mais vu le coût à ce niveau de consommation, d'aucuns acceptent de quitter le Web pour organiser de tels jeux à domicile avec plusieurs terminaux ou encore pour fréquenter les établissements proposant des logiciels multijoueurs.

Dans l'aventure sur l'Internet, enfin, il ne faut pas oublier la rencontre virtuelle pouvant parfois mener à une rencontre réelle. Le courrier électronique ou les forums le permettent. L'amour en réseau - le vrai - existe et certains internautes l'ont bien rencontré, parfois après de longs mois d'échanges purement virtuels. Avec l'Internet, c'est la rencontre des esprits avant la perception physique, alors que dans le monde réel, c'est généralement le contraire.

---

7. Voir p. 177.

3. Les applications concrètes

Le off line et le on line se prêtent à une multiplicité
d'applications tant grand public que professionnelles. Ces deux
outils étant parfaitement complémentaires, le choix dépend
entièrement de l'objectif poursuivi, mais les deux solutions
seront souvent retenues. Cela met à la portée du grand public
une somme d'informations, de connaissances et de loisirs sans
limites. Pour les entreprises, le multimédia est à la fois une
mine d'informations utiles sur les marchés et les concurrents, et
un nouvel outil marketing[8].

Des usages grand public

Le CD-ROM constitue avant tout une ressource précieuse pour
exploiter un fonds documentaire textuel ou photographique
important : avec ses 650 mégaoctets de mémoire, il peut en effet
restituer 1 000 photos de définition moyenne ou environ 200 000
feuillets de texte. Ce support est le domaine de prédilection des
encyclopédies, des visites virtuelles de musées, de l'éducation, mais
aussi des jeux. Avec le on line, l'intérêt est centré sur la possibilité
d'obtenir rapidement des informations de toute nature et de toutes
sources, l'accent étant mis sur leur mise à jour permanente : événements, dates, tarifs, adresses... Le on line offre aussi un degré
d'interactivité nettement plus élevé que le off line, mais surtout
d'une autre nature. Dans le second cas, l'interactivité s'inscrit entre
le logiciel et l'utilisateur (questions/réponses, paramètres personnels, préférences), ce qui permet de donner à la consultation de
chacun un caractère relativement unique. Avec le on line, le dialogue interactif est réel, puisqu'il s'établit avec d'autres utilisateurs
et diverses sources d'information sur lesquelles on peut donner son
opinion. Il peut même aller jusqu'à un « dialogue transactionnel »
(achat ou réservation en ligne).

Les usages grand public du CD-ROM vont des applications éducatives, culturelles et de découverte touristique, aux jeux vidéo. Les
grandes encyclopédies sont désormais toutes sur CD-ROM pour un
prix (et un encombrement) inférieur à celui de l'édition papier.

---

8. Voir p. 110.

Les mises à jour périodiques et complètes sont donc plus simples à effectuer. Les grands ouvrages de référence sur l'art et les voyages sont aussi disponibles sous forme de CD-ROMs originaux permettant une découverte personnelle de grands peintres et de musées, ou encore de régions et pays différents. La combinaison et l'enrichissement mutuel du texte, du son, des images fixes et animées ainsi que les possibilités offertes par les liens hypertextes ouvrent des perspectives particulièrement intéressantes pour « visiter » un musée ou contempler une sculpture en tournant autour d'elle... De plus, si une référence textuelle retient l'attention, au passage, il est possible d'en faire un tirage papier avec une imprimante.

De même, les applications éducatives, pour tous les âges scolaires, sont de plus en plus nombreuses et couvrent l'ensemble des programmes, avec différents niveaux de difficulté à sélectionner en fonction du profil de l'élève. Rattraper un retard, maintenir un niveau ou renforcer ses connaissances est possible à partir du même support, qui permet de se « tester » et de se contrôler en permanence. Pour les enfants et les adolescents en particulier, le temps des anciens manuels indigestes et ennuyeux est bien loin. Images fixes et séquences vidéo, sons et animations enrichissent le contenu et lui donnent un aspect ludique, plus apte à motiver l'élève, à l'aider à comprendre et à lui redonner le goût d'apprendre. De nombreux titres sont d'ailleurs maintenant recommandés par l'Éducation nationale.

Des forums d'une grande richesse

Pour sa part, le on line est par définition un outil de communication et de dialogue avec les forums et le courrier électronique, même si c'est l'aspect multimédia de l'Internet qui a le plus retenu l'attention jusqu'à maintenant. Partant d'un intérêt pour un sujet précis, il est possible d'accéder à l'un des nombreux forums pour dialoguer avec des experts ou de simples particuliers sur les questions les plus variées. Ces « newsgroups », au nombre de plus de 8 000, sont divisés en diverses catégories aux frontières parfois floues, représentant autant de modes d'accès : les loisirs, les sciences, l'informatique, les thèmes de société, l'information, les forums divers et les thèmes « alternatifs ». Ces derniers constituent le secteur le plus vaste et le plus hétéroclite, où règne la plus totale anarchie, puisque, contrairement aux autres, la création d'un groupe de discussion n'y est soumise à aucune règle et que le contenu des articles ne fait l'objet d'aucun contrôle. Il comprend les fameux codes alt.sex où s'expriment tous les goûts, du plus scabreux au plus esotérique, le texte étant souvent agrémenté de fichiers d'images explicites. Les discussions futiles sur les grandes vedettes y ont autant leur place que les articles scientifiques très pointus ou l'extrémisme politique. Ce contenu pour le moins hétérogène explique la décision des autorités universitaires d'en fermer l'accès au milieu de 1996 sur les serveurs du réseau Renater ouvert aux étudiants.

Certains de ces forums connaissent de très vives discussions et une fréquentation particulièrement élevée. Partisans et adversaires des sectes s'affrontent par exemple dans les forums américains mais aussi français. De véritables « guerres électroniques » se déroulent entre les uns et les autres. L'Église de scientologie a ainsi cherché à paralyser le forum alt.religion.scientology, en faisant effacer par des messages d'annulation les contenus les plus critiques ou en le submergeant de très nombreux textes. Sur des forums francophones comme news:fr.soc.divers ou news.fr.soc.religion, les principales sectes dépêchent des « porte-paroles », si l'on en croit Mickael Tussier, créateur du serveur Sectes=Danger.

Les forums se déroulent soit en direct (*chat*, « bavardage »), dans ce cas très spontanés mais le plus souvent superficiels, soit en différé, ce qui permet davantage d'avoir des discussions de fond. Quel qu'en soit le sujet, les forums sont plus ou moins organisés, certains comprenant un « modérateur », qui vérifie la qualité d'un article proposé avant de le diffuser à tous ses membres (c'est le cas des forums scientifiques). De même, la « réponse » à un article peut être soit publique (lisible par tous les membres) soit privée (destinée au seul auteur de l'article). La création de nouveaux groupes, initiée par quelques proposants, obéit à diverses règles d'évaluation et de majorité très démocratiques, sans le contrôle d'une d'autorité centrale. Par ailleurs, pour introduire un certain degré de convivialité, les membres d'un forum pratiquent généralement la « nétiquette » ; il s'agit d'un code d'expression signifiant des mots ou membres de phrase, un peu comme des clins d'œil ou des grimaces. Les équivalents syntaxiques employés s'appellent « *smileys* » **:-)** signifie « je plaisante » ou **:-(** « je ne suis pas d'accord ». Enfin, pour éviter les redites, la plupart des forums comportent une liste de FAQ (« *Frequently asked questions* ») avec des réponses types. Celui qui n'observe pas la « netiquette » s'expose au risque d'une *flame war*, sa boîte aux lettres recevant un déluge de messages de protestations et d'insultes. Le disque dur saturé, l'ordinateur est alors temporairement KO !

Des outils de recherche

Les forums demeurent généralement l'apanage d'initiés et, même si le courrier électronique est largement utilisé par un nombre croissant de particuliers et d'entreprises, c'est en réalité la « Toile » qui a mis l'informatique à la portée du grand public. Finis les codes et fichiers rébarbatifs, bienvenue aux couleurs, aux images fixes et animées, au son et aux liens hypertextes, permettant une consultation non hiérarchique d'un serveur et le *netsurfing*, de site en site, de thème en thème. Évidemment, il faut savoir s'orienter dans ce dédale, qui comprend plus de 100 millions de documents[9] au début de 1998. Il suffit pour cela de consulter l'un des répertoires ou moteurs de recherche inventoriant ou capable de trouver un site dont l'existence, voire l'adresse sous forme d'URL (Uniform Resource Locator), sont inconnues.

Les répertoires ou index du Web sont bien adaptés à des recherches thématiques de caractère général, comme l'obtention de listes de serveurs touristiques sur un pays donné ou de sites consacrés à certains arts, à la mode ou à des sports déterminés. Ces outils présentent une sélection des meilleures adresses sur le sujet choisi. Le premier et le plus connu est Yahoo (disponible en français), dont le principal concurrent aux États-Unis est Lycos. Comme outils spécifiquement francophones figurent Nomade, Ecila et Lokace.

Les moteurs de recherche, quant à eux, sont plutôt conçus pour

---

9. Un document sur l'Internet représente l'équivalent d'un sujet ou d'un thème abordé sur un site. Sa taille moyenne est de 4 kilo-octets, soit deux pages dactylographiées.

effectuer des recherches sur des mots ou termes spécifiques figurant sur des documents Internet, même si leur objet principal peut être différent. Il est par exemple possible de connaître la liste de tous les documents mentionnant un nom de famille ou encore un écrivain, un homme politique, etc. Ces moteurs permettent aussi de procéder par recherche multicritère. En tapant « France » et « gastronomie », tous les documents évoquant ce thème dans l'Hexagone sont signalés. En outre, à l'instar des répertoires, les meilleurs sites par sujet sont indiqués. Altavista[10] est l'un des premiers moteurs apparu et il est désormais disponible en français. Excite, Infoseek et Hotbot sont ses principaux rivaux anglophones. Comme moteurs francophones, on trouve Écho, Ecila et Lokace, qui offrent un service de recherche en plus de leur répertoire.

Pour des recherches très pointues, pour lesquelles il est utile de comparer les résultats, il existe des « métachercheurs » comme PowerSearch ou Metacrawler, qui permettent de lancer des requêtes simultanées sur plusieurs outils. L'un des perfectionnements les plus intéressants des moteurs de recherche, apparu au début de 1997 sur Altavista, est dû aux travaux d'un ingénieur français, maître de recherche à l'École des mines de Paris, François Bourdoncle. Le procédé qu'il a mis au point, Cow9[11], anciennement Live Topics, permet de faciliter la formulation des requêtes sous une forme ciblée et d'affiner rapidement la recherche en éliminant certaines catégories. Ce travail est facilité par un classement automatique des sites correspondant à la demande en rubriques, reliées entre elles et affichées sous forme d'une représentation graphique.

Des informations d'une extrême variété

Avec un tel choix d'outils, l'internaute, chevronné ou non, par curiosité, plaisir, ou dans le cadre d'activités scientifiques, est prêt à partir à la découverte du cyberespace. Même en se limitant à la

---

10. Un ingénieur français de Digital Equipment, Louis Monier, est co-inventeur d'Altavista.
11. En anglais, l'expression *holy cow* (« vache sacrée ») exprime l'étonnement et l'émerveillement ; 9 rappelle le « 9ᵉ ciel ». Cow9, nom déposé, pourrait être considéré comme l'équivalent d'Eurêka ! Digital Equipment, dont Altavista est une filiale, a acquis la licence d'exploitation du procédé auprès de l'École des mines de Paris.

langue de Molière, l'Internet offre déjà un choix important, avec plus de 10 000 sites français et sans doute plus du double pour l'ensemble de la francophonie à la mi-1997. Nombreux sont ceux qui s'adressent au citoyen : presque toutes les grandes administrations, de même que le Sénat et l'Assemblée nationale, mais aussi les principaux partis politiques, de la droite à la gauche, en passant par les Verts, sont sur l'Internet. D'autres permettent de se consacrer à la recherche d'un emploi. Pour s'informer, les principaux quotidiens nationaux (*Le Monde, Libération, Les Échos*, etc.) ou régionaux (*Le Télégramme, Ouest France, La Voix du Nord*, etc.) présentent leur contenu sur le Web. Pour connaître les programmes de télévision, aucune chaîne nationale n'est absente du Web. S'il s'agit de se cultiver, une visite des principaux musées de France - Le Louvre, Beaubourg, la Cité des sciences et de l'industrie de la Villette, etc. - est envisageable.

Pour préparer un voyage dans l'Hexagone, il suffit de consulter le site Maison de la France, qui répertorie sous forme de liens hypertextes les serveurs des régions et départements, et celui de la Fédération nationale des offices de tourisme et syndicats d'initiative. Quant aux réservations, elles sont possibles auprès d'hôtels et d'agences de voyages virtuelles sur d'autres serveurs touristiques. Concernant le monde de la finance, de nombreuses banques ont déjà investi le Net, de même que la Bourse. Par ailleurs, la mode, tant féminine que masculine, est très présente avec les sites des grands couturiers. Pour s'informer des dernières nouveautés automobiles, suivre le Tour de France ou la Coupe du monde de football en temps réel, à tout moment... il n'y a que l'embarras du choix. Et pour bien soigner son chien ou son chat, il y a même un site dispensant des conseils vétérinaires et alimentaires !

Pour ceux qui pratiquent la langue de Shakespeare, il est possible de surfer de New York à Singapour, en passant par le Mexique, de visiter les sites de la grande presse quotidienne *(New York Times)* ou hebdomadaire *(Time Magazine)* ou d'avoir le privilège d'entrer dans la bibliothèque du Congrès à Washington. Selon les préférences de chacun, il peut aussi bien s'agir de trouver des recettes de cuisine du monde entier, de visiter les sites du fitness, de découvrir les innombrables serveurs consacrés au cinéma ou aux

grandes vedettes du show-biz. D'autres préféreront lire - et regarder - *Playboy*, au bureau ou à la maison selon les possibilités. Certains, enfin, se rendront à l'Exploratorium de San Francisco, l'un
des plus remarquables sites de découverte scientifique, destiné tant
aux enfants qu'aux adultes. Puis, de lien hypertexte en lien hypertexte, chacun fera son propre voyage, plein de détours volontaires
ou inattendus dans la galaxie Internet.

« La machine ne sera jamais intelligente à la place de l'homme. »
François Bourdoncle*

Quelle est la philosophie de Cow9 ?
Pour surfer sur l'Internet, il faut éviter de se noyer dans la masse d'informations disponibles. Il est donc essentiel de pouvoir éliminer les informations qui n'ont qu'un faible degré de pertinence avec le thème de la recherche. Avec Cow9, je voulais à la fois fournir à l'utilisateur les moyens de préciser sa requête, permettre des recherches sur des thèmes très spécialisés et produire une vue synthétique de l'ensemble des résultats.

Concrètement, comment fonctionne-t-il ?
Le procédé fait largement appel à l'interactivité, en donnant à l'internaute des *feed-backs* (« retours d'information ») successifs de plus en plus fins. Mais il faut encore améliorer les interfaces de dialogue, ce qui est plus difficile que la mise au point des techniques d'extraction elles-mêmes.

Qu'est-ce qui distingue votre procédé d'un répertoire classique ou d'un moteur de recherche ?
L'originalité de Cow9 est son caractère personnalisé : chaque requête génère des catégories dynamiques, au lieu de reproduire des sous-ensembles préétablis à l'instar des répertoires, ou des listes d'occurrences comme les moteurs de recherche. Chaque demande est considérée comme unique et chaque réponse adaptée en conséquence. C'est à l'utilisateur de bien formuler sa question, puis d'interpréter la réponse. La machine ne sera jamais intelligente à la place de l'homme, elle ne fait que lui apporter une puissance d'analyse et une capacité de traitement.

Dans ces conditions, vous ne serez jamais exhaustif...
Sur l'Internet, une telle démarche est illusoire. Cow9 se présente davantage comme une table des matières dynamique permettant de pénétrer un nouveau monde de la connaissance. L'Internet constitue un immense progrès par rapport au concept classique de base de données. Les systèmes antérieurs étaient fondés sur une recherche exhaustive. Aujourd'hui, ce qui est privilégié, c'est la pertinence, et la qualité prime sur la quantité. Cela ne s'explique pas seulement par la masse d'informations sans cesse croissante, mais aussi par le coût des machines nécessaires au traitement. Leur capacité doit être calculée en fonction du nombre de requêtes journalières multiplié par la dimension de la base de données.

L'Internet n'est-il pas concurrent des médias traditionnels ?
La presse assure la synthèse et apporte des réflexions de fond, tandis que le Web peut répondre à des besoins plus spécialisés, en dispensant de manière permanente des informations précises sur des sujets présélectionnés par l'utilisateur. À ce titre, les *mailing-list* constituent la version électronique des *newsletters*. Mais on aura toujours besoin de médiateurs d'information.

L'organisation de l'information sur le Web va-t-elle engendrer de nouveaux métiers ?
La veille informationnelle va devenir un enjeu stratégique pour les entreprises. Ce qui renforcera le rôle des documentalistes ou consultants électroniques, recueillant et interprétant la matière première disponible en ligne. Il serait temps que la France s'en rende compte et se dote des moyens adaptés, comme le Media Lab [12] ou les *Think-tanks* [13].

* *Maître de recherche à l'École des mines de Paris, François Bourdoncle est le concepteur du procédé Cow9, utilisé par Altavista.*

---

12. Media Lab : laboratoire du Massachusetts Institute of Technology (MIT), consacré aux recherches sur les systèmes et technologies de l'information et auquel collaborent tant le monde de la recherche que le secteur privé.
13. Traduction littérale : « réservoir à penser ». Cabinets de consulting dont l'objet est la « prospective technologique », c'est-à-dire l'anticipation et l'évaluation des grandes tendances qui vont façonner le monde de demain.

2. *La vie avec le multimédia*

Les possibilités offertes par le multimédia vont profondément modifier nos façons de vivre, d'apprendre, de travailler et de consommer. Nos enfants vont grandir avec ces nouvelles technologies et se les approprier, à condition que l'éducation les intègre pleinement. Cette mutation ne se fera pas sans heurts, mais elle est inéluctable. Elle a d'ailleurs déjà commencé dans bien des domaines, aux États-Unis, mais aussi en France et dans la plupart des pays occidentaux. S'il s'agit encore souvent d'expérimentations, la démarche commence à se développer, avec le souci d'apporter une réelle valeur ajoutée.

Apprendre

L'introduction de l'informatique et du multimédia dans l'enseignement est sans aucun doute l'enjeu majeur de la société de l'information qui s'esquisse. L'inaction aboutirait à sacrifier une génération et à compromettre les capacités créatives, scientifiques et industrielles de la France à l'horizon 2020. Fort heureusement, une prise de conscience s'opère et des mesures commencent à être prises. Le défi concerne l'enseignement initial, mais aussi la formation, qui prend un sens nouveau avec le recours aux outils multimédias.

1. Une question d'équipement

L'évocation du retard français en matière d'équipement informatique des établissements scolaires n'est pas nouvelle. Depuis des années, de nombreux professionnels, hauts fonctionnaires et parlementaires ne cessent de dénoncer cette situation, statistiques et rapports à l'appui. Le premier ministre l'a lui-même reconnu, en août 1997, lors de l'université de la communication d'Hourtin, en annonçant la mise en place d'un grand programme d'action concernant les technologies de l'information, dont l'école sera la première priorité. Il ne s'agit pas que d'une affaire d'investissement, mais de sensibilisation de l'ensemble de la population. Comme le rappelait en juin 1997 le sénateur Alain Gérard, auteur du rapport *Multimédia et réseaux en éducation*, « seul l'effort combiné de tous, État, collectivités locales et territoriales, et partenaires privés, pourra permettre de faire face à cet enjeu pour le système éducatif français[1] ».

---

1. L'enjeu éducatif est également analysé par le sénateur Franck Sérusclat dans son rapport sur *Les techniques d'apprentissage essentielles pour une bonne insertion dans la société de l'information.*

Des ordinateurs obsolètes ou inexistants

La volonté d'équiper les établissements d'enseignement primaire et secondaire ne date pas d'aujourd'hui. En 1985, le gouvernement avait déjà lancé son célèbre « plan informatique pour tous ». Malheureusement, comme dans la plupart des grands pays occidentaux qui avaient mis en place dans les années 80 de vastes plans d'informatisation des écoles, il s'est soldé par un échec, faute d'une prise en compte suffisante de la formation des enseignants. Résultat, les fameux TO7 de Thomson sont souvent restés dans les placards, et le taux d'équipement moyen des établissements scolaires est encore bas : début 1997, on ne recensait que 5 terminaux informatiques pour 100 élèves en France, soit exactement le même chiffre qu'aux Pays-Bas, mais mieux qu'au Japon (3 pour 100). Ce peloton de queue a un effort important à faire pour se hisser au niveau du Royaume-Uni et des États-Unis (15 pour 100) ou encore de la Finlande (14 pour 100).

Ces statistiques reflètent en outre des situations contrastées. Selon le ministère de l'Éducation nationale, il y aurait actuellement un micro-ordinateur pour 45 élèves à l'école primaire, un pour 28 au collège, un pour 12 au lycée et un pour 8 dans les lycées professionnels. Et il s'agit bien souvent de micro-ordinateurs de la première génération, difficilement utilisables pour des applications multimédias. Il est donc indispensable de renouveler le parc. La plupart des gouvernements occidentaux en sont conscients.

En France, le ministre de l'Éducation nationale a présenté, en novembre 1997, un plan sur trois ans visant à développer l'utilisation des nouvelles technologies à l'école, de la maternelle à l'université. Pour cette opération, l'État a décidé de débloquer un milliard de francs par an, les collectivités locales étant appelées à participer également au financement des équipements. Ce plan, qui reprend en partie les conclusions des rapports des sénateurs Alain Gérard et Frank Sérusclat, met aussi l'accent sur l'intégration de l'informatique dans les projets pédagogiques et les programmes, ainsi que sur la formation des enseignants.

Pour les pays de l'Union européenne, la Commission, dans son rapport sur *Le Multimédia éducatif*, paru en janvier 1997, évalue à environ 25 milliards de francs l'investissement nécessaire pour doter chaque salle de classe d'une station multimédia. Et le prix serait cinq fois plus élevé s'il s'agissait d'attribuer un terminal pour 5 élèves. Il faut rappeler que l'Europe des Quinze compte 67 millions d'élèves, 4,5 millions d'enseignants et 350 000 écoles.

L'apport des collectivités locales et des entreprises

Dans ces conditions, la mission serait-elle impossible ? Pas du tout, car l'effort doit être partagé avec les collectivités locales qui, depuis la loi de décentralisation de 1982, ont compétence sur la gestion des collèges et des lycées. Il est d'ailleurs intéressant de noter que les établissements qui disposent déjà d'un équipement multimédia adéquat le doivent généralement au dynamisme du rectorat ou de la collectivité locale dont ils dépendent. Le département de Haute-Savoie en est l'un des exemples les plus représentatifs. Depuis des années, il multiplie les initiatives et les partenariats pour équiper ses collèges. En mai 1997, il s'est ainsi associé avec la région Rhône-Alpes et France Télécom pour mettre en place un réseau Intranet entre plus de cent établissements scolaires. Résultat de cette politique volontariste, la Haute-Savoie concentrait sur son seul territoire, au milieu de 1997, près de 20 % des établissements français connectés à l'Internet.

Outre les collectivités locales, plus ou moins motivées selon les régions, les établissements scolaires peuvent aussi compter sur l'aide des entreprises, publiques ou privées. Le gouvernement français a en effet accepté de favoriser les partenariats écoles-entreprises, à la fois pour l'équipement informatique et la création de contenus. Mais il n'est pas question de suivre complètement l'exemple des États-Unis, où le président Clinton a clairement fait un appel du pied au secteur privé pour prendre le relais des fonds publics[2]. En France, le partenariat est également encouragé dans le cadre des orientations retenues par le ministère de l'Éducation nationale. Infonie a ainsi présenté, en novembre 1996, une offre qui propose à tous les établissements scolaires un abonnement gratuit à son service et à l'Internet pendant un an. Par ce biais, les enseignants

---

2. C'est sans surprise que les États-Unis ont joué la carte du libéralisme. Au-delà d'une petite part du projet cofinancée par les autorités fédérales et les collectivités, ce sont les principaux câblo-opérateurs qui ont été mis à contribution pour fournir l'accès rapide à l'Internet à l'ensemble des écoles américaines avant l'an 2000.

ont accès à plus de 250 programmes en français, notamment ceux de la rubrique Éducation d'Infonie, dans laquelle on retrouve des cours de langues, de mathématiques, d'histoire-géographie et de sciences de la vie et de la terre (niveau collège), voire de philosophie et de sciences économiques et sociales (niveau lycée).

Les constructeurs informatiques, comme Apple, Microsoft, Compaq ou IBM, ont également profité de cette opportunité de toucher les jeunes - leurs clients de demain - en développant des partenariats avec les écoles, les collèges et les lycées. L'une des initiatives les plus originales a été lancée par Sun Microsystems. Baptisée Netdays (« Les journées du Net »), cette opération, menée en collaboration avec Infra+, 3Com et Siemens-Nixdorf, a pour ambition de « mettre un outil performant au service des enseignants », explique Paul Zéboulon, P-DG de Sun Microsystems France. Son principe, mis au point dans la Silicon Valley, consiste à fournir aux établissements scolaires qui le souhaitent, à l'occasion d'une journée spéciale fortement médiatisée, des équipements et des connexions à l'Internet à des conditions tarifaires attractives. Outre-Atlantique, le succès de la première opération, organisée le 9 mars 1996, a été tel que le président Clinton a décidé de l'étendre à l'ensemble du pays. En Europe, c'est Édith Cresson, commissaire européen chargé de l'Éducation et de la Recherche, qui a saisi la balle au bond en annonçant officiellement son intention d'en favoriser le développement à son tour, avec 15 millions de francs de subventions de la Commission européenne à la clé. Organisés à la fin du mois d'octobre 1997, ces Netdays ont permis à près de 200 établissements scolaires européens d'avoir enfin accès, à moindres frais, aux outils multimédias.

Pour d'autres, cette aide financière a contribué à renforcer des projets existants. C'est le cas du lycée Jean-Prévost de Villard-de-Lans (Isère) qui souhaite créer un réseau de cent lycées européens à travers la Fondation pour l'éducation à l'environnement. Ce projet très ambitieux représente la suite logique d'une initiative lancée au niveau local en 1994, déjà en collaboration avec une entreprise du secteur privé. La société Lotus[3] cherchait alors à tester l'emploi

---

3. Lotus est aujourd'hui une filiale d'IBM.

de ses logiciels de travail en groupe (Notes) et de création de contenus sur l'Internet (Domino). À l'époque, huit écoles primaires du canton de Villard-de-Lans s'étaient associées pour créer les « réseaux buissonniers », afin de « former les jeunes du canton aux évolutions de la société de demain », explique le sénateur Jean Faure, président du district et initiateur du projet. Trois ans plus tard, plus de cent écoles et lycées de la région disposent d'une panoplie complète comprenant l'outil informatique dans ses fonctions de base, la communication électronique et l'accès au Web.

C'est dans ce cadre qu'a été tentée une expérience d'enseignement à distance. Le lycée Jean-Prévost comprend en effet plusieurs classes constituées de sections sportives de haut niveau, dont les élèves suivent une scolarité adaptée. Dix-huit d'entre eux, qui se forment au ski de compétition, sont par exemple absents pendant tout le deuxième trimestre (à l'exception de deux passages de quelques jours au lycée) et ne peuvent donc suivre leurs cours normalement. Pour éviter une rupture trop grande avec l'école, ces « cyberchampions » ont été équipés d'ordinateurs portables, afin de leur permettre d'accéder au serveur de l'école sur lequel ils peuvent trouver des exercices de révision des programmes du premier trimestre dans quatre matières fondamentales : les mathématiques, l'histoire, la géographie et les langues. Après une année de fonctionnement, le bilan semble positif. Non seulement les élèves affichent une forte motivation, mais cet exercice les oblige, aux dires des professeurs, à une implication plus grande. Pour communiquer - par écrit - avec les enseignants, les jeunes doivent formuler clairement leurs interrogations. Au final, « cet éloignement entraîne une relation beaucoup plus personnalisée avec l'élève », remarque l'un des professeurs.

L'enseignement supérieur mieux équipé

Par rapport aux écoles, collèges et lycées, les universités et les grandes écoles de l'enseignement supérieur sont davantage engagées sur les voies du multimédia et disposent toutes d'un équipement adapté, renouvelé très souvent, donc à la pointe de la technologie. De même, l'accès à l'Internet est possible assez facilement sur tous les campus, même s'il faut souvent posséder son propre ordinateur portable, les établissements ayant plutôt fait le choix des prises de raccordement que celui des ordinateurs. Depuis la rentrée 1996-1997, l'École supérieure de commerce de Paris, par exemple, a consacré totalement un amphithéâtre au multimédia. Chaque place dispose d'une prise permettant aux étudiants de brancher leur ordinateur pour se connecter à l'Internet. Une initiative originale qui tend à se généraliser.

Ce phénomène commence d'ailleurs à bouleverser les méthodes de travail, car le réseau constitue en lui-même l'accès à de nombreuses bibliothèques et sources de documentation, avec le risque d'être rapidement noyé. De ce fait, les étudiants seront peut-être appréciés de plus en plus pour de nouvelles qualités : par exemple, savoir où et comment chercher les informations, tout en faisant preuve de discernement dans leur appréciation et leur utilisation. Désormais, la capacité à repérer celles qui sont pertinentes constituera, autant que le résultat de leur exploitation, un critère d'évaluation. Si les mémoires de troisième cycle font désormais référence aux sources d'information en ligne, un tel potentiel est également de plus en plus exploité par les autres étudiants.

2. Une nécessaire mobilisation

Équipement informatique et raccordement au réseau constituent des conditions indispensables à l'introduction des nouvelles technologies dans l'éducation, mais elles ne sauraient être suffisantes. Pour gagner ce pari, il faut aussi sensibiliser et mobiliser toutes les parties prenantes, des enseignants aux pouvoirs publics, sans oublier les élèves, les parents et les industriels fournisseurs de contenus. Si l'un des maillons de cette chaîne éducative est défaillant, c'est l'ensemble du processus qui risque d'être remis en cause.

Les enseignants en première ligne

Les enseignants sont bien sûr les premiers concernés. Sans leur adhésion, il n'y a guère d'espoir de réussite. L'échec du Plan informatique pour tous de 1985 est resté dans les mémoires et toutes les expériences menées à ce jour ont été portées d'une façon ou d'une autre par un instituteur ou un professeur particulièrement motivé. Mais aujourd'hui, à l'heure où il s'agit de généraliser et d'harmoniser ces pratiques, la simple motivation est insuffisante. Il faut aller plus loin en offrant aux enseignants une formation qui leur assure une maîtrise des matériels et des logiciels disponibles, et qui leur apprenne comment les intégrer dans leurs pratiques pédagogiques. Le cursus de formation initiale prévoit désormais, dans la plupart des pays européens, une initiation aux technologies de l'information et de la communication, mais elle reste encore souvent limitée. En France, les Instituts universitaires de formation des maîtres (IUFM), encore peu équipés, tant en matériels qu'en ressources humaines, vont bénéficier d'un plan d'urgence au titre des mesures pour l'école, annoncées en novembre 1997. Quant à la formation continue, elle semble peu développée. Les crédits qui lui sont alloués ont ainsi diminué de moitié sur cinq ans, ce qui ne permet guère d'espérer répondre aux besoins dans le domaine des nouvelles technologies. En fait, la formation repose essentiellement sur la bonne volonté de professeurs qui profitent de leurs vacances pour découvrir l'usage des technologies multimédias.

Le défi à relever passe également par un meilleur accès à des contenus éducatifs et pédagogiques. Contrairement aux ouvrages écrits, référencés et disponibles facilement, il n'existe pas encore une banque de données recensant tout ce qui existe sur le réseau de l'Internet. C'est pourquoi le chapitre français de l'Internet Society militait, lors de ses Rencontres d'Autrans, vers le milieu de 1997, pour « le développement de logiques d'accès à des contenus éducatifs et la mise en place de stratégies d'échanges et de mutualisation d'expériences ». À sa façon, La Cinquième essaie depuis février 1997 d'apporter une réponse adaptée à ces questions avec sa Banque de programmes et de services (BPS). Si la chaîne éducative ne cherche pas directement à former les enseignants aux technologies multimédias, elle s'efforce en tout cas de leur en faciliter l'accès. Partant du principe que son offre doit être largement et facilement accessible, elle a mis au point un système, sur son serveur Internet, qui permet de télécharger sur un simple micro-ordinateur tous ses programmes.

Le principe en est simple : l'utilisateur sélectionne et visionne sur son écran les extraits qui l'intéressent, à partir d'une base de données thématique segmentée en services. Plus de trois mille contenus étaient ainsi proposés à la rentrée 1997 : certains sont issus de la programmation de la chaîne, d'autres proviennent des ministères, d'organisations nationales[4] ou internationales[5], voire d'organismes de formation, ainsi que de producteurs et diffuseurs étrangers. Après avoir repéré le programme, l'enseignant peut le visionner en partie ou en totalité, avant d'en effectuer le téléchargement pour une utilisation immédiate ou différée. Une fois cette sélection faite, il peut commander le programme intégral, qui lui sera adressé à une heure définie par le serveur. La transmission sur disque dur d'un programme d'une heure demande seulement quelques minutes. À l'heure actuelle, la BPS est en phase expérimentale sur une quinzaine de sites éducatifs et sociaux, mais son usage devrait être étendu à partir de la rentrée 1998.

Cette expérimentation spectaculaire, ambitieuse et médiatique, ne doit pas masquer les autres initiatives. La Fédération des centres de documentation pédagogique vient ainsi de créer un Observatoire des ressources multimédias en éducation (Orme). Cette structure a pour but non seulement de recenser tous les outils proposés par ses centres départementaux et régionaux, mais aussi de susciter la création de contenus nouveaux. À l'heure actuelle, elle dispose d'un catalogue d'une centaine de logiciels, didacticiels et CD-ROMs pédagogiques. « Notre rôle n'est pas de former les enseignants, mais de leur montrer ce qui existe, de les convaincre de la valeur pédagogique de ces nouveaux outils et de les encourager à les exploiter », affirme le directeur du Centre départemental de documentation pédagogique des Pyrénées-Orientales.

Des industriels très motivés

Si nombre d'enseignants restent encore sceptiques, les industriels ont, quant à eux, vite compris l'importance du marché

---

4. Centre national de la cinématographie, Centre national de documentation pédagogique, Centre national de l'enseignement à distance, Institut national du sport et de l'éducation physique et Office national d'information sur les enseignements et les professions.
5. Bureau international du travail, Comité international de la Croix-Rouge, Conseil de l'Europe, Fonds des Nations unies pour l'enfance.

éducatif. En 1997, il représentait en France moins de 200 millions de francs, soit 15 % des ventes de CD-ROMs, mais ses taux de progression (152 % en un an) en font déjà une source de convoitises. Né en 1995, ce secteur vient très récemment, à l'occasion de la rentrée scolaire 1997, de se segmenter en fonction de l'âge des enfants auxquels s'adresse un CD-ROM et la matière suivie, notamment avec l'arrivée de programmes scolaires pour le primaire, jusque-là peu nombreux. En conséquence, les précurseurs qu'étaient Coktel et Edusoft - tous deux rachetés entre-temps par les Américains CUC Software et Softkey - doivent aujourd'hui partager le gâteau avec deux nouveaux venus : Ubisoft et Hachette.

Le résultat se jouera bien sûr sur le terrain du marketing, mais aussi sur celui des contenus eux-mêmes, car c'est par ce biais que les éditeurs séduiront les enseignants et, surtout, les parents. En effet, l'utilisation de produits multimédias éducatifs dans l'enseignement ne se limite pas à l'école, mais s'étend à l'accompagnement scolaire à la maison. Du soutien aux élèves en difficulté à l'anticipation d'un programme scolaire pour les cracks, en passant par des exercices de révision pour des élèves de tous niveaux, l'éventail de choix est extrêmement large. Aujourd'hui, il existe des CD-ROMs ludo-éducatifs pour toutes les matières et pour toutes les classes (quasiment de la maternelle au lycée). Conçus avec soins, souvent en partenariat avec le milieu enseignant, ils remportent beaucoup de succès, car ils associent pédagogie rigoureuse et mise en forme ludique. De ce fait, les parents investissent pour que leurs enfants apprennent et les enfants ont l'impression de se distraire.

En France, le marché du CD-ROM scolaire destiné aux enfants est dominé essentiellement par trois « vedettes », dont l'étude du contenu révèle des approches très différentes.

- Chez Coktel Sierra, Adi combine une méthode d'accompagnement scolaire sur CD-ROM et des ressources pédagogiques et ludiques en ligne. Décliné du CE1 à la troisième pour le français, les mathématiques, l'anglais et la géographie, le CD-ROM propose plus de 150 exercices et 3 000 questions, 20 leçons animées et des cours complets par matière. Un suivi personnalisé avec analyse d'erreurs permet de repérer les difficultés de l'élève. En complément, ce dernier peut accéder à des espaces de découverte, de création et de détente. Sur l'Internet, il a la possibilité de participer à des classes virtuelles, de dialoguer dans un forum de discussion et d'accéder à une sélection de sites éducatifs francophones.

- Chez Ubisoft, le héros est un petit bonhomme sympathique prénommé Tim, qui se décline du CM1 à la quatrième. Organisée comme une série d'aventures amusantes et interactives, cette gamme de produits, validée par les éditions Hatier, permet à l'enfant de réviser ses cours tout en menant à terme une intrigue. Prisonnier sur une île, Tim doit par exemple retrouver la mémoire pour s'évader, le scénario évoluant en fonction des capacités de l'enfant à résoudre les exercices. Tim est également présent sur le site Internet d'Ubisoft, car c'est lui qui sert de guide dans la recherche de sites éducatifs.

- Chez Hachette, arrivé en dernier sur le marché, le produit phare s'appelle Atout Clic. Déclinée du CP au CM2, cette gamme est volontairement moins ludique que celle de ses concurrents. Pour donner à l'enfant le goût d'apprendre et éveiller sa créativité dès le début de sa scolarité, Atout Clic ne propose pas de leçons, mais 500 activités exploratoires. Le concept du produit repose sur le principe d'essais successifs, sans notion d'erreur ni de sanction. Chaque titre est organisé en trois chapitres : Lire et écrire, Faire des maths et Découvrir le monde. Un tableau de bord permet un suivi du parcours de l'élève. Parallèlement, ce dernier a accès à un espace de découverte centré sur la créativité (enregistrements, jeux vidéo, coloriages...), ainsi qu'une ouverture sur l'Internet avec le service en ligne ID-Clic.

Pour les plus grands, l'offre de produits éducatifs est moins abondante, car la demande est plus spécifique. « Dans l'enseignement supérieur, c'est la grande fragmentation des besoins qui freine sérieusement le développement d'une offre commerciale de logiciels multimédias », explique-t-on au Bureau des technologies nouvelles pour l'enseignement (ministère de l'Éducation nationale). Les seules exceptions notables concernent l'enseignement des langues et, dans une moindre mesure, les cours de marketing, de management, de comptabilité et d'analyse financière. C'est pourquoi universités et grandes écoles n'hésitent pas à créer en interne leurs propres outils pédagogiques, quitte à mettre en place des structures de production de logiciels et de CD-ROMs.

Des parents à impliquer et rassurer

Le développement d'un marché de produits multimédias éducatifs de masse passe aussi par une implication complète des parents. « Il faut à la fois les mobiliser et les rassurer », remarque un enseignant. C'est dans ce but que le ministère de l'Éducation nationale a mis en place à leur intention des moyens d'information. Les services Édutel et Éducasources, ainsi que les sites Internet des académies, recensent par exemple la liste des CD-ROMs achetés par les établissements scolaires. De même, tous les rectorats français ont nommé en leur sein un responsable des technologies nouvelles, qui peut servir d'interlocuteur aux parents. En revanche, il n'est pas question pour l'État de recommander des titres précis pour le travail à la maison.

Mais le rôle des parents ne se limite pas au seul choix d'un CD-ROM éducatif adapté aux besoins de leur enfant. Le contrôle de la navigation sur la Toile est encore plus important, afin d'empêcher des mineurs de visiter par exemple des sites pornographiques ou révisionnistes. Plusieurs pays ont certes eu des tentations réglementaires[6], mais on semble s'orienter aujourd'hui vers des solutions plus souples avec la diffusion de logiciels de filtrage. Bill Clinton a ainsi annoncé, en juillet 1997, un accord avec les industriels de l'informatique concernant un dispositif qui permet aux parents d'empêcher les enfants d'accéder par exemple à des sites violents. « Cette boîte à outils donne la possibilité de verrouiller et déverrouiller des portes, sans compromettre la liberté d'expression garantie par la Constitution », a expliqué le président américain. Une allusion à l'annulation, un mois plus tôt, par la Cour suprême, du Communications Decency Act, qui visait à limiter la transmission de données pornographiques sur l'Internet[7]. De tels logiciels existent déjà. Cyber Patrol, l'un des plus connus et des plus élaborés, offre une véritable gestion de l'accès familial à l'Internet, en limitant l'utilisation à certaines heures de la journée ou en fixant une durée maximale de connexion. Fait plus important, il propose une liste de quelque 10 000 sites douteux, dont les parents

---

6. Voir p. 298.
7. Voir p. 296.

peuvent interdire l'accès s'ils le souhaitent. Reste que cette solution n'est efficace que si la liste est mise à jour très régulièrement.

C'est pourquoi la communauté des internautes, Tim Berners-Lee en tête, milite pour la mise au point d'une plate-forme capable d'assurer une sélection de contenus sur le réseau. En théorie, le principe de Pics (Platform for Internet Content Selection) est simple : il consiste à affecter une « étiquette » à chaque site. En revanche, la mise en place et la gestion d'un tel système exigent des moyens informatiques colossaux, quand on sait que des milliers de nouveaux sites voient le jour quotidiennement. Mais c'est peut-être le prix à payer pour que l'Internet devienne enfin un outil éducatif de premier plan.

3. Des pratiques pédagogiques renouvelées

Les technologies de l'information peuvent constituer une opportunité formidable de tester et de déployer de nouvelles pratiques pédagogiques. Le philosophe Michel Serres estime même que « nous sommes à l'an zéro d'une nouvelle manière de partager le savoir[8] ». L'enjeu, évidemment, est énorme. Quelques expériences, menées à tous les stades de la formation, que ce soit dans les collèges et lycées, dans l'enseignement supérieur, voire dans le domaine de la formation professionnelle, en démontrent assez les possibilités... ainsi que les limites et les dangers. Séduisantes, ces perspectives engendrent aussi la peur, car tout le monde est conscient qu'elles exigent une profonde mutation et conditionnent l'avenir de notre société.

Des perspectives apparemment séduisantes

En théorie, l'apport des outils multimédias dans l'enseignement ne présente que des avantages. D'abord, ceux-ci affranchissent l'apprentissage du temps et du lieu. Avec l'Internet, le regroupement des élèves sur un même site au même moment n'est plus

---

8. *Le Monde*, 17 décembre 1996.

une nécessité et l'enseignement à distance peut enfin devenir réalité. Ensuite, les contenus pédagogiques peuvent être beaucoup plus attrayants et bien plus riches. Dépassés les simples polycopiés, abandonnés les vieux ouvrages noir et blanc, place aux CD-ROMs aux 16 millions de couleurs et en trois dimensions, proposant l'accès à des bases de données enrichies dans le monde entier. Enfin, les outils multimédias, par nature interactifs, donnent à l'étudiant la possibilité de multiplier les approches, les exercices et les simulations. Bref, un cours ne se limite plus à un échange à sens unique entre un professeur qui dispense son enseignement et un élève qui écoute, prend des notes et apprend, mais peut constituer un dialogue permanent, une véritable écoute de l'élève par son tuteur.

Apparemment séduisantes, ces perspectives doivent être sérieusement étudiées pour qu'on puisse espérer, un jour, qu'elles deviennent réalité. Si le potentiel entrevu est important, il faut rester lucide. Les nouvelles technologies ne remplaceront jamais l'instituteur et le professeur. Comme le note l'universitaire Gilbert Renaud, dans une étude menée avec l'Établissement national d'enseignement supérieur agronomique de Dijon[9], il ne suffit pas d'équiper les établissements d'outils multimédias pour que l'enseignement multimédia se développe. Il faut aussi laisser le temps aux enseignants et aux élèves de se familiariser avec l'ordinateur et de maîtriser les logiciels proposés. « Si ce temps n'est pas reconnu par l'institution, la mutation attendue ne pourra pas s'opérer », prévient-il.

Mais là n'est pas le seul danger. Il ne faudrait pas, non plus, que la volonté de recourir massivement aux outils multimédias occasionne une baisse de la qualité de l'enseignement. En effet, à force de vouloir réaliser des contenus attrayants, le risque existe de privilégier la forme au fond. De nombreux enseignants constatent ainsi qu'ils passent beaucoup de temps à peaufiner la présentation de leur cours au détriment du contenu pédagogique. De même, ils font remarquer que, si leurs étudiants apprécient et participent

---

9. L'étude a été présentée, au milieu de 1996, lors des deuxièmes Entretiens de l'Observatoire des ressources multimédias en éducation (Orme).

davantage, l'apprentissage des connaissances n'est pas forcément meilleur qu'avec un enseignement classique. De leur côté, les responsables du Centre national d'enseignement à distance (Cned), qui ont mis sur pied un projet de « campus électronique », notent que les moyens de communication multimédias (courriers électroniques, débats, vidéoconférences) ne règlent pas tous les problèmes de l'enseignement à distance, même s'ils améliorent considérablement les conditions de l'échange. Le manque de contacts personnels, que ce soit entre l'enseignant et l'élève ou entre les élèves eux-mêmes, demeure un inconvénient pour certains.

Le lycée des Arènes en exemple

Pour que le multimédia ne devienne pas un simple outil de plus au service de l'enseignement, il est capital de mobiliser et de convaincre l'ensemble des acteurs d'un projet. Toutes les expériences menées depuis des années dans ce domaine le montrent : si l'impulsion peut être donnée par les pouvoirs publics, c'est au niveau des équipes de terrain que le succès, ou l'échec, se jouent. Le lycée des Arènes de Toulouse constitue un bon exemple à cet égard.

Ouvert en septembre 1991, cet établissement a été doté dès le départ d'un réseau de communication multimédia complexe. Dans l'esprit de son proviseur, cet équipement ne relevait pas du gadget, mais devait servir de base à la recherche d'un système de fonctionnement différent d'un lycée classique. Comme l'a souligné Yves Ardourel, l'un des moteurs du projet, « l'implantation importante de technologies de l'information a joué et joue encore un rôle majeur dans les pratiques quotidiennes des personnels et des élèves du lycée[10] ».

Mais il ne faut pas s'y tromper : le succès apparent de ce projet dans la réorganisation des pratiques pédagogiques n'est pas dû à l'outil lui-même, mais au contexte d'accueil de celui-ci.

En d'autres termes, l'utilisation des outils multimédias a constitué le cœur d'un projet d'établissement reposant sur trois axes : la

---

10. Cas présenté lors du premier colloque international « Penser les usages », qui s'est tenu à Bordeaux, en mai 1997.

recherche d'une nouvelle efficacité pédagogique par l'usage des technologies de l'information, la découverte et l'apprentissage des outils de communication par tous les élèves et la mobilisation de tous les enseignants dans la création d'actions mettant en œuvre des technologies éducatives.

Ce projet a été soutenu par un engagement fort de la direction du lycée, qui s'est traduit par des opérations de formation continue des enseignants, par le recrutement de personnels qualifiés et la mise en place d'une organisation interne adaptée. Trois enseignants sont ainsi détachés à plein temps pour assurer un rôle de « coordonnateur du réseau ». Leur mission : veiller à la fiabilité et à la cohérence des prestations, être à l'écoute de tous et développer, en fonction des besoins, de nouveaux services.

Quelques années après la création du lycée, le bilan semble globalement positif pour tout le monde. Les parents estiment que leurs enfants sont mieux préparés, les élèves se sentent davantage impliqués dans la vie de leur établissement, et la direction du lycée dispose d'un projet porteur pour l'animation interne et la relation avec ses instances de tutelle. Par son originalité, le lycée des Arènes a en effet acquis une certaine notoriété et ne cesse de recevoir des demandes de visite.

Quant aux enseignants, ils ont découvert de nouvelles approches pédagogiques. Aujourd'hui, chaque discipline (histoire-géographie, mathématiques, physique, français...) dispose ainsi de sa propre salle informatique. Chacune comprend une dizaine de postes en réseau, raccordés au réseau informatique général, mais avec des spécificités propres. Les physiciens possèdent par exemple des cartes d'acquisition pour l'expérimentation, les mathématiciens n'ont pas les mêmes logiciels de bureautique que les professeurs de BTS, le département des sciences humaines gère un logiciel de cartographie, etc.

Par ailleurs, Yves Ardourel affirme que « la pratique des réseaux introduit de la distance dans l'activité pédagogique et soulage l'élève de la pression forte, parfois bloquante de l'enseignant. Il est confronté à plus d'autonomie, il prend une responsabilité accrue dans son parcours d'apprentissage. Pour l'enseignant, le recours à des savoirs médiatisés ou distants renforce son rôle de médiation et valorise davantage ses capacités de compréhension de l'élève en situation d'apprentissage ». Mais ce succès est continuellement remis en question par la nécessité de susciter de nouvelles applications. « Le projet du lycée de la communication de Toulouse est vivant, donc fragile », conclut-il.

Une ouverture sur le monde extérieur

Au-delà de cette opération pilote très localisée et centrée sur l'établissement scolaire lui-même, la connexion aux réseaux multimédias permet aussi d'imaginer un enseignement plus ouvert sur l'extérieur. Par sa richesse, l'Internet offre de multiples opportunités d'échanges. Aujourd'hui, il n'est pas rare, dans l'enseignement supérieur, qu'un professeur utilise l'Internet pour aider ses étudiants à résoudre une étude de cas. L'intérêt de la démarche est triple : d'abord, ces derniers apprennent à utiliser le réseau pour rechercher des informations ou communiquer avec d'autres étudiants. Ensuite, ils se familiarisent avec l'enseignement à distance. Enfin, ils découvrent une nouvelle richesse de raisonnement, dans la mesure où les débats traduisent généralement les habitudes culturelles de chaque pays.

Cette diversité présente un intérêt pédagogique certain, même au sein d'une école primaire. « Ouvrir l'école sur le monde extérieur » fait ainsi partie des priorités que s'est fixé Pierre Valade, instituteur à Piquecos (Tarn-et-Garonne), qui utilise depuis la rentrée 1995 l'Internet dans sa classe unique de CM1 et CM2. Âgés de neuf à onze ans, ses élèves dialoguent régulièrement avec quelque 70 classes francophones dans le monde entier. « Cette classe globale de français (CGF) constitue un moyen idéal de confronter leur manière de vivre et de décrire leur environnement, explique-t-il. Sous un aspect ludique, la création et l'enrichissement du site Web de l'école donnent aux enfants une nouvelle approche de l'apprentissage. L'Internet constitue un véritable vecteur de lecture et d'écriture. En élaborant de nouvelles pages pour le site, ils sont amenés à prendre conscience de l'importance de la maîtrise de l'écrit et de la présentation. Accessoirement, cette navigation donne aux élèves une approche plus concrète de la géographie. »

Le potentiel de l'enseignement en ligne

L'une des autres conséquences possibles de l'émergence des nouvelles technologies multimédias réside dans l'enseignement en ligne. À partir du moment où la distance peut être abolie, il est simple de faire appel à des professeurs qui ne seraient pas présents dans un amphithéâtre. Pour un établissement situé loin d'une ville ou qui souhaite dispenser un enseignement de très haut niveau (ou très spécialisé), en s'appuyant sur des personnalités présentes dans le monde entier, cette éventualité ouvre bien des horizons : plus besoin de faire déplacer les professeurs, il suffit d'organiser les cours à distance.

Aux États-Unis, plusieurs centaines d'universités se sont déjà lancées sur ce créneau dont les sociétés d'étude évaluent le potentiel à près de 10 milliards de francs d'ici à l'an 2000. Le principe est à peu près toujours le même : les étudiants passent une dizaine de semaines par an dans une véritable salle de cours, le reste de la formation étant assurée dans un amphithéâtre virtuel. À tout moment, ils peuvent contacter professeurs et condisciples, consulter des manuels en ligne, ou tester leurs connaissances par des examens à distance.

En poussant la logique jusqu'au bout, pourquoi ne pas imaginer la création d'une université complètement virtuelle, dans laquelle les étudiants communiqueraient avec leurs professeurs uniquement sur un campus électronique par réseau interposé. Aux États-Unis, de telles structures ne sont plus une vue de l'esprit. L'International University élabore notamment des formations spécialement adaptées à l'enseignement en ligne, tout en faisant appel à des professeurs d'universités classiques.

Une vingtaine d'universités des États de l'Ouest viennent de se regrouper au sein d'une fédération, la Western Governors University (WGU), pour proposer en commun, courant 1998, des formations en ligne. L'intérêt de la démarche est multiple : affranchissement des besoins d'infrastructures matérielles, possibilité d'accueillir un nombre croissant d'étudiants, abolition des contraintes de temps et d'espace... mais aussi possibilité d'étendre son influence dans le monde entier.

Une chance pour la formation professionnelle

Les premières utilisations du multimédia dans la formation professionnelle des entreprises remontent aux années 60, quand certains grands groupes américains ont eu recours à l'éducation assistée par ordinateur (EAO).

Mais il a fallu attendre une vingtaine d'années et l'arrivée massive de la micro-informatique dans les bureaux pour qu'un besoin généralisé de formations aux outils bureautiques, tableurs et autres traitements de textes déclenche la naissance d'une industrie du logiciel de formation professionnelle. Pas pour très longtemps d'ailleurs, estime la Commission européenne dans son rapport *Le Multimédia éducatif*. « Malgré d'incontestables succès, cette industrie ne s'est pas développée au rythme souhaité », constatent les auteurs de ce texte. Certains secteurs, comme la banque ou l'assurance, ont même procédé à un désengagement progressif au début des années 90. Cela s'explique à la fois par l'hétérogénéité des besoins des entreprises qui ne peuvent pas vraiment être satisfaits par des produits standard[11], et par le coût élevé de développement des logiciels sur mesure.

Le développement des outils multimédias en formation professionnelle est-il pour autant voué à l'échec ? Non, estime Pierre Leboulleux, du cabinet Cegos[12]. Selon lui, plusieurs facteurs générateurs d'un changement profond de la formation professionnelle sont aujourd'hui réunis. Premièrement, la pression économique croissante oblige les entreprises françaises à un mouvement vers la haute valeur ajoutée, donc vers un accroissement incessant des compétences, individuelles et collectives. Deuxièmement, le rétrécissement du temps se généralise, depuis la mise sur le marché d'un produit nouveau jusqu'au temps de péremption d'une expertise, en passant par le temps de formation. Troisièmement, la crise assimile la compétence à un « fonds de commerce » individuel qu'il faut entretenir et développer par une combinaison, fortement personnalisée, d'expérience et de formation. Enfin, la vitesse

---

11. Sauf dans des domaines comme l'apprentissage de langues, le marketing ou la gestion.
12. Analyse présentée lors du premier colloque international « Penser les usages », qui s'est tenu à Bordeaux, en mai 1997.

croissante du progrès des techniques d'information et de communication et la baisse des prix des produits rendent la formation plus accessible à tout un chacun. Autrement dit, le multimédia pourrait devenir une chance pour la formation. Reste à en convaincre les professionnels et les entreprises elles-mêmes. D'autant qu'une question demeure ouverte : comment assurer la disponibilité du bénéficiaire ?

Travailler

L'informatique a contribué à la disparition de certaines catégories d'emplois, mais en a créé d'autres. Il en est ainsi aujourd'hui du multimédia et des possibilités ouvertes par le travail à distance, l'un et l'autre bouleversant les conditions d'exercice des métiers traditionnels. Les grandes entreprises comme les PME-PMI sont touchées par cette évolution.

1. Grandes entreprises et hiérarchies

Ces changements modifient les schémas de fonctionnement de l'entreprise tandis qu'une nouvelle organisation du travail se met en place. La recherche d'une meilleure productivité conduit un nombre croissant de sociétés à se centrer sur leurs métiers et à « externaliser » un certain nombre de fonctions d'exécution afin de réduire les coûts fixes : accueil téléphonique et secrétariat constituent quelques illustrations de cette démarche. Parfois, ce sont des pans entiers d'activité qui sont proposés à la sous-traitance : c'est le cas du *facilities management* qui consiste à confier la gestion de l'informatique à des sociétés de service spécialisées, évitant ainsi de coûteux investissements fixes. Enfin de nombreuses entreprises, et pas seulement parmi les PME, ne peuvent se permettre de disposer à plein temps de certains spécialistes particulièrement « pointus ». Plutôt qu'un contrat de travail permanent, un contrat commercial temporaire, avec un objectif déterminé, fera l'affaire.

L'entreprise en réseau

Dans tous les cas, c'est la possibilité de mise en réseau par voie de télécommunications et d'informatique qui assure la souplesse nécessaire. Cela permet également d'introduire de nouvelles formes de travail coopératif, indépendamment du lieu de travail et dans le cadre de structures ad hoc. Dans ce but, les grandes sociétés multinationales procèdent en interne à de véritables « appels à compétences », pour constituer au cas par cas les *task forces* nécessaires, qui se dissolvent une fois la tâche achevée. Les différents logiciels de *groupware* facilitent, au-delà de la simple messagerie électronique, l'organisation de ce travail en équipe (calendriers, répartitions des tâches, gestion de projet). La visioconférence, de plus en plus pratiquée, offre les avantages de la proximité... à distance, sans les coûts, les pertes de temps et la fatigue des voyages intercontinentaux.

Le développement du travail en réseau, qui reposait autrefois sur la location coûteuse de liaisons spécialisées, est aujourd'hui possible avec des réseaux Intranet[1], qui permettent de relier de manière sécurisée tous les postes informatiques d'un groupe, quels que soient le matériel et les logiciels utilisés, pour un coût nettement plus réduit. La solution mise en place chez Cap Gemini, qui compte 24 000 salariés, représente, par employé, un investissement de 500 francs et un coût de fonctionnement annuel de 170 francs. En diminuant les communications téléphoniques, les fax et les courriers, un tel réseau génère des économies, tout en favorisant une meilleure mobilisation des compétences et des informations détenues par l'entreprise. Mais pourquoi limiter ce type de réseau à la seule entreprise et ne pas l'étendre, au moins en partie, à des partenaires, clients ou fournisseurs privilégiés ? Cette solution, qui commence à se développer sous le nom d'Extranet, permet de faciliter la communication entre un groupe d'entreprises et de rationaliser les procédures les plus fréquentes. Au rang de celles-ci, les commandes de fournitures ou de pièces détachées et les renouvellements de stocks effectués par Échange de données informatisées (EDI), auquel les Extranets pourraient donner un nouvel essor. Parmi les perspectives ouvertes par le commerce électronique, ce sont celles qui concernent les échanges interentreprises qui sont appelées à se développer le plus rapidement[2].

---

1. Voir p. 56.
2. Voir p. 140.

Le monde de l'Internet ne cesse pas pour autant, bien au contraire, de constituer un domaine de prédilection pour les grandes entreprises désireuses de recueillir des données utiles à leur marketing ou encore d'obtenir des informations sur leurs concurrents. L'accès restreint à des sites Internet (dû à l'obligation de laisser ses coordonnées pour accéder au serveur, qui est utilisée par certains constructeurs automobiles) permet de répondre à la première préoccupation. Quant à la seconde, des sociétés spécialisées effectuent à la demande une veille ou des études spécifiques pour répondre aux besoins des clients qui ne disposent pas des ressources nécessaires en interne. Tel est le cas de la jeune société française Cybion, dont l'objet est « l'intelligence économique » axée sur la recherche d'informations, la formation, le conseil ou encore les études de marché.

Écrasement des hiérarchies

La mise en réseau des entreprises n'est pas sans effet sur le temps et l'organisation du travail, désormais effectué en de multiples lieux différents, qu'il s'agisse du domicile ou de l'entreprise « new look ». L'écrasement de la hiérarchie est la conséquence la plus visible de ces évolutions. Le courrier électronique, en particulier, se joue des organigrammes et facilite des rapports plus directs et plus rapides entre les salariés et le management. Inversement, ce dernier peut établir une communication plus permanente et vivante avec l'ensemble des employés. À la structure pyramidale traditionnelle s'oppose une multiplicité de structures décentralisées et responsables, qui constituent autant de points de décision concourant au même objectif. Le nouveau pouvoir dans l'entreprise est plus que jamais un pouvoir de compétences réparties et non un pouvoir établi sur une détention/rétention d'informations, ce qui traduit dans bien des cas une véritable révolution culturelle.

Cette « glasnost » oblige évidemment nombre de cadres moyens à repenser leur mission. Leur rôle ne peut plus seulement consister à être des coordonnateurs ou des courroies de transmission intelligentes entre la direction et la base, mais doit inclure une véritable valeur ajoutée spécifique en termes d'analyses ou de propositions.

Aux États-Unis, c'est dans cette classe intermédiaire de managers que la révolution informationnelle a fait le plus de victimes. C'est en anticipant ces mutations et en intégrant avant les autres une nouvelle culture de l'adaptabilité que les plus perspicaces ont pu survivre et progresser, en affirmant de manière créative leur valeur pour l'entreprise.

L'entreprise mobile

La deuxième conséquence de la révolution en cours est la séparation entre temps de travail et bureau traditionnel. Selon le Crédoc[3], un Français sur sept effectuerait une partie de son travail à domicile, en y consacrant une moyenne de 6 heures par semaine. De toute évidence, ce genre d'évaluation recouvre des réalités très différentes, mais celles-ci n'en sont pas moins symptomatiques d'une modification profonde des usages et des comportements : téléphone mobile, ordinateur portable et fax permettent de réaliser une partie du travail hors du bureau, en fonction de la charge de chacun.

Toutefois, ce peut être une source de liberté (un commercial qui n'est pas obligé de repasser par l'entreprise en fin de journée) ou une contrainte (le patron qui vous « suit » partout). Organisée ou librement choisie, une activité de travail à distance peut en revanche répondre à de nouvelles aspirations pour un meilleur partage du temps travail/loisir et une diminution des trajets professionnels. Salariés d'entreprises de téléservices (secrétariat, comptabilité, télétraduction), télétravailleurs à domicile (indépendants, consultants) ou encore adeptes du « télépendulaire » (travail à domicile combiné avec un minimum de un ou deux jours par semaine dans l'entreprise) constituent aujourd'hui l'avant-garde des travailleurs du XXIe siècle. Ces salariés ou indépendants d'un nouveau genre sont aussi éloignés du schéma dominant du travail dans nos sociétés du tertiaire que celui-ci l'est du taylorisme pratiqué sur les chaînes de production après la Première Guerre mondiale. Cette transformation profonde doit être placée dans le cadre plus général de l'apparition de nouvelles formes de travail,

---

3. Centre de recherche pour l'étude des conditions de vie.

suscitées par la crise économique, comme le temps partiel ou l'intérim.

En France, c'est à l'évidence le secteur de l'informatique qui a ouvert la voie en engageant avec succès des expériences de télétravail fondées sur le volontariat.

C'est le cas d'IBM France, qui a démarré en 1993 avec ses agents commerciaux. En 1996, 4 000 salariés, sur les 13 500 que compte l'entreprise, travaillaient en partie à domicile. Si le salarié y retrouve son compte -, le personnel concerné déclare ne pas vouloir revenir aux anciennes formes de travail - l'entreprise également : en deux ans, IBM a pu effectuer de substantielles économies en réduisant de 85 000 mètres carrés sa surface immobilière parisienne.

Chez Bull, la direction régionale de Tours a organisé le télétravail nomade de ses commerciaux, qui s'en montrent satisfaits, tout en diminuant de moitié la surface de ses bureaux. L'opération, étendue à la région parisienne, concernera à terme près de 1 000 salariés (sur 15 000 en France). De son côté, Intel France a engagé une expérience similaire, qui a permis de réduire les coûts immobiliers, tout en améliorant la couverture commerciale, et qui a pu contribuer à l'augmentation de 40 % du chiffre d'affaires dès la première année de mise en œuvre.

Le bureau du futur

Les différentes formes de télétravail impliquent une réorganisation des locaux : les employés concernés ne possédant plus de bureau personnel, les lieux doivent être partagés en fonction des besoins. Andersen Consulting, tout en quittant ses 9 000 mètres carrés à la Défense pour 7 000 mètres carrés aux Champs-Élysées, a néanmoins gagné dans l'opération en termes de capacité, les nouveaux locaux pouvant recevoir jusqu'à 2 000 personnes, au lieu de 800 auparavant. Spacenet dispose d'une gamme d'installations accessibles à tous les consultants (salles de réunions, bureaux) qui peuvent être retenues à l'avance, de même que tous les services liés : secrétariat, revue de presse, restauration, voyages.

Les organisations syndicales, sans être opposées aux différentes formes de travail à distance, demeurent néanmoins quelque peu réservées et attirent l'attention sur les risques de rallongement des horaires de travail ou sur les conséquences de l'isolement. En tout cas, elles suivent de près ces développements, qu'il est difficile d'évaluer quantitativement. Ainsi, selon le rapport Breton sur *Le Télétravail en France*, établi en 1993, 16 000 personnes du tertiaire auraient été concernées en 1993, le chiffre de 500 000 étant avancé à l'horizon 2005, avec une croissance de 2 % par an sur dix ans. En fait, si l'on rajoute les téléservices assurés entièrement à distance (secrétariat, traduction, production et dessin assistés par ordinateur, télémaintenance, etc.), cela pourrait représenter un chiffre très supérieur.

Il n'en reste pas moins que le phénomène a une portée beaucoup plus limitée dans l'Hexagone que dans d'autres pays. En Allemagne et en Grande-Bretagne, par exemple, on dénombrait déjà en 1996 respectivement 150 000 et 500 000 « télétravailleurs », tandis que 15 millions de salariés seraient concernés aux États-Unis, selon IDC/Link. En France, la pénétration plus lente du télétravail peut s'expliquer par plusieurs facteurs. Du côté des salariés, l'éloignement des centres de décision, même quelques jours par semaine, peut engendrer la peur de distendre le lien avec l'entreprise, voire de perdre son emploi. Pour le management, il y a souvent le manque de prise de conscience des économies réalisables.

2. PME-PMI et ouverture aux marchés

Les PME-PMI représentent dans les pays industrialisés à la fois la majorité des emplois existants et nouveaux. La vitalité de cette catégorie d'entreprises a une valeur stratégique. Son adaptation aux mutations technologiques et son insertion dans le marché mondial constituent un élément clé de la « sortie de crise », au même titre que le rythme de création d'entreprises innovantes.

Small is beautiful

Les PME-PMI ont été fortement touchées par la crise, mais nombre d'entre elles ont rapidement saisi l'intérêt des technologies d'information et de communication pour améliorer leur gestion, leur accès aux circuits de distribution et leur compétitivité. Leur taux d'équipement en informatique et en moyens modernes de télécommunications sont plutôt élevés, démentant ainsi l'idée d'un secteur en retard.

Ce sont en fait les très petites structures souvent unipersonnelles ou les travailleurs indépendants qui introduisent aujourd'hui la flexibilité et les réductions de coûts fixes recherchées par les grandes entreprises. En France, près de 3 millions de toutes petites entreprises employaient 6 millions de personnes en 1995. Aux États-Unis, les SoHos *(Small office-Home office)* représentent plus de 11 millions de travailleurs à temps partiel et 12 millions de patrons de PME à domicile. Ces sociétés, généralement éloignées des grandes villes, n'existent souvent que grâce à un équipement informatique et de télécommunications performant, indispensable pour développer la clientèle. D'autres sont des structures spécialisées dans la fourniture de services à distance, qui employaient, fin 1996, 300 000 personnes en France.

Le taux d'équipement informatique des entreprises françaises de 6 à 200 salariés (hors agriculture) était de 90 % en 1996, selon l'enquête annuelle UFB-Locabail, sans disparité importante en fonction de la taille. Ainsi, les PME de plus de 50 salariés sont équipées à 99 %, alors que les entreprises de 6 à 19 salariés ont déjà atteint un taux de 85 %[4] ! Quant au niveau d'équipement en portables, permettant de créer à tout moment un « bureau sur le terrain », il était légèrement supérieur à 30 %. Un chiffre que l'on retrouve pour les modems : ceux-ci permettent d'intégrer les fonctionnalités du Minitel, d'envoyer des fax ou d'échanger des données informatisées préformatées (EDI) avec des partenaires commerciaux. En outre, 14 % des PME-PMI étaient à cette date déjà connectées à l'Internet, le taux pour les entreprises de 50 à 200 salariés étant de 24 %.

---

4. Derrière ces chiffres se dissimulent des réalités très différentes. S'il n'y a qu'un micro-ordinateur dans une PME, il est consacré à la comptabilité et la gestion. La mise en réseau suppose en général le multi-équipement et nécessairement un micro multimédia performant.

Les PME en ligne

L'ensemble des activités de l'entreprise est désormais concerné par l'informatique communicante : production, gestion, facturation, distribution, suivi de clientèle, prospection et marketing. Dans l'immédiat, en attendant la généralisation du commerce électronique avec paiement en ligne, le Web est déjà un outil particulièrement utile pour les PME les plus imaginatives. Pour un abonnement mensuel de 60 à 150 francs, toute PME a accès aux diverses fonctionnalités du Net. Pour disposer de son propre serveur présentant ses produits, il n'en coûte que 10 à 15 KF par an, donnant ainsi à de nombreuses petites entreprises une vitrine sur le marché mondial. Il s'agit là de dépenses extrêmement réduites comparées à celles nécessaires pour s'implanter sur les marchés étrangers avec des méthodes plus classiques (accords de distribution, publicité, etc.).

Le cas de Domespace est à cet égard exemplaire. Cette PME bretonne a réussi à s'implanter sur le continent américain, en Asie et dans quelques pays européens en partie grâce à sa présence sur l'Internet et une information appropriée dans les forums consacrés à l'architecture. La société a conçu et fabrique des maisons particulièrement originales pivotant selon l'orientation du soleil, avec une structure en forme de soucoupe offrant des qualités antisismiques.

De même, Doublet SA, entreprise lilloise de 250 salariés, au chiffre d'affaires de 90 MF, a remporté le marché de fourniture des drapeaux des jeux Olympiques d'Atlanta, en formulant via l'Internet ses propositions commerciales. Certes, l'entreprise est leader mondial dans son secteur, mais le recours au courrier électronique lui a donné la rapidité et la flexibilité nécessaires face à la concurrence.

Les hérauts du télétravail

Le télétravail indépendant ou les téléservices aux entreprises ne connaissent pas davantage les frontières. Au départ, il s'agissait surtout de sous-traiter, vers des pays à main-d'œuvre bon marché, la saisie de textes ou de programmes informatiques. L'exigence de qualifications spécifiques dans certains cas (conseil, connaissances linguistiques) ou de réactivité rapide ignorant les décalages horaires (secrétariat) dans d'autres, a ouvert la voie au développement de ce type d'activité dans les pays industrialisés. Le nombre de secteurs concernés est croissant : secrétariat, comptabilité, presse, édition, traduction générale ou technique, maintenance informatique, conception et dessin assistés par ordinateur, applications cartographiques. Les *call-centers*[5] téléphoniques, dont le fonctionnement repose sur la constitution de puissantes bases de données, s'inscrivent dans la même logique.

Le télétravailleur indépendant intervient alors depuis son domicile, affranchi des contraintes de transport et d'horaires, mais cette pratique comporte aussi des inconvénients, comme l'isolement et l'absence de véritable séparation entre vie professionnelle et vie personnelle ou familiale, qui sont plus ou moins fortement perçus selon les individus.

La disponibilité d'un bureau convenablement aménagé est généralement la condition d'un bon équilibre sur ce plan, mais cela ne suffit pas. La plupart des études montrent que doivent s'y ajouter des qualités permettant de bien vivre un travail à distance permanent : responsabilité, sens de l'organisation, capacité à travailler sans la « stimulation » d'un environnement professionnel et sans contact direct avec ses clients.

Quelques entreprises font même appel au télétravail d'une manière généralisée, car la sous-traitance permet de s'adapter plus facilement au plan de charge. C'est le cas, dans le domaine de l'édition, de l'entreprise irlandaise City and York, implantée depuis peu en France. Les auteurs, traducteurs, correcteurs, dessinateurs et maquettistes travaillent tous à domicile avant expédition du texte définitif à l'imprimeur. Si l'on sait qu'avec les méthodes traditionnelles, le coût de saisie d'un manuscrit et de sa mise en page peut représenter un cinquième du prix de revient, on comprend l'intérêt de cette nouvelle forme de travail pour réduire les coûts de production.

---

5. Centres d'appels pour des commandes de VPC, le service clients... Généralement, il s'agit de numéros verts, dont la localisation, indépendante de l'implantation de l'entreprise, est liée au coût des liaisons télécoms.

Les téléservices

Les possibilités offertes par le travail à distance ont ouvert la voie à la création de sociétés spécialisées dans la fourniture de téléservices aux autres entreprises. Tel est l'objet de Telpro, créée fin 1994 à Lamotte-Beuvron, petite commune de 5 000 habitants du Loir-et-Cher, rendue célèbre par les demoiselles Tatin. La *start-up* emploie une quinzaine de jeunes salariés en premier emploi (avec une moyenne d'âge de 25 ans) et a réalisé un chiffre d'affaires de l'ordre de 4,8 millions de francs en 1996, tout en ayant dégagé un léger résultat positif dès la première année, ce qui est remarquable sur un créneau nouveau comme celui-ci. La société a démarré son activité avec la téléprospection[6], les offres repérées par des opérateurs téléphoniques étant ensuite centralisées sur un serveur ouvert aux demandeurs d'emploi concernés. Les autres services offerts comprennent notamment le télétraitement administratif (secrétariat), la comptabilité à distance et la réalisation et l'hébergement de sites Web professionnels et d'Intranets.

La réussite de Telpro repose sur plusieurs facteurs. La diversité des activités assure la souplesse nécessaire, mais le soutien financier initial de la commune et des collectivités territoriales, ainsi que la volonté du fondateur, ont certainement contribué à limiter les risques. Le député-maire de Lamotte-Beuvron, Patrice Martin-Lalande, alors président du groupe d'études de l'Assemblée nationale sur le télétravail est l'auteur d'un rapport au premier ministre sur l'Internet, remis en juin 1997. Quant au créateur de Telpro, Francis Vidal, il a immédiatement décidé de sous-traiter à la jeune société une partie des tâches accomplies en interne par sa propre entreprise (opérations comptables, actions commerciales, etc.), en lui assurant ainsi dès le départ un minimum de chiffre d'affaires.

En attendant que les vertus du téléservice soient reconnues par un nombre plus important d'entreprises, la création et le succès de PME dans ce secteur supposent à la fois l'appui actif des élus locaux et d'autres financements. Les sociétés de téléservices ou les télécentres, qui permettent l'un et l'autre de créer des emplois

---

6. Recherche d'emplois pour des salariés au chômage après licenciement économique ou mutation du conjoint.

salariés en zone rurale, peuvent bénéficier d'aides au démarrage de l'activité, cofinancées par les collectivités territoriales et la Délégation à l'aménagement du territoire et à l'action régionale (DATAR), ou sont éligibles à des projets financés par la Commission européenne.

Un outil de réinsertion professionnelle

En matière de formation, l'Association nationale pour la formation professionnelle des adultes (AFPA) propose des stages dans le domaine du télétravail avec des modules informatique, secrétariat et comptabilité. À Nice et à Fréjus, les Greta[7] ont organisé, en partenariat avec différents organismes européens, dans le cadre du programme NOW[8], une série de stages (apprentissage de logiciels, groupware, messagerie, Internet, télémarketing, téléprospection, etc.) destinés avant tout aux demandeurs d'emploi. Certes, un nombre limité de chômeurs sont susceptibles de retrouver ainsi une activité, puisque ces nouvelles formes de travail demeurent encore marginales. L'existence de tels stages n'en constitue pas moins une nécessaire reconnaissance du télétravail et des opportunités qu'il offre déjà.

Enfin, le télétravail paraît constituer une réponse appropriée à certains types de handicaps : il offre, par exemple, une solution aux handicapés moteurs qui peuvent difficilement quitter leur domicile. De nombreuses associations de soutien proposent désormais des formations répondant à leurs besoins. Délégué interministériel aux personnes handicapées en 1995, Patrick Segal, écrivain et adepte passionné du handisport, convaincu de l'intérêt du télétravail, avait lancé une série de programmes spécifiques, notamment avec l'Association des paralysés de France (APF). Parmi les initiatives individuelles, on peut signaler celle de Jean-Pierre Lucas, consultant, qui a créé l'Association Interface-Parkinson. Lui-même atteint de cette maladie, il a pu vérifier que le télétravail permettait largement aux personnes touchées de poursuivre leur activité professionnelle à domicile. Sur un plan plus général, les possibilités

---

7. Centres de formation permanente de l'Éducation nationale.
8. New Opportunities for Women.

offertes par l'informatique en réseau aux travailleurs handicapés commencent à être explorées, car elles leur offrent indéniablement une perspective d'insertion active[9].

3. Impact sur les professions

L'impact des nouvelles technologies de l'information et de la communication ne se limite pas aux seules entreprises. Des professions tout entières sont concernées, qu'il s'agisse de l'enseignement et de la formation, de la presse, du tourisme ou des carrières libérales.

Les professions de santé

Tous les professionnels de la santé sont directement touchés. L'ouverture au réseau ouvre d'immenses perspectives pour améliorer la qualité des soins, par la possibilité de mise en pool des connaissances, ou pour l'accès à ceux-ci dans les zones défavorisées en ce qui concerne l'équipement hospitalier et les compétences spécifiques. Par ailleurs, l'application des nouvelles technologies doit permettre de mieux contrôler les dépenses de santé, tout en assurant un meilleur suivi médical de chaque assuré social. Cette évolution inéluctable remet en cause la pratique libérale traditionnelle et va poser des problèmes délicats relatifs à la protection des données médicales individuelles. C'est pourquoi les syndicats professionnels d'une part et la Commission nationale informatique et libertés (Cnil) d'autre part sont particulièrement attentifs aux initiatives prises dans ce domaine.

La carte électronique d'assuré social, qui sera généralisée d'ici à la fin 1998 à tous les adhérents du régime général, constitue une étape essentielle dans la mise en œuvre d'une politique de maîtrise des dépenses de santé, mais aussi d'un suivi plus efficace des

---

9. Les aveugles peuvent également avoir accès au Web. Développé par l'Institut national de la santé et de la recherche médicale, Braillenet comprend un logiciel de navigation adapté : l'utilisateur a le choix entre une plage d'affichage en braille sur le clavier ou la synthèse vocale pour consulter les textes des sites.

patients. La carte Vitale comprendra d'abord des données administratives, puis les données figurant sur le carnet de santé. À l'horizon 2000, les 850 millions de feuilles de soins auront disparu, ce qui implique la reconversion de 8 700 agents. La télétransmission quotidienne des formulaires accélérera le paiement et facilitera le contrôle en temps réel des dépenses, tout en réduisant les coûts de gestion, le traitement électronique ne coûtant que 5 francs, soit cinq fois moins que pour une feuille de soins classique.

Cette réforme entraîne l'obligation, pour chaque médecin qui recevra une carte de professionnel de santé (CPS), de se doter d'un micro-ordinateur et d'un modem d'ici le 31 décembre 1998. Les Caisses nationales d'assurance maladie contribuent à cette dépense à hauteur de 9 000 francs (sur 30 000 francs en moyenne pour un équipement professionnel complet) pour les installations décidées avant le 31 mars 1998. Pour l'instant, seuls 15 % des 120 000 médecins libéraux sont équipés, ce qui représente un taux très inférieur à celui des États-Unis (85 %), de la RFA et du Royaume-Uni (60 %).

Il s'agit d'une véritable révolution, d'autant plus que le projet Sesam-Vitale de traitement électronique des remboursements de prestations s'est progressivement transformé en une vaste opération de mise en place d'un ambitieux réseau « santé-social », reliant les 310 000 professionnels (médecins, infirmiers, kinésithérapeutes et pharmaciens). Un tel changement s'explique par des considérations technologiques et financières mais surtout par l'intérêt de tous les partenaires. Sur le premier point, au lieu de la simple refonte du réseau Ramage de la Caisse nationale d'assurance maladie (Cnam), il est apparu plus fonctionnel de créer un Intranet, dont l'architecture ouverte permettrait plus facilement d'associer dès le départ le maximum de prestataires, tout en se prêtant à de nombreuses autres applications. Parmi celles-ci, on peut citer l'aide à la prescription en ligne, la transmission d'images médicales numériques, la formation à distance ou encore l'accès à des banques de données spécialisées. Sur le second point, une telle ouverture permet de donner au projet une autre dimension que celle d'un meilleur contrôle des dépenses de santé, imposé sans contrepartie par les instances de la Sécurité sociale aux médecins traitants. En effet, l'élargissement du projet va de pair avec une association plus étroite du corps médical, dans la mesure où chaque partie prenante doit en retirer des bénéfices. Un Conseil supérieur des systèmes d'information de la santé a été mis en place à cet effet.

À terme, le réseau reliera l'ensemble des professionnels et les établissements hospitaliers. L'hôpital du XXIᵉ siècle sera multimédia, interconnecté, capable de transmettre le dossier d'un patient d'un service ou d'un établissement à un autre ou au médecin traitant. Le mouvement est très largement amorcé : le Comité d'études stratégiques en télémédecine et télématique de santé (qui regroupe les ministères de la Santé et de l'Industrie, la Datar, le Conseil national de l'ordre des médecins, les régions et les établissements publics de soins) dénombrait, en janvier 1997, 168 applications ou projets répartis sur l'ensemble du territoire. La majorité concerne la radiologie et la neuroradiologie (31 %), ainsi que la chirurgie et la pédiatrie (14 %), mais quasiment toutes les disciplines sont représentées. En Midi-Pyrénées, 7 hôpitaux publics, sous l'égide du CHU de Toulouse, sont mis en réseau avec 70 médecins généralistes. Dans le Nord-Pas-de-Calais, le système mis en place dans le domaine de la neurologie permet à la fois d'améliorer les délais d'intervention du SAMU et d'éviter l'engorgement des lits d'urgence du CHRU de Lille, le tiers des transferts en neurochirurgie étant souvent injustifiés. Ces différentes applications utilisent soit les techniques de la visioconférence, soit la transmission d'images scanner en mode vidéo, ou encore la télétransmission d'images radiologiques.

Au siècle prochain, l'hospitalisation à domicile, qui coûte trois fois moins cher que l'hospitalisation classique, pourrait également se développer grâce à la généralisation des appareils de télésurveillance reliés à l'hôpital ou au médecin traitant. Cette solution permettrait de répondre au souhait des malades, des personnes âgées en particulier, dont la pathologie ne nécessite pas toujours un suivi médical in situ. De même, les établissements hospitaliers situés en zone rurale pourront assurer des soins de qualité à leurs malades grâce à des consultations de spécialistes à distance, ou encore faire bénéficier leur personnel de formations par téléconférence. L'action engagée dans l'Ardèche sous l'égide du Syndicat intercommunal à vocation unique des Inforoutes[10] est à cet égard exemplaire. Après deux ans d'expériences concluantes, le passage à la phase opérationnelle a été décidé. Le Centre hospitalier régional d'Annonay a ainsi mis en œuvre une opération d'analyse à distance de clichés radiographiques avec le Centre hospitalier de Saint-Étienne, en utilisant une technique simple et peu coûteuse. Celle-ci consiste à filmer la radio posée sur le négatoscope (armoire lumineuse sur laquelle les clichés sont placés pour les interpréter) avec la caméra de visioconférence. Les spécialistes qui ont recouru à ce procédé ont testé la qualité de l'image et la jugent « tout à fait exploitable ». À l'avenir, cette technique sera utilisée pour recueillir des avis préalables sur des images de scanner, avant l'éventuel transfert de patients accidentés.

Entre le centre d'Annonay et l'hôpital de Moze à Saint-Agrève, c'est en pédiatrie que les premières applications de télédiagnostic ont été réalisées et le champ sera étendu à la pneumologie. Enfin, ce dernier établissement a pu organiser depuis le début de 1997 des séances de formation à distance par visioconférence dispensées par des spécialistes de Saint-Étienne et Grenoble, à l'intention des médecins libéraux de campagne dans le cadre d'un enseignement postuniversitaire.

De même, entre les hôpitaux de Tournon et Lamastre ont été mis en place des modules de formation destinés à différentes catégories de personnel (aides soignantes, personnel de service), en particulier en matière de diététique. Formateurs et élèves semblent pleinement adhérer au projet.

En attendant la mise en réseau de l'ensemble des administrations et des professionnels de santé, certains font figure de précurseurs, en utilisant les ressources médicales de l'Internet. Plus d'un millier de serveurs médicaux existent déjà, les plus connus étant Medline et Current Contents dans le domaine biomédical. Ces serveurs, d'accès payant, offrent toutes sortes d'informations (interactions médicamenteuses, informations sur les nouvelles molécules, cas cliniques, etc.). Medcost, lancé début 1996, est le premier

---

10. Le SIVU Inforoutes de l'Ardèche est présidé par Jacques Dondoux, ancien directeur général des télécommunications et secrétaire d'État au commerce extérieur depuis juin 1997.

serveur médical français créé et Hippocratis le premier moteur de recherche biologique français/anglais ouvert aux professionnels de la santé.

Le tourisme

Le tourisme constitue un secteur très porteur pour la mise en œuvre des nouvelles technologies d'information et de communication. Les brochures sur papier glacé, qui permettent de séduire le client avec de superbes photos et des informations attrayantes, ont un coût de production et de distribution élevé et sont rapidement dépassées.

À l'inverse, les CD-ROMs, les services en ligne et l'Internet représentent des sources d'information d'accès facile, comportant plus que d'autres la part de rêve que chacun met dans le choix d'une destination. La possibilité de visualiser de manière détaillée les principaux attraits d'un site touristique et de choisir de cette manière sa chambre d'hôtel n'est pas le moindre avantage du « tourisme virtuel ». L'on line permet, en outre, la mise à jour permanente, et avec une grande souplesse, de calendriers d'événements, de disponibilités d'hébergement ou de transport. À cela s'ajoutent la réservation et le paiement en ligne, appelés à se développer, créant ainsi un nouveau circuit de distribution : de 800 millions de dollars de voyages vendus en ligne en 1996, on passera à plus de 3 milliards en l'an 2000, selon Jupiter Communications.

Ces évolutions touchent l'ensemble des prestataires touristiques : agences de voyages, tour-operators, hôteliers, compagnies aériennes et loueurs de véhicules. Le phénomène concerne aussi bien le voyage d'affaires que le tourisme de loisirs. Les nouvelles technologies vont d'abord permettre de satisfaire le désir du consommateur pour une information rapide, tout en répondant à son besoin d'interactivité. Cela ne va pas pour autant résoudre la complexité d'une offre multiple aux prix extrêmement divers. L'agent de voyages est en effet le distributeur soit de produits « packagés » (voyages complets) conçus par des tour-operators comme Nouvelles Frontières ou le Club Med, soit d'hébergement hôtelier ou de transport aérien. Il travaille souvent avec un GDS (Global Distribution System) comme Amadeus, Galileo ou Sabre, qui regroupe l'offre et les tarifs de nombreux prestataires, en particulier des compagnies aériennes. Dans tous les cas, il joue un rôle de conseil et peut tirer un grand bénéfice du on line pour mieux informer ses clients sur l'offre. Ainsi, des réseaux d'agences tels que Carlson Wagon-Lit Travel[11] ou Havas Voyages se mettent en ligne pour conserver et développer leur clientèle, qu'il s'agisse d'hommes d'affaires ou du grand public. Outre-Atlantique, l'ASTA (American Society of Travel Agents) a créé un serveur Web permettant à un utilisateur d'entamer ses premières démarches avec des agences via l'Internet. Il offre un répertoire par spécialité et proximité géographique ainsi que la possibilité de communiquer par E-mail afin de recevoir... des brochures papier, pour ceux qui le souhaiteraient encore. L'achat du voyage peut même se faire entièrement en ligne, l'agence envoyant ensuite les billets au domicile du client ou les faisant remettre au comptoir à l'aéroport, à moins qu'il ne s'agisse d'un billet électronique, mis en place à l'embarquement.

Avec l'Internet, la répartition des rôles va toutefois évoluer : les tour-operators, les GDS, ainsi que les hôtels créent des sites Web pour proposer directement leur offre au grand public à des tarifs parfois inférieurs à ceux des agences de voyages[12]. Pour un client qui a choisi à l'avance son prestataire, cela peut constituer une solution intéressante. Sinon, il ne reste qu'à surfer soi-même parmi les nombreux sites de tourisme - à condition de comprendre l'anglais - pour se faire une idée des différentes destinations[13], puis de visiter des serveurs fédérant l'offre hôtelière[14] et ceux des GDS pour le transport (ce qui signifie que l'on devient son propre agent de voyages). À moins que l'on préfère s'adresser à une « agence virtuelle » du type de celle lancée avec succès en France par Degriftour, d'abord sur le Minitel puis maintenant l'Internet, avec paiement sécurisé, pour les voyages « soldés » avec un départ à moins de trente jours.

---

11. Carlson Wagon-Lit Travel a été la première agence de voyages implantée en France à offrir réservation et paiement sécurisé sur l'Internet.
12. Nouvelles Frontières, le Club Aquarius et Réductour proposent réservation et paiement sécurisé.
13. Presque tous les offices de tourisme nationaux sont sur le Web.
14. Travelweb, Hotels anywhere, en anglais ; Hachette Net Travel, en français.

Le secteur du voyage intéresse également un nouvel entrant comme Microsoft, qui s'est associé avec le GDS Worldspan pour lancer son agence virtuelle Expedia, dont l'offre est adaptée aux différents marchés, les goûts et les attentes des clientèles américaines et européennes n'étant pas les mêmes. L'entreprise de Bill Gates est également partenaire de Sabre et American Express pour l'offre de tourisme de loisirs de ce dernier aux États-Unis, tandis qu'elle prépare le lancement d'un site affaires avec cette société.

Le tourisme sur le Web paraît promis à un bel avenir si l'on sait que l'investissement dans une agence « immatérielle » revient trois à quatre fois moins cher qu'une agence « en dur », et que le coût moyen d'une réservation hôtelière pour un prestataire est de 15 dollars par téléphone, 4 dollars via un GDS et seulement 2 dollars via l'Internet, selon l'Association internationale de l'hôtellerie et de la restauration (AIHR). À terme, la petite agence de quartier devra sans doute se mettre, elle aussi, en réseau et séduire, sur place, ses clients avec une panoplie multimédia adéquate : CD-ROMs, bornes d'information, voire accès Internet.

La presse

Les pratiques de la presse seront fortement modifiées par l'émergence des technologies multimédias. Si les initiatives se multiplient sur son territoire - il faut notamment citer les exemples du *Monde* ou de *Libération* pour la presse quotidienne nationale -, la France reste encore malgré tout au stade de l'expérimentation, alors qu'aux États-Unis la quasi-totalité des quotidiens et des hebdomadaires disposent déjà d'une version électronique. Des groupes informatiques comme Microsoft (avec Slate), ou audiovisuels comme ABC ou CNN, proposent aussi des contenus spécifiques. Certains jouent la carte des alliances pour créer des produits hybrides : Microsoft et NBC ont par exemple lancé MSNBC, une chaîne d'informations disponible à la fois à la télévision (via le câble) et sur l'Internet. Plus récemment, neuf grands groupes de presse du pays, dont Hearst, New York Times et Times Mirror, se sont même alliés pour créer NewsWorks, le plus grand site Web d'information électronique. Les motivations des éditeurs sont multiples, mais on peut en signaler trois principales : offrir un service supplémentaire aux lecteurs, combattre la concurrence des four-nisseurs d'informations, très nombreux sur le Web, et séduire un nouveau lectorat.

Le défi est important car il conditionne l'avenir de la presse écrite. Le support papier continuera d'exister, mais il ne pourra plus se suffire à lui-même et sera le cœur d'une offre beaucoup plus riche et personnalisée. Plus riche, car les journaux peuvent proposer plusieurs niveaux d'information, de la base de données (archives) à l'information services (petites annonces) en passant, bien sûr, par l'actualité. Personnalisée, car l'édition électronique permet d'offrir un contenu sur mesure qui ne s'adresse, au besoin, qu'à une seule personne. Il suffit de connaître précisément les attentes de chaque lecteur pour qu'un logiciel sélectionne automa-tiquement, et en temps réel, les informations qu'il souhaite. L'exemple de Pointcast, avec revue de presse téléchargée gratuite-ment sur les disques durs des abonnés et qui apparaît automati-quement à l'écran dès que celui-ci est à l'état de veille, en constitue la parfaite illustration. C'est l'une des premières sociétés à avoir développé ce que les spécialistes appellent la « technologie push » de diffusion directe[15].

À ces notions de ciblage et de rapidité s'ajoute celle de dialogue électronique. Aujourd'hui, il est possible pour tout lecteur de join-dre le journaliste de son choix pour lui faire part immédiatement de ses remarques. Le *New York Times* s'est lancé très tôt dans cette voie : selon l'un de ses rédacteurs en chef, la messagerie et les forums de discussions modifient complètement la relation qu'entretient le journal avec ses lecteurs. Les journalistes n'ont ainsi plus, grâce à ce moyen, une image abstraite des gens qui lisent leurs articles. Bien plus, en dialoguant directement avec eux, ils trouvent de nouveaux « angles » et ces échanges enrichissent ensuite le contenu de l'édition papier, de façon beaucoup plus importante qu'un simple « courrier des lecteurs ».

L'autre attrait de l'édition électronique réside dans la suppres-sion de toutes les étapes d'impression et de distribution. À partir du moment où les informations sont validées sur l'Internet, l'accès

---

15. Voir p. 278.

est immédiat. Finis les délais de « bouclage » et l'acheminement sur les lieux de vente, le contenu éditorial est disponible immédiatement, même à l'autre bout du monde. L'avantage est non négligeable pour la presse locale, reconnaît-on au Syndicat de la presse quotidienne régionale français. Les Bretons exilés aux antipodes ont ainsi accès en temps réel aux « informations du pays » en visitant les sites de *Ouest France* ou du *Télégramme*. Globalement, cette « diaspora » constitue un potentiel important, à condition de rendre le journal électronique attrayant.

L'édition électronique représente également un atout d'un point de vue économique. Si l'on en croit une étude commandée à la mi-1997 par la Commission européenne à Andersen Consulting dans le cadre du programme Info 2000, sa pénétration atteindra entre 5 et 15 % d'ici à l'an 2002 et représentera entre 50 et 75 milliards de francs. Du coup, l'impact sur le marché du travail devrait être considérable. Selon la même source, un million de nouveaux emplois liés au multimédia (créateurs de contenus et développeurs) pourraient être créés dans les quinze États membres dans les dix ans à venir. En moyenne, un journal régional qui offre un service en ligne engage trois à quinze personnes supplémentaires en fonction de la portée du service proposé.

En attendant, les éditeurs doivent financer ces investissements. Ils disposent pour cela de trois leviers principaux. D'abord la publicité[16] : même si l'essor tarde à venir - car la mesure d'audience n'est pas encore tout à fait fiable -, il ne fait aucun doute que les annonceurs suivront le mouvement lorsque l'efficacité de leurs campagnes sera démontrée. Ensuite les galeries marchandes virtuelles, comme Globe Online, dont le potentiel est élevé. Enfin, le paiement des informations elles-mêmes (abonnement ou services à la demande). Mais cette dernière idée se heurte pour l'instant au contexte de gratuité du Web, même si des expériences comme celle du *Wall Street Journal* semblent concluantes : en choisissant de faire payer un abonnement annuel de 49 dollars (soit 250 francs) pour une consultation illimitée du journal électronique, le quotidien économique et financier a fait un choix contraire à tous ses

---

16. Voir p. 272.

concurrents. Son bilan, finalement, semble positif : non seulement il a dépassé ses objectifs de diffusion, mais il a aussi réussi à attirer de nouveaux lecteurs. Selon la direction du journal, 60 % de ceux qui ont fait le choix de cette nouvelle formule n'étaient pas abonnés au journal auparavant.

Quel que soit le modèle économique choisi, la survie et le succès à long terme du secteur passent par l'édition électronique, et le scepticisme concernant son avenir est sans fondement, conclut Andersen Consulting dans son rapport pour la Commission européenne. Les éditeurs doivent d'autant plus facilement s'en convaincre qu'ils disposent d'atouts de poids : la maîtrise de l'information, le savoir-faire pour produire un contenu de qualité et la connaissance des attentes de leurs lecteurs. Ils peuvent également compter, pour la plupart, sur la notoriété et l'image de sérieux dont ils jouissent auprès de leurs lecteurs. Ils peuvent par conséquent parfaitement se positionner comme des intermédiaires légitimes dans le déluge d'informations sur l'Internet.

« Le Web redonne une crédibilité forte au support écrit »
Henri Pigeat*

Le potentiel de l'édition électronique semble important, si l'on en croit une étude d'Andersen Consulting pour la Commission européenne. Est-ce votre avis ?

Il y a un certain biais, notamment aux États-Unis, dans les déclarations des éditeurs. Tous ceux qui affirment gagner déjà de l'argent reconnaissent, en aparté, qu'ils ne tiennent pas compte, dans leur bilan, des dépenses de lancement. Cela dit, l'édition électronique représente un axe majeur de développement pour la presse.

À quel titre ?

À mon sens, le Web remplit trois fonctions principales. D'abord, il constitue un outil de promotion pour le journal, car il a la capacité d'attirer un lectorat nouveau, souvent plus jeune. Du coup, il redonne une crédibilité forte au support écrit. Ensuite, il apporte une information de complément, voire d'approfondissement de certains sujets, en offrant davantage de précisions ou plus d'exhaustivité que dans le journal, nécessairement limité par la place. Enfin, il permet d'occuper le terrain, notamment face à la concurrence de services en ligne nouveaux ou de la télévision.

Devant cette concurrence, quels sont les atouts de la presse ?

Sa notoriété, son crédit, la confiance qu'elle inspire à ses lecteurs, et son savoir-faire. Quand un journal est bien équipé, bien numérisé, la mise en ligne d'un contenu ne nécessite pas beaucoup de travail supplémentaire. C'est très important, car les services en ligne sont des services à marge très réduite. Cela rend donc très aléatoire la rentabilité de contenus qu'il faudrait créer de toutes pièces. C'est pourquoi je considère que le multimédia représente plus une opportunité qu'un risque pour la presse.

Selon vous, quels seront les modes de rémunération de ce type de services à l'avenir ?

Pour la presse grand public, je n'imagine pas, à court terme, de vente d'accès payant ; il faut plutôt chercher du côté de la publicité ou des services, comme les petites annonces. Dans ce domaine, le potentiel est énorme, notamment en matière d'emplois, d'immobilier, etc. Le multimédia permet de proposer des services beaucoup plus riches, avec une forte valeur ajoutée.

Dans dix ans, quelle part pourrait représenter l'édition électronique dans le chiffre d'affaires d'un journal de presse écrite ?
C'est difficile à dire, mais il ne fait aucun doute qu'elle tiendra une place prépondérante. D'ailleurs, si le multimédia avait existé au moment où le hors-médias[17] s'est développé, la presse n'aurait peut-être pas perdu 50 % du marché publicitaire global en dix ou quinze ans. Aujourd'hui, si la presse ne va pas vers le multimédia, combien va-t-elle perdre à nouveau ?

Les éditeurs français sont-ils conscients de cet enjeu ?
Certains, en nombre croissant, ont déjà travaillé de façon approfondie sur le sujet. D'autres sont encore en retrait, mais ils y viendront, car ils n'ont pas le choix.

Quels sont les freins à lever ?
J'en vois trois. L'un d'ordre mental : avec les ordonnances de 1944[17], la presse française a perdu la notion de marché économique, mais cela s'atténue beaucoup aujourd'hui. Le deuxième est plus technique : la presse doit achever son équipement numérique. Le dernier est économique : 75 % des journaux possèdent des services Minitel qui leur rapportent de l'argent et qui les incitent peu à aller vers le multimédia.

Qu'attendez-vous des pouvoirs publics ?
Je préfère qu'ils fassent sauter un certain nombre de verrous, plutôt que de multiplier les aides. Je ne souhaite pas du tout qu'on entoure le multimédia d'un système semblable aux aides à la presse. Qu'il faille trouver des solutions, style capital-risque ou garantie d'emprunts, je suis d'accord, mais sans aller jusqu'à des aides permanentes.

** Ancien président de l'*AFP, *Henri Pigeat est aujourd'hui président de l'Institut international des communications et conseiller de* La Voix du Nord *pour les développements multimédias.*

---

17. Le hors-médias correspond à l'ensemble des dépenses des annonceurs en dehors des cinq grands médias (télévision, presse, radio, affichage et cinéma). Il concerne les relations publiques, le marketing direct, la promotion, l'événementiel, les annuaires, etc.
18. Les ordonnances de 1944 ont été prises afin de permettre à la presse française de redémarrer son activité sur des bases nouvelles, en rompant totalement avec les structures du passé. Elles reposent sur un système d'aides publiques systématiques pour le fonctionnement de ces entreprises.

Consommer

Demain, il sera possible pour l'internaute qui le souhaite de vivre sans jamais sortir de chez lui. Tâches administratives, recherche d'emploi, accès à tous les médias, recours à des banques de données, shopping électronique, les nouvelles technologies de l'information ouvrent, ou ouvriront bientôt, toutes les portes, jusqu'aux loisirs qui pourront être préparés, voire pratiqués, de façon virtuelle. Commodité ou folie ? À chacun de choisir.

1. La vie pratique

Qui n'a jamais été agacé par les longues attentes qu'il faut parfois subir pour obtenir une simple information dans une administration ? Qui ne s'est jamais plaint des horaires d'ouverture de sa banque ou de sa compagnie d'assurances, qui obligent à jongler avec ses propres horaires de travail ? Dans quelques années, tout cela appartiendra au passé. L'Internet permet en effet d'éviter tout déplacement superflu. À condition que les administrations et les services au public se mettent en ligne. Les premières expériences, menées en France comme à l'étranger, sont en tout cas encourageantes.

Des tâches administratives simplifiées

L'administration en ligne[1] est encore loin d'être une réalité, mais elle pourrait le devenir rapidement. Tous les ministères et la plupart des grands services publics se sont désormais dotés de sites Web. S'ils se présentent sous une forme plus ou moins attrayante

---

1. Voir p. 178.

et plus ou moins interactive, leur existence témoigne d'une réelle prise de conscience de la part de l'État.

Quant aux collectivités territoriales, certaines proposent déjà une large panoplie de services à leurs administrés. L'un des exemples les plus caractéristiques est celui de Parthenay, sous-préfecture des Deux-Sèvres, que son maire, Michel Hervé, souhaite transformer en « laboratoire en matière de technologies de l'information au service des citoyens ». Ce cas, qui dépasse largement le cadre d'une simple volonté de simplifier les démarches administratives, est analysé en détail dans cet ouvrage[2].

En revanche, c'est dans ce but que l'agglomération de La Rochelle a choisi de mettre en place vingt-cinq bornes interactives (onze intra-muros et une dans chacune des quatorze villes des alentours) sur l'ensemble de son territoire. Composé de huit rubriques principales, ce service se veut « aussi exhaustif que l'annuaire téléphonique, mais beaucoup plus complet, pratique et attractif ». Il s'adresse aussi bien aux habitants de l'agglomération rochelaise (avec des informations institutionnelles et tous les services de la ville) qu'aux visiteurs de passage (hébergement, restauration, circuits, transports, etc.), l'ensemble étant agrémenté de cartes, plans, vidéos, photos, bandes-son et diaporamas... Dans le même ordre d'idées, la ville de Paris a ouvert, en septembre 1997, un site Web qui propose à la fois des informations pour guider les touristes et améliorer la qualité de vie des Parisiens. Ces derniers peuvent notamment avoir accès à une aide en ligne pour aborder toutes les démarches administratives.

La modernité n'est toutefois pas l'apanage des seules agglomérations et des grandes villes. La petite commune de Montigny-le-Bretonneux, dans les Yvelines, a aussi choisi de créer un serveur Web pour affirmer son identité et ses atouts sur le réseau, mais surtout pour proposer un véritable guide pratique et quotidien à l'usage de ses habitants. Plusieurs rubriques, telles que vie quotidienne, économie, tourisme, culture, mairie ou actualités, composent le schéma général du site ; on trouve notamment le plan interactif de la ville (pour visualiser en temps réel les équipements,

----

2. Voir p. 164.

les rues et les voies d'accès), des informations d'actualité (événementiel, réunions du conseil municipal, etc.) et de caractère pratique réactualisées en temps réel (menus de cantine, changements d'horaires, tarifs divers, etc.), un état des lieux permanent de l'offre immobilière d'entreprise par zone d'activités et par promoteur, ainsi qu'une description de l'ensemble du secteur associatif (avec une recherche possible par activité).

« Cette initiative s'inscrit dans une volonté de rapprocher les habitants de la commune de leurs élus », explique son maire, Nicolas About. Pour atteindre cet objectif, ce dernier ne se contente d'ailleurs pas d'actualiser quotidiennement le site, il cherche aussi à en faciliter l'accès à ses administrés. Un cybercafé et un cyberclub ont ainsi été ouverts, en septembre 1997, au sein d'une structure familiale (Le Village), pour permettre à ceux qui ne disposent pas chez eux de l'outil informatique de se familiariser avec l'Internet. Le succès a été immédiat et les trois postes (à 12 francs les 30 minutes de connexion) sont littéralement pris d'assaut tous les jours, à l'image des installations sportives voisines. Désormais, le maire de Montigny-le-Bretonneux rêve d'un Intranet local, qui permettrait à la population de participer encore mieux à la vie de la commune.

Le monde à portée de la main

Après une première phase d'observation, les entreprises ont également saisi l'ampleur du phénomène et, surtout, compris leur intérêt. France Télécom, après l'annuaire téléphonique sur CD-ROM, a lancé, fin décembre 1996, les Pages Pro, qui recensent l'ensemble des 300 000 sociétés françaises répertoriées, les organismes professionnels et le calendrier des foires et salons. Deux mois plus tard, l'opérateur annonçait le lancement officiel de l'ensemble de ses annuaires sur l'Internet, dans l'offre du service en ligne Wanadoo. Au même moment, le groupe Kompass procédait à une opération similaire avec ses annuaires professionnels.

D'autres types de services sont également disponibles en ligne, comme l'immobilier qui constitue un domaine d'application utile et séduisant. Une centaine de sites français offrent déjà la possibilité de présenter sur le Web de façon détaillée sa maison, en proposant une visite virtuelle. Techniquement, le procédé est encore limité à des photos, mais la vidéo devrait bientôt prendre le relais. Il suffit ensuite pour l'acheteur, ou le locataire, de prendre contact avec le propriétaire - par l'intermédiaire de l'agence virtuelle - pour conclure l'affaire.

Des exemples comme celui-ci peuvent être multipliés, notamment dans le domaine des services financiers, avec les banques, les assurances et la Bourse.

La banque à distance est aujourd'hui une réalité. Fin 1996, plus de 1 000 établissements bancaires étaient recensés sur le Web au niveau mondial[3]. Pour ce secteur, l'enjeu est majeur car le réseau Internet permet tout simplement aux particuliers d'éviter de se rendre aux guichets. De son micro-ordinateur, il est possible de dialoguer avec son banquier, de passer des ordres bancaires, de suivre ses comptes au jour le jour ou de gérer un portefeuille boursier. Si les banques françaises bénéficient de l'expérience du Minitel - la BNP gère par ce moyen 320 000 comptes sur 4,3 millions de clients -, l'ampleur du phénomène n'est pas comparable. Là où elles ont mis dix ans pour attirer 10 % de leur clientèle vers le Minitel, la Bay Bank américaine n'a mis que deux mois. Pour sa part, la Security First Network Bank (SFNB), la première banque uniquement accessible via l'Internet, n'a réussi à attirer que 6 000 clients en huit mois. Ce score peut être considéré comme faible, mais s'agissant d'une entreprise nouvelle, sans notoriété, cela constitue un assez bon départ.

Le potentiel est là : sans aucun guichet, ce type d'établissement est capable de pratiquer des tarifs extrêmement bas, donc très compétitifs.

La banque du futur sera certainement celle qui sera capable de cibler parfaitement les attentes des clients. Aujourd'hui, la gestion personnalisée en est encore à ses balbutiements, mais les technologies multimédias devraient l'aider à se développer sérieusement, à travers ce que les professionnels appellent le « marketing relationnel ». Au-delà de la simple connaissance du dossier du client, cette technique permet de formuler des offres commerciales via E-mail,

---

3. Lettre Stratégie Internet, septembre 1996.

en fonction des informations fournies par le client lui-même sur ses projets et par l'analyse des mouvements de ses comptes.

À la recherche d'un emploi

Il n'aura pas fallu beaucoup de temps pour que l'Internet soit utilisé en matière de recherche d'emploi. Une cinquantaine de sites proposent en effet petites annonces et conseils. Celui de l'ANPE offre à la fois une sélection d'offres d'emploi et une série de services destinés à faciliter les démarches administratives. Certains serveurs sont beaucoup plus spécialisés, dans des domaines aussi variés que l'offre d'emploi pour scientifiques (ABG), informaticiens (Compu-link) ou spécialistes des télécommunications (Syselog). D'autres, comme La Course aux emplois, offrent l'hébergement de CV pendant une période de trois à six mois. Enfin, les chasseurs de têtes et agences d'intérim sont également très actifs. Mais les serveurs les plus connus restent, en France, les sites créés par des groupes de presse. Comareg, le leader français de la presse gratuite, dont les petites annonces constituent une ressource très importante, a par exemple ouvert un service qui recense chaque jour 1 000 à 1 500 propositions de postes. De même, les quotidiens *Libération* ou *Le Monde* ont créé, sur leur propre site, des espaces entièrement consacrés aux offres d'emploi.

Encore plus ambitieux, CEP Communication (aujourd'hui Havas Édition Publication) a lancé, en septembre 1996, un service spécifique, baptisé Cadres on line, qui propose en permanence plus de 2 000 offres d'emploi. S'il reprend les annonces des onze titres du groupe de presse (dont *L'Usine nouvelle*, *01 Informatique* et *L'Express*) - et bénéficie donc de leur excellente image auprès des professionnels de leur secteur -, ce serveur ne se limite pas à un simple catalogue de consultations. Cadres on line permet aussi aux candidats potentiels de répondre en ligne à une annonce en remplissant une grille de profil. Le site offre également la possibilité d'évaluer son salaire, d'améliorer la présentation de son CV, de commander des livres sur la base d'une bibliographie de deux à trois cents ouvrages et de passer des tests ludiques - style QI, mémoire, comportement. On comprend donc pourquoi il est l'un des plus fréquentés dans sa catégorie.

2. La consommation culturelle

Facilitateur de services, le réseau Internet permet aussi d'accéder
à une grande diversité de sources d'information, favorisant
l'accès à la connaissance. Tous les grands médias sont ainsi
présents sur le Web, d'une façon ou d'une autre et avec plus
ou moins de conviction. De même, il est possible d'accéder
aux plus grandes librairies, bibliothèques et musées du monde,
sans sortir de chez soi.

Des médias à la carte

En matière de multimédia, la presse décline aujourd'hui toutes
ses ressources en ligne. Il est très simple pour un internaute, mais
certes encore assez long, de réaliser sa propre revue de presse...
mondiale. Il peut en effet trouver des informations internationales
ou françaises, les sports, la météo, les programmes TV, etc. Il a
aussi la possibilité, s'il le souhaite, de télécharger le contenu d'un
journal sur son disque dur ou de rechercher des archives par mots
clés. Le groupe Ouest-France prépare un projet, baptisé Etel, qui
doit permettre d'accéder rapidement à une information particulière, qu'elle figure dans l'une des quarante éditions du journal du
jour ou dans les éditions archivées.

Si la presse a donné le la, les autres médias ne sont pas loin.
France Info a montré l'exemple, dès septembre 1995, en s'instal-
lant sur le serveur Web de Radio France. Quelques mois plus tard,
tous les programmes de la station pouvaient être écoutés en direct,
grâce au logiciel Real Audio. La technologie permet aussi de proposer au public une compilation d'émissions de toutes les stations
du groupe Radio France. Une véritable révolution dans le monde
de la radio, car il est ainsi possible de s'affranchir de l'écoute chro-
nologique pour passer à une consommation thématique en fonction de ses centres d'intérêt. Le procédé offre aussi la possibilité,
pour les Français expatriés comme pour les hommes d'affaires en
déplacement à l'étranger, d'écouter en temps réel les informations.

De la même façon, le concept de « télévision à la carte » est
désormais opérationnel. TF1 et Viséa (groupe Thorn) commercialisent un produit de ce type depuis fin 1996 auprès des hôtels de

trois, quatre ou cinq étoiles. Si la technologie employée est sophistiquée, le principe de l'opération, lui, est simple. Une seule télécommande permet d'accéder immédiatement à un service proposant à la fois des films renouvelés en permanence, des magazines, de l'information, ainsi que des renseignements sur les services de l'hôtel et sur le tourisme local. Cela préfigure ce dont chaque foyer pourrait bénéficier à l'avenir avec le câble et les réseaux à large bande, et que certains reçoivent déjà.

Des souris et des livres

Pour sa part, le monde de l'édition ne pouvait pas laisser passer l'opportunité du multimédia. Il n'est évidemment pas question de diffuser tous les livres sur l'Internet ou de les publier sur un CD-ROM, même si cela ne pose aucun problème technique. Le réseau se joue en effet facilement de la censure ou des décisions de justice, comme l'a démontré la publication sur le Net du livre du docteur Gubler sur François Mitterrand, interdit en France. Mais l'Internet peut aussi servir de relais de promotion et de vente pour les ouvrages imprimés. Le Furet du Nord, la grande librairie de Lille, l'a compris : sur son serveur Web sont ainsi recensés quelque 250 000 livres, avec leur couverture et la photo des auteurs. Accessibles au moyen d'une simple recherche thématique, certains d'entre eux donnent lieu, par un lien hypertexte, à une présentation plus complète de leur contenu et de l'écrivain. Démarrée sur un serveur télématique, cette opération de vente à distance sur catalogue représente aujourd'hui 15 à 20 % du chiffre d'affaires total de la librairie, les meilleurs clients étant les écoles, les universités, les comités d'entreprises et les ambassades. Si cette grande librairie a pignon sur rue - et sur le virtuel -, d'autres sont présentes seulement sur le Net. C'est le cas du site américain Amazon, l'un des premiers à avoir compris l'attrait de l'Internet en matière d'édition. Créé dès 1995, il répertorie aujourd'hui plusieurs millions d'ouvrages, ce qui permet une expédition immédiate des titres disponibles. Introduit à la Bourse de New York en mai 1997, Amazon a attiré 54 millions de dollars en ne cédant que 13 % de son capital, une véritable performance pour une société dont le chiffre d'affaires était alors de 32 millions de dollars. Mais ses responsables doivent désormais tenir compte de l'arrivée sur le marché des géants du secteur. Le libraire n° 1 aux États-Unis, Barnes & Noble (1,9 milliard de chiffre d'affaires), a en effet décidé de se lancer également dans la vente de livres via le Net, en déclenchant une guerre des prix. Si le consommateur ne peut que s'en féliciter, cette concurrence exacerbée limitera peut-être le développement de ces libraires en ligne.

En France, la situation est à peu près identique dans le domaine des ouvrages de référence. Il n'est pas exagéré d'affirmer que les hostilités sont ouvertes sur les créneaux des dictionnaires, des encyclopédies et des atlas. Aux États-Unis, le phénomène n'est pas nouveau, puisque Grolier, une entreprise rachetée par le groupe Hachette à la fin des années 80, a montré la voie il y a plus de dix ans. Au départ, c'est par le CD-ROM que les éditeurs ont débuté, en se contentant souvent d'ailleurs de reproduire purement et simplement l'édition papier. Par la suite, ils ont découvert progressivement les vertus de l'interactivité, puis celles de l'image et du son.

Aujourd'hui, les produits sont devenus extrêmement élaborés : le dictionnaire encyclopédique 1997 d'Hachette Multimédia comporte ainsi plus de 80 000 articles, 4 500 photos et illustrations, 200 séquences audiovisuelles (avec animations 3D, diaporamas et vidéos), 300 cartes interactives et actualisées (dont les départements français), 1 900 prononciations de mots et 200 autres documents sonores (extraits d'œuvres musicales, instruments ou sons animaliers). De même, la version française de l'encyclopédie Encarta de Microsoft représente l'équivalent de 29 volumes papier, avec plus de 20 000 articles, 7 000 photos, 1 900 extraits sonores, 100 000 liens hypertextes et 50 visites thématiques. L'ouvrage, adapté par un encyclopédiste et non pas simplement traduit, est mis à jour de façon mensuelle à partir du site Web de Microsoft. Quant à l'encyclopédie multimédia d'Havas, elle présente la particularité d'offrir un accès au Web Sésame, qui renvoie le lecteur vers une sélection de sites sur l'Internet lui permettant d'approfondir le thème consulté. Avec de tels produits, l'interactivité est bien réelle. Pour se documenter, le fan de multimédia a aujourd'hui l'embarras du choix et ses recherches deviennent ludiques. Ainsi, la version 97 du CD-ROM du *Petit Robert* est parlante, et 9 000 mots jugés difficiles à prononcer peuvent être entendus. De même, un simple clic permet de trouver immédiatement le synonyme et le contraire d'un mot.

La bibliothèque planétaire

Si les ouvrages de référence ne suffisent pas, CD-ROMs et serveurs Web recensent à peu près tout ce qui existe dans le monde en matière de patrimoine, dans quelque domaine que ce soit : les arts, l'histoire, les sciences naturelles, la littérature ou les sciences. Il faut évidemment s'y retrouver dans ce labyrinthe d'informations, en naviguant à l'aide d'un répertoire ou moteur de recherche[4], ou bien en exploitant à fond le potentiel des disques optiques. Aujourd'hui, la grande distribution et des bibliothèques proposent un large éventail de ce qui est disponible sur CD-ROM.

Sur l'Internet, les musées et expositions virtuels rivalisent de richesse avec les banques de données[5]. Dans ce domaine, un site comme Corbis[6] est tout à fait édifiant. En quelques années - et avec beaucoup d'argent -, le patron de Microsoft a constitué des archives de tout premier ordre. De 200 000 images à la fin de 1994, ce fonds est passé à plus d'un million fin 1996, et Bill Gates ne cesse de l'enrichir, soit en achetant des droits, soit en concluant des partenariats avec de grands musées comme l'Ermitage de Saint-Pétersbourg, soit encore en acquérant lui-même des œuvres exceptionnelles, comme le fameux Codex Leicester, de Léonard de Vinci. L'ensemble est ensuite classé et trié : chaque image est accompagnée d'une légende, d'un commentaire et de mots clés, et peut donc être retrouvée rapidement à partir d'un thésaurus de 25 000 mots. La commercialisation auprès des professionnels s'effectue sous forme de licences. Quant au grand public, il peut y accéder en partie sur l'Internet, mais aussi par une série de CD-ROMs thématiques.

Les principaux musées offrent le même type de prestations. Leurs sites Web, notamment celui du Louvre, rencontrent une très grande audience. Il en est de même pour les CD-ROMs, comme en

---

4. Voir p. 80.
5. Voir p. 186.
6. Société créée en 1989 par Bill Gates pour recenser, préserver et stocker sous forme d'images numériques des bibliothèques entières.

témoigne le succès des titres consacrés au Louvre et à Orsay, avec
pour chacun plus de 100 000 exemplaires vendus. Préparation à
la visite pour certains, substitution pour d'autres, ces CD-ROMs
offrent dans tous les cas la possibilité de découvrir à son rythme
les trésors du patrimoine mondial.

3. Le commerce électronique

L'Internet permet déjà un échange incessant d'idées : les
cybercitoyens fréquentent volontiers l'agora électronique.
Montreront-ils le même empressement pour acheter des
marchandises et des services avec des contrats et paiements
immatériels ? Ce nouveau circuit de distribution va-t-il
connaître une grande ampleur et même changer la nature de
l'acte commercial ? Si l'on se réfère au niveau des transactions
sur le Minitel, il paraîtrait imprudent d'imaginer que le
commerce électronique mondial puisse être rapidement appelé à
un grand essor. Avec un volume de 500 à 700 millions de
dollars en 1996, le commerce de détail sur l'Internet ne
représente même pas la moitié de la valeur des biens et services
commandés par Minitel ! Rien que pour la France, le cabinet
IDC prévoit pourtant 9 milliards de francs de vente en ligne
grand public en 2001[7], soit un montant au moins trois fois
supérieur à la totalité des transactions sur l'Internet en 1996[8].

Du Minitel à l'Internet

Avec le Minitel, la France possède un laboratoire en grandeur
réelle dans le domaine du commerce électronique. Cela devrait
permettre   d'évaluer   les   raisons   pour   lesquelles,   malgré   la

---

7. Le commerce électronique interentreprises, grâce à l'Échange de données informatisées (EDI),
en particulier pour les fournitures, représentera au moins 60 % du commerce électronique en
valeur, selon la plupart des estimations. En agrégeant le commerce électronique grand public
et les échanges interentreprises, IDC fait état d'un chiffre total pour 1996 de 3,1 milliards de
dollars et prévoit 105 milliards de dollars en l'an 2000. Pour la France, les échanges électroniques interentreprises seraient de 48 milliards de francs en 2001, soit 5 fois plus que pour les
ventes au détail.
8. La tendance est véritablement amorcée. Selon le cabinet K. Salomon Associates d'Atlanta,
la VPC, qui représente aujourd'hui 15 % du commerce de détail aux États-Unis, atteindrait
55 % des ventes de biens et services en 2010, grâce au commerce électronique.

commodité de l'outil et la qualité des services transactionnels, il ne représente, près de vingt ans après son lancement, qu'une part somme toute modeste du commerce de détail en France : 5 milliards de francs dépensés par les 5 % de ménages qui commandent régulièrement des biens par Minitel.

Ainsi, pour La Redoute et les Trois Suisses, le Minitel ne représente que 20 à 25 % du chiffre d'affaires, loin derrière le téléphone et la commande par correspondance ! Un service comme Télémarket, supermarché livrant exclusivement à domicile à Paris et en région parisienne, a eu bien du mal à atteindre son équilibre financier depuis sa création en 1985, malgré la valeur réelle du service rendu. Service novateur mais réflexe traditionnel : 50 % des commandes sont passées par téléphone, 40 % par Minitel, 10 % par fax. Dans le domaine du tourisme, les clients du Club Med ou de Nouvelles Frontières sont de loin plus nombreux à faire plutôt leurs réservations par un simple coup de fil. En revanche, Degriftour, en fondant sa stratégie marketing sur la télématique, a réussi son pari : réservations uniquement en ligne, sur le créneau spécifique des ventes tardives à tarif réduit.

Ces différents exemples tendent à montrer que la transaction électronique peut se développer lorsqu'elle correspond à une réelle valeur ajoutée (rapidité, accès à une offre dégriffée) répondant à des besoins spécifiques, mais que, à service rendu égal, le téléphone est toujours préféré.

Deux facteurs peuvent expliquer cela : le parc de sept millions de terminaux est loin d'être négligeable, mais il est réparti entre les foyers et les entreprises, alors que la quasi-totalité des 22 millions de ménages français sont raccordés au réseau téléphonique ! Par ailleurs, le système de kiosque France Télécom s'est avéré une excellente affaire pour les fournisseurs de service et l'opérateur. Toutefois, la facturation au temps passé selon différents paliers tarifaires nettement plus élevés que le coût de l'unité téléphonique de base, a pu jouer un rôle dissuasif pour beaucoup. Sur ce dernier point, la tarification Internet, qui repose sur le principe de la gratuité de l'information - à l'instar d'une communication téléphonique, le prix est celui de la liaison et non de l'information consultée - est certainement plus attractive.

Shopping virtuel et modes de vie

Plus de 30 000 sites marchands existent déjà sur le Web[9], dans tous les secteurs, même si des activités comme le matériel et les logiciels informatiques, les CD (audio et CD-ROMs), le livre et le tourisme prédominent. Un signe qui ne trompe pas : les principaux vépécistes français s'y sont mis, de même que la grande distribution : Walmart aux États-Unis, El Corte Inglès en Espagne. Évidemment, tous ces magasins virtuels ne proposent pas encore systématiquement le paiement sécurisé en ligne mais enregistrent en attendant un flux de commandes (par fax ou téléphone) issu directement de la présence sur l'Internet.

Pour le consommateur, les boutiques et grands magasins électroniques sont particulièrement attractifs : visualisation des produits, mise à jour permanente des tarifs et des stocks, prix moins élevés que dans un commerce « classique » (moins 10 % au minimum, frais d'expédition compris), choix plus grand et ouverture à l'international. 40 % des clients de l'Internet Shopping Network américain sont des étrangers ! La globalisation de l'économie, c'est la possibilité pour le consommateur de faire son shopping dans le monde entier sans quitter son domicile ! La logique du commerce électronique consiste également à proposer à l'internaute, à l'occasion de la visite d'un site, toute une gamme d'informations et de services liés à l'objet principal du serveur. Par exemple Virtual Vineyards, All About Wine ou encore le Viniphile de la Camif offrent des renseignements sur les cépages et les crus, les millésimes, des bibliographies sur l'œnologie, des conseils sur les choix de vins en fonction des menus et même des itinéraires dans les grands vignobles, soit directement, soit par des liens hypertextes vers d'autres serveurs.

Les possibilités offertes par les transactions virtuelles correspondent aux attentes d'un consommateur de plus en plus exigeant en termes de rapport qualité/prix et de choix. Elles vont également dans le sens d'une évolution des comportements engagée avant même l'arrivée du commerce électronique planétaire. Selon une étude effectuée aux États-Unis par le cabinet Yankelovitch avec

---

9. Un site marchand ne propose pas nécessairement un paiement en ligne.

Mastercard, 27 % des consommateurs américains disaient, en 1991, avoir réduit par rapport à l'année précédente le temps passé à faire des achats en magasin, ce pourcentage s'établissant à 36 % en 1994 ! Le gain de temps ainsi obtenu est consacré surtout aux enfants ou aux hobbies, mais également au travail. À l'époque, cette évolution avait été rendue possible par le développement de la VPC et du téléshopping : les avantages incontestables du commerce électronique en termes de gestion du temps et de services et conseils liés vont accélérer la tendance, le commerce hors magasin captant dans une quinzaine d'années un chiffre d'affaires supérieur à celui du commerce traditionnel.

Pour le commerce de proximité, déjà mis à mal par la grande distribution, une nouvelle mutation paraît inévitable, face à une concurrence où la distance apparaîtra de moins en moins comme un facteur discriminant par rapport au prix. Aux États-Unis, de nombreux petits commerces se sont mis eux-mêmes sur l'Internet pour recevoir des commandes en ligne... livrées à domicile. À terme, il n'est pas exclu de penser qu'ils puissent servir de relais pour recevoir les produits achetés sur l'Internet à livrer dans le voisinage, ou encore pour en assurer l'entretien.

Les outils du commerce électronique

Le commerce électronique ne saurait toutefois se développer de façon significative sans un cadre juridique bien identifié[10], ainsi que des solutions de paiement sécurisé et de logistique adaptées. Un acte commercial est avant tout un acte de confiance entre un vendeur et un acheteur concernant la qualité, le prix et le service après vente du produit, mais aussi la solvabilité de l'acheteur. C'est cette relation simple mais essentielle qu'il convient de recréer en ligne, avec la confidentialité voulue, malgré l'absence de contact direct.

La solution retenue est celle des « tiers de confiance », offrant la garantie nécessaire aussi bien au vendeur qu'à l'acheteur. Sans cela, comment savoir si le marchand virtuel n'est pas fictif et le client en ligne insolvable ? L'intermédiaire peut être un organisme

---

10. Voir p. 302.

agréé ou une banque, dépositaire d'informations confidentielles concernant tant le client que le fournisseur. Il doit être en mesure d'identifier les parties, de certifier la transaction, voire de « nota-riser » l'échange.

Un tel dispositif suppose le recours au cryptage[11] pour protéger la transaction et éviter l'interception frauduleuse d'informations, comme le numéro de carte bancaire. Or, en France, une loi ancienne l'assimilait à une arme de guerre ! L'obstacle a été levé par la loi sur les télécommunications du 26 juillet 1996, avec une précaution toutefois : l'intermédiaire agréé, qui détient les « clés publiques » permettant de déchiffrer les informations confiden-tielles échangées à partir des « clés privées » des utilisateurs, doit les remettre à la justice en cas d'enquête, dans des conditions comparables à celles de la levée du secret bancaire.

Quant aux solutions de paiement proposées, elles sont de deux ordres, selon l'importance des sommes en jeu. Dans cette hypo-thèse, c'est un véritable « porte-monnaie électronique » qui permet de procéder en ligne à des achats allant de quelques francs à plu-sieurs centaines de francs. Pour le charger, il suffit d'effectuer un prélèvement sécurisé en ligne sur son compte bancaire et, selon les solutions proposées, soit de stocker la somme correspondante sur son disque dur, soit de la confier à l'intermédiaire agréé. Trois systèmes de ce type sont en cours de certification dans le cadre du W3C[12] : Digicash, Cybercash et Globe ID, élaboré par la société française Globe ID Software.

Cette dernière solution, intégrée au système de galerie mar-chande électronique de Kleline (Compagnie Bancaire/LVMH), est celle retenue par le cyberespace commercial Globe Online, lancé fin 1996 sur l'Internet. La presse quotidienne, *Le Monde* et *Libé-ration* notamment, comme des grands titres de la presse écono-mique, y proposent leurs archives avec recherches thématiques et téléchargement d'articles achetés à la page[13].

---

11. Voir p. 304.
12. World Wide Web Consortium. Voir p. 264.
13. Voir p. 125.

Les puces en ligne

Pour le règlement de sommes plus importantes, il faut sécuriser le paiement par carte bancaire. Le standard SET (Secure Electronic Transaction), fruit d'un accord entre Visa et Mastercard, auquel a souscrit American Express, est en train de s'imposer sur un plan international. Toutefois, il n'intègre pas le potentiel de la carte à microprocesseur (inventée par le français Roland Moreno) avec paiement direct à partir du terminal. C'est pourquoi s'est créé, à la mi-1996, le consortium E-Comm regroupant la BNP, la Société Générale, le Crédit Lyonnais, Visa International, France Télécom et Gemplus, pour assurer l'intégration de ce mode de paiement au standard SET. Le groupement des cartes bancaires, le CIC, le Crédit agricole, le Crédit mutuel, les Banques populaires, la Poste et la société Europay proposent de leur côté l'architecture C-SET, qui permet aussi de loger les clés cryptographiques, rendant possible l'usage de la carte à tout moment sur n'importe quel terminal.

À l'avenir, la carte à puce sera multifonctionnelle, permettant à l'ensemble des porteurs d'accomplir les opérations les plus diverses : achats chez un commerçant, transactions en ligne, téléphone, paiements de faible montant. Le niveau élevé de sécurité de la carte à microprocesseur et sa simplicité d'usage pourraient même en faire un préalable à toute transaction électronique. C'est cette analyse qui a conduit IBM à passer, en juillet 1997, un accord technique et commercial avec Gemplus, leader mondial du marché, et dont l'actionnariat comprend les japonais KDD, NTT et l'américain General Electric. Gemplus prend ainsi une longueur d'avance sur son principal rival, Schlumberger, français lui aussi. Si les estimations optimistes du premier constructeur informatique mondial s'avèrent exactes[14], c'est l'industrie française, première dans ce domaine, qui devrait en retirer le principal bénéfice.

Puisque l'Internet acceptera plusieurs instruments de paiement, à l'image du monde réel, le projet JEPI (Joint Electronic Payment Initiative) a été mis en place sous l'égide du W3C pour gérer cette diversité. En fonction des moyens de paiement acceptés par les

---

14. Le marché mondial de la carte à puce passerait, selon IBM, d'un milliard de dollars aujourd'hui à 20 milliards de dollars au cours des quatre ou cinq prochaines années.

fournisseurs (type de porte-monnaie électronique et de carte de crédit), le client pourra régler la transaction avec le moyen de son choix. Les solutions de galeries marchandes intégrées que proposent aujourd'hui les fournisseurs informatiques aux futurs commerçants électroniques sont destinées à fonctionner avec ces différents systèmes de paiement. Formules globales, elles permettent aussi bien la gestion des stocks, la commande, la facturation, le règlement et le suivi de clientèle. Aucun grand de l'informatique n'est absent, qu'il s'agisse, pour les États-Unis, d'IBM, Hewlett-Packard (qui a acquis en avril 1997 la société Verifone, l'un des leaders américains des solutions de paiement électronique), Microsoft, EDS (Electronic Data Systems) ou Oracle. Quant à la France, elle est présente sur ce marché avec les sociétés Atos (anciennement Axime) en partenariat avec Kleline, filiale de la Compagnie bancaire et du groupe LVMH, ainsi que SG2, filiale de la Société Générale.

Une logistique globale

Même si l'Internet devient un vecteur privilégié du commerce international, encore faudra-t-il qu'une logistique de transport rapide et fiable puisse satisfaire les besoins de consommateurs situés dans le monde entier, et ce pour un coût acceptable. Dès l'an 2000, selon Forrester Research, 75 % du commerce électronique en valeur concernera en effet des produits... à expédier chez le consommateur. Les leaders du colis express international, comme UPS ou Fedex[15], dont le succès est fondé sur l'intégration des moyens de transport avec une logistique très performante, basée sur l'informatique de réseau, ont anticipé ces évolutions. Leurs services sont accessibles sur l'Internet, qui permet aussi un suivi en temps réel du transport pour le client. Ces entreprises n'en restent pas là, proposant leur savoir-faire à ceux qui affichent leur enseigne sur l'Internet. UPS a passé des contrats avec des clients aussi divers que Walmart aux États-Unis ou le Marché de France,

---

15. Présents l'un et l'autre dans plus de 200 pays, UPS et Fedex mobilisent des moyens impressionnants : une flotte de plus de 500 avions chacun, 147 000 véhicules pour le premier, et 40 000 pour le second. UPS livre quotidiennement 12 millions de paquets, et Fedex 3 millions.

galerie commerciale virtuelle spécialisée dans les produits du ter-
roir ! Fedex propose, avec le système Business Link, une solution
totalement intégrée, qui réduit les stocks au minimum, étendant
au commerce de détail électronique les principes de production en
flux tendus.

Le commerce électronique va indiscutablement permettre aux
consommateurs du monde entier d'accéder à une offre élargie de
produits et de services, à des prix très concurrentiels. Mais
comment choisir si l'offre devient pléthorique ? Il est vraisemblable, à l'image de ce qui s'est passé avec les répertoires pour la
recherche de l'information sur l'Internet, que se créeront des
annuaires commerciaux permettant aux cyberclients d'être guidés
et conseillés. L'Internet Shopping Mall recense déjà la totalité des
magasins électroniques sur le Web. Des labels de qualité reconnus
permettront également de différencier l'offre. Quant à la recherche
de la meilleure affaire sans effort, il suffira d'utiliser un « agent
intelligent » (logiciel de recherche préprogrammé) pour comparer
les prix d'un même produit. Cette technologie est déjà proposée
aux États-Unis, notamment pour l'achat de CD-ROMs et CD audio.
La technique permet aussi d'interdire l'accès d'un site à ces
« agents », au risque de représenter une « contre-publicité »
commerciale. Ces innovations faciliteront-elles l'introduction du
commerce électronique dans le grand public ou, au contraire, ne
risquent-elles pas d'en retarder l'appropriation, dans l'attente d'une
stabilisation technologique sans doute utopique ?

« Le commerce électronique ne va pas rester marginal. »
Jean-Claude Pélissolo*

Le commerce électronique est souvent présenté comme un nouvel eldorado. Qu'en pensez-vous ?
Il faut d'abord préciser ce que le concept recouvre. Aujourd'hui, il concerne trois types de transactions : la vente de biens matériels, de produits immatériels (logiciels) ou de services transactionnels (tourisme, assurances). De plus, il existe trois types de serveurs Internet commerciaux : les sites vitrines, les plus nombreux, les sites interactifs, dotés de forums, qui permettent de connaître les attentes des clients, et les vrais sites transactionnels - une minorité pour l'instant, mais en forte croissance. Enfin, le commerce électronique peut aussi bien se limiter à une initialisation en ligne, la commande et le paiement se faisant par des moyens existants (fax, téléphone et règlement par chèque), ou couvrir l'ensemble d'une transaction (réservation ou commande puis paiement sécurisé en ligne). Dans ces conditions, vous comprenez que toute prévision globale est difficile et peu significative en cette période de décollage.

Pourtant, certains instituts, comme IDC, avancent des estimations très encourageantes pour les années à venir.
Il faudrait d'abord se mettre d'accord sur les chiffres. C'est pourquoi l'AFCEE propose la création d'un observatoire qui définirait des indicateurs permettant de publier des chiffres homogènes. Par ailleurs, il convient de comparer ces estimations par rapport aux ordres de grandeur du commerce traditionnel. Le commerce de détail non alimentaire (hors pharmacie) est évalué à un peu plus de 1 000 milliards de francs en France et cinq à six fois plus aux États-Unis. Le commerce électronique, aujourd'hui, n'en représente qu'une fraction infime.

Vous ne semblez pas très optimiste...
Si, je le suis ! Car il ne faut pas en déduire que le commerce électronique va demeurer marginal. Après tout, les hypermarchés ont mis trente ans pour s'imposer. En attendant, la grande majorité des acteurs qui s'engagent le font à titre expérimental, sans investissements massifs, afin de tester le marché. Ils ont raison, car c'est maintenant qu'il faut commencer à descendre la courbe d'apprentissage. Les retards seront beaucoup plus coûteux à combler quand le domaine aura mûri.

Selon vous, la France est-elle bien placée ?
Avec le Minitel, nous sommes dans une situation paradoxale, parce que

nos atouts peuvent être perdus si on ne vérifie pas rapidement par l'expérimentation ce qui peut être transposé à l'Internet. Mais la France n'a pas à rougir de sa situation car, à côté du Minitel qui a permis de familiariser le grand public à la pratique de la transaction électronique, il y a le domaine du commerce interentreprises. 10 000 sociétés pratiquent déjà l'Échange de données informatisées (EDI) dans notre pays, sans compter les échanges avec les banques.

Quels sont les principaux freins au développement du commerce électronique ?
Du côté des fournisseurs, c'est d'abord un problème de modèle économique, car le système kiosque du Minitel n'a pas d'équivalent sur l'Internet et il est source de revenus non négligeables. Du côté du public, il faut plutôt incriminer l'absence d'un terminal simple et bon marché. Le seuil psychologique pour l'acquisition d'un tel appareil se situe à moins de 5 000 francs.

Et la sécurisation des transactions ?
C'est un élément essentiel de la confiance. Des solutions existent déjà et sont licites, comme la possibilité d'utiliser des logiciels de cryptage pour authentifier le vendeur et l'acheteur et protéger la confidentialité du numéro de carte bancaire. À l'avenir, je pense que la carte à puce s'imposera comme la meilleure solution, car elle est facile à utiliser et offre un haut niveau de sécurité.

La distribution n'est-elle pas menacée par une vente directe entre producteur et consommateur ?
Je ne pense pas. La distribution constitue un vrai métier et apporte une valeur ajoutée entre la production et la vente, en matière de promotion, de tarification, de livraison, de paiement et de service après-vente. Elle va toutefois devoir s'adapter, notamment en proposant au consommateur des formules mixtes. Par exemple, un assortiment de produits pourra être consulté par voie électronique et l'article ensuite acheté en magasin, et inversement.

* Jean-Claude Pélissolo est président de l'Association française du commerce et des échanges électroniques (AFCEE), président d'Edifrance et directeur général de Laser (branche services des Galeries Lafayette).

3. *Un nouveau monde*

Les nouvelles technologies ne vont pas manquer d'introduire un nouvel espace-temps. Leur impact sur nos modes de vie et sur l'aménagement du territoire ne peut encore qu'être esquissé, mais tout laisse à penser que des équilibres nouveaux, conciliant tradition et modernité, vont apparaître au siècle prochain. Avec le développement du télétravail, l'essor des mégalopoles devrait être freiné, favorisant ainsi un retour des lieux de vie et de travail dans des villes à échelle humaine, reliées entre elles par les autoroutes de l'information. Dans ce cybervillage mondial, l'individu pourrait retrouver à la fois une identité et des valeurs, avec l'appartenance à une communauté en interaction avec d'autres ensembles socioculturels. L'existence d'un réseau mondial ouvert peut constituer un nouveau forum pour la pratique démocratique. En même temps, son essence d'espace libre autorise toutes les déviations. Big Brother *et extrémismes peuvent remettre en cause cette cyberdémocratie naissante. Laboratoires d'expérimentation sociale à l'échelle planétaire, les nouveaux réseaux commencent à façonner le monde de demain. Peut-être manque-t-il encore à cette « sixième dimension » sa charte des droits du cybercitoyen.*

Un nouvel équilibre du territoire

L'abolition des notions de temps et de distance remet complètement en question le rôle des villes. Pourquoi continuer à s'entasser par millions dans des espaces restreints, souvent synonymes de pollution, de stress, de gaspillage et de cadre de vie dégradé, alors qu'il est aujourd'hui possible de vivre sereinement dans les zones les plus éloignées ? Avec les technologies multimédias, le développement économique n'est plus obligatoirement lié aux centres urbains. Le désenclavement d'une région reculée et peu accessible ne passe plus forcément par la construction d'un réseau routier hors de prix, mais par la connexion aux autoroutes de l'information. Reste à trouver le bon équilibre pour concilier perspectives mondialistes et exigences locales.

1. Une vision novatrice de l'aménagement urbain

Les villes du XXIe siècle seront-elles enfin reposantes, respectueuses de l'environnement et sûres ? La question peut paraître incongrue. Pourtant, elle mérite d'être posée, car le regroupement physique des activités et des hommes en d'immenses ensembles urbains, secrétant toutes sortes de nuisances et de violence, n'est pas inéluctable. Dans ce domaine, les technologies multimédias peuvent même contribuer à améliorer la situation, au moins dans les pays industrialisés.

Un impact fort sur l'environnement

Le travail à distance peut avoir un impact fort sur l'environnement et la qualité de vie, en favorisant la lutte contre le gaspillage de temps et en réduisant la pollution urbaine. En limitant les déplacements entre le domicile et le lieu de travail, il est possible de réduire de façon significative les trajets en voiture. Selon une estimation du Catral[1], les Franciliens passent quotidiennement 7,5 millions d'heures dans les transports, dont les deux tiers pour le seul trajet professionnel. Diminuer la consommation d'essence et le nombre d'embouteillages permet non seulement d'améliorer la qualité de l'air, mais génère aussi des économies pour la collectivité. À terme, la réduction des flux entre la périphérie et le centre pourrait rendre superflues les mesures les plus drastiques de limitation de la circulation envisagées à l'heure actuelle. Au lieu de se contenter d'agir sur les conséquences, cela permettrait de concentrer les efforts sur les actions structurantes de l'agglomération urbaine.

Le travail à distance ne règlera évidemment pas tous les problèmes. Selon un sondage BVA/CT-Métrie[2], la réduction du temps de transport n'est pas considérée comme un argument déterminant dans le fait de s'orienter vers le télétravail. En dessous d'une heure aller-retour, le trajet n'est effectivement pas perçu comme une contrainte. Or, 57 % des Français affirment consacrer moins d'une demi-heure à ces trajets et 80 % moins d'une heure. Finalement, seules les très grandes villes seraient concernées. Toujours selon ce sondage, 30 % des Franciliens passent plus d'une heure par jour dans les transports entre leur domicile et leur lieu de travail.

Cette pratique mérite néanmoins d'être expérimentée. Selon un rapport rendu public par le ministère de l'Environnement en octobre 1996, le coût médico-social de la pollution de l'air s'élèverait en France à « plusieurs milliards de francs par an ». Globalement, l'Ineris[3] estime le coût total de la pollution à « au moins 60 milliards de francs par an, dont plus de la moitié pour le coût sanitaire (santé, morbidité, mortalité et absentéisme), 15 milliards pour les récoltes agricoles, et encore 5 milliards pour les dégâts aux végétaux ». Aux États-Unis, le ministère des Transports affirme que le recours au travail pendulaire pourrait permettre, d'ici

---

1. Le Catral est l'agence régionale pour l'aménagement du temps en Île-de-France, une émanation du Conseil régional.
2. Réalisé pour les Industries françaises de l'ameublement (Unifa), il a été présenté, en avril 1997, lors d'un colloque organisé par le Catral, l'Unifa et l'Association nationale pour la valorisation interdisciplinaire de la recherche en sciences de l'homme et de la société auprès des entreprises (Anvie), sur le thème : « Comment travaillerons-nous demain ? »
3. Institut national de l'environnement et des risques industriels.

à 2002, de réduire les trajets domicile/bureau de 2 à 4,5 %, ce qui ferait baisser la consommation d'essence d'un minimum de 2,1 % et l'émission de produits toxiques de 1 à 3 %, selon les hypothèses et la catégorie de polluants envisagée. Même si de telles projections ne sont pas à prendre au pied de la lettre, elles ont néanmoins le mérite d'ouvrir un champ d'exploration. La Californie, très en pointe dans ce domaine, est même allée jusqu'à inscrire le télétravail dans la batterie d'outils réglementaires destinés à lutter contre la pollution. Le plan d'amélioration de la qualité de l'air de la côte Sud prévoit, à l'horizon 2010, une diminution de 30 % des déplacements domicile/travail. Pour parvenir à cet objectif, les entreprises sont même obligées de souscrire des engagements chiffrés concernant l'introduction du télétravail.

Le potentiel des bureaux de voisinage

Sans aller aussi loin que les États-Unis, la France s'engage dans la recherche de solutions alternatives. C'est ainsi que la région Île-de-France, avec le Catral, met en place un réseau de « bureaux de voisinage » sur la région parisienne. Il s'agit d'espaces de 700 à 1 500 mètres carrés[4] destinés à offrir temporairement, de manière régulière ou non, un poste de travail à des salariés itinérants. Chaque site d'accueil sera doté d'une centaine de postes de travail informatisés reliés à l'ensemble des grands réseaux de télécommunication, de salles de téléconférences et de tous les services annexes indispensables au fonctionnement d'un bureau : photocopieurs, imprimantes, télécopieurs, etc. Pour en bénéficier, chaque utilisateur recevra, dès son inscription, une carte à puce personnalisée, sur laquelle sont enregistrées toutes les informations le concernant : configuration informatique (type de logiciels, de banques de données ou de réseaux utilisés), numéros de téléphone... Ensuite, il lui suffira de se rendre dans n'importe quel bureau de voisinage et d'insérer sa carte pour retrouver le même univers de travail qu'à son bureau. Le serveur informatique est même capable de diriger

---

4. Une centaine d'entre eux devraient quadriller l'agglomération parisienne d'ici cinq à sept ans.

tous les appels adressés aux numéros mis en mémoire vers le poste téléphonique adéquat.

Montée en partenariat avec de nombreuses entreprises[5] et des communes qui se sont regroupées en juillet 1997 au sein d'un club des villes numériques[6], cette opération concerne potentiellement 400 000 personnes et pourrait supprimer chaque jour en Île-de-France quelque 180 000 déplacements. Un chiffre non négligeable qui permettrait de décongestionner considérablement le réseau routier. Toutefois, le bureau de voisinage n'a pas pour vocation de se substituer au lieu de travail habituel : la motivation et l'efficacité exigent souvent de conserver un travail en équipe et, par conséquent, de se rencontrer. Mais selon une étude de l'Union européenne réalisée dans quatre grandes métropoles (Paris, Londres, Madrid et la région du Randstad aux Pays-Bas), ce type de fonctionnement pourrait intéresser près de quatre emplois sur dix, et ce environ 20 % du temps de l'activité professionnelle.

Les banlieues de l'an 2000

L'impact du travail à distance et, plus globalement, des technologies multimédias ne se limite pas seulement à une meilleure gestion du temps et à une amélioration de l'environnement des villes. On peut aussi imaginer qu'il aura des répercussions sur le mode d'habitat et sur les lieux d'habitation. Dans ce schéma, la formation de mégalopoles, avec leurs banlieues défavorisées, ne serait plus inévitable. On pourrait même assister à un retour vers les villes moyennes, voire vers les zones rurales. Cette hypothèse semble aujourd'hui utopique, mais elle est plausible dans une perspective de quinze ou vingt ans. N'oublions pas que ces « cités champignons » n'ont guère mis plus de temps que cela à se bâtir après la Seconde Guerre mondiale.

Pour autant, il ne faudrait pas que les technologies multimédias engendrent cette « ville virtuelle » que redoute Paul Virilio,

---

5. La RATP pour les locaux - notamment des gares de RER -, France Télécom pour les réseaux de télécommunication, Digital Equipement pour les ordinateurs et les serveurs, Microsoft pour la bureautique, Gemplus et Datacard pour les cartes à puce.
6. Marly-le-Roi, Gif-sur-Yvette, Provins, Evry, Rueil-Malmaison et Issy-les-Moulineaux.

urbaniste et philosophe[7], dans laquelle les notions actuelles de villes et de banlieues perdraient tout leur sens : « Avec la multiplication des réseaux, explique-t-il, nous assistons à la création d'un hypercentre mondial dont les villes réelles ne seront que la banlieue, la périphérie. Du coup, le centre n'est plus le centre de la ville, mais certaines villes deviennent centre du monde. À la banlieue et au centre-ville se substituent des villes-banlieues par rapport à une "global city". Parallèlement se met en place un hypercentre, une métacité, une ville virtuelle qui n'existe que par l'urbanisation des télécommunications et qui est en gestation dans les autoroutes électroniques. Cette ville est partout et nulle part, et chacune des villes-monde est un quartier, un arrondissement de cette hyperville qui ressemble à la bulle virtuelle de l'économie. »

Un choix sociétal pour les villes

Si ce tableau rend la cité du futur bien peu attirante, il ne tient qu'à nous de changer le scénario. Davantage qu'un simple outil de valorisation et de développement économique, le multimédia peut aussi améliorer les services offerts aux habitants, favoriser les échanges d'informations, voire contribuer à inventer de nouvelles formes de démocratie. L'Union européenne cherche ainsi à susciter des initiatives multimédias en milieu urbain. Le programme Télécités vise à expérimenter sur le terrain des opérations pilotes. Trois objectifs sont poursuivis : organiser une veille sur les technologies, les applications, les marchés et les usages des services télématiques ; sensibiliser les citoyens et les pouvoirs publics ; multiplier les projets visant à développer l'équipement et la compétence des citoyens, des entreprises et des institutions. 70 villes européennes, dont 10 villes françaises[8], sont membres du réseau Télécités, qui expérimente des approches originales dans de nombreux domaines.

Édimbourg a ainsi mis en œuvre depuis 1994 un projet permettant aux associations de disposer gratuitement d'un réseau local, désormais utilisé par plus de 150 groupes d'action

---

7. Cf. *Cybermonde, la politique du pire*, Textuel, et *La Vitesse de libération*, Galilée.
8. Lyon, Montpellier, Lille, Marseille, Toulouse, Besançon, Grenoble, Nantes, Strasbourg et Nice.

communautaire et sociale, pour diffuser leur information et coordonner l'action des adhérents. À Manchester, les Centres électroniques de quartier ont été créés afin d'offrir à tous les habitants
l'accès au Net ainsi qu'à une grande variété de services. Parmi
ceux-ci figurent notamment l'information en ligne en matière de
réinsertion professionnelle ou de télétravail. Bologne a mis en place
en 1995 le réseau Iperbole, offrant des informations locales et des
services de courrier électronique et d'accès Internet à l'ensemble
de la population, grâce à des bornes situées dans les lieux publics.
Compte tenu de la multiplication du nombre de projets novateurs,
la Commission européenne a répondu favorablement à une initiative de la ville de Stockholm, qui a lancé en 1995 le challenge
Bangemann. Ouvert aux villes de plus de 400 000 habitants,
celui-ci a mis en compétition une vingtaine de villes européennes,
qui ont soumis plus de cent projets. Le succès a été tel qu'à l'avenir
le challenge sera mondial.

Parmi les grandes villes, Amsterdam, qui a créé dès 1994 une
véritable « ville numérique », fait figure de pionnier. Baptisée De
Digital Stad (DDS), il s'agit d'un vaste service en ligne à vocation
locale (auquel on accède librement, quel que soit son fournisseur
d'accès), structuré autour de « squares » consacrés à différents
thèmes, allant du féminisme au vélo en passant par la politique ou
le jeu d'échecs. Chaque « square » comprend à la fois une base de
données et un lieu de dialogue. Dans l'esprit de ses créateurs[9], DDS
a pour vocation de faciliter les échanges au sein de la cité. Aussi
ce programme met-il en place des liens avec les banques de données
des grandes administrations locales, fournit des informations sur
les travaux publics en cours et les projets d'urbanisme - cartes et
simulations à l'appui -, ou encore organise, sur le réseau, de nombreux événements culturels et artistiques. Au début de 1997, DDS
a multiplié les sondages et les débats, tant pour les élections locales
que lors du référendum sur l'urbanisation de l'une des dernières

9. Initiée par des passionnés d'informatique, cette expérience a été développée grâce à une
subvention municipale, qui a cessé dès fin 1994. Depuis, le projet parvient à s'autofinancer :
pour offrir des services gratuits aux particuliers et aux associations, DDS propose aux entreprises
des prestations payantes, comme la création et l'hébergement de sites, la gestion de bases de
données ou la mise en place d'Intranets.

zones naturelles. Au bilan final, on a pu constater que les citoyens numériques avaient voté comme la population dans son ensemble. Cette ville numérique a aussi pour ambition de développer un projet social, notamment en permettant aux personnes âgées de rester plus facilement à domicile. Ces dernières peuvent non seulement utiliser le réseau pour commander et se faire livrer tout ce qu'elles souhaitent, mais elles peuvent également bénéficier, sur un plan médical, d'un système de télésurveillance relié directement à un service de garde et aux hôpitaux de la ville.

Parallèlement au projet DDS s'est créée la Fondation pour les nouveaux et les anciens médias. Installée dans l'un des plus anciens édifices de la ville, De Waag a pour objectifs d'utiliser la technologie pour « donner le pouvoir au peuple », en favorisant l'accès de tous à l'Internet, et de promouvoir Amsterdam comme centre international d'information et de communication. Dans ce cadre, elle dispose d'un cybercafé gratuit et ouvert à tous et propose divers services et formations, destinés aussi bien au grand public - notamment les étudiants, les artistes, les chômeurs et les handicapés - qu'aux entreprises. Comme la DDS, De Waag doit entièrement s'autofinancer !

2. Une nouvelle donne locale

Au XXe siècle, l'industrialisation a entraîné une ruée vers les villes et une désertification des campagnes. Avec les nouvelles technologies, le XXIe siècle pourrait bien connaître un retour de balancier. Dopées par la loi de décentralisation votée en 1982, les collectivités territoriales ont compris l'atout que représentaient pour elles des outils comme l'Internet, la télévision par câble et les services interactifs. C'est pourquoi elles multiplient les expériences. En janvier 1997, plusieurs centaines d'initiatives locales étaient recensées [10]. Quasiment inconnu deux ans plus tôt, le réseau Internet est désormais présent dans près des deux tiers des régions et des villes de plus de 100 000 habitants, et dans la moitié des communes de 30 000 à 100 000 habitants.

---

10. Rencontres annuelles de l'Observatoire des télécommunications dans la ville (OTV).

Une chance pour les communes rurales

Souvent isolées sur leurs territoires, les communes rurales ont incontestablement une carte à jouer dans leur lutte contre la désertification. « Notre désenclavement électronique va nous relier au monde économique pour un coût vingt fois moins élevé que notre désenclavement routier », estime Jacques Dondoux[11]. Pour cet élu ardéchois, il est logique que les autoroutes de l'information favorisent le développement de son département. D'ailleurs, les premiers résultats se font déjà sentir. Dans le domaine scolaire, la visioconférence permet de reconstituer virtuellement des classes de même niveau à partir d'établissements distincts[12], ce qui évite de fermer des classes et, par conséquent, de voir des familles quitter les villages. Dans le même ordre d'idées, c'est en reliant sa maternité avec celles d'Annonay et de Saint-Étienne que la commune de Saint-Agrève a pu la sauver. Et c'est bien parce que le département est aujourd'hui en pointe que le groupe Teletech International a décidé d'y implanter un centre de gestion d'appels téléphoniques. Avec, à la clé, la création d'environ 80 emplois à temps partiel, soit l'équivalent de 50 emplois à plein temps, en trois ans.

Si les nouvelles technologies permettent d'attirer des entreprises dans les communes rurales, elles ont aussi pour vocation de maintenir sur place les activités existantes[13]. C'est pour répondre à ce souci que les collectivités publiques de la région Limousin ont élaboré, dès 1994, un schéma directeur régional, doté d'une ligne budgétaire de 2 millions de francs. Décidées à favoriser l'émergence de projets multimédias, elles ont lancé un concours qui a suscité plus de cent candidatures, tant publiques que privées. Finalement, une vingtaine ont été primées et ont bénéficié d'une subvention, parmi lesquelles de nombreuses entreprises d'activités traditionnelles de la région, comme la porcelaine, la tapisserie ou l'élevage. La création d'un serveur à vocation scientifique, technique et

---

11. Voir p. 122.
12. Voir p. 91.
13. Le « Téléspace-Vercors » (télécentre) constitue à cet égard une initiative originale pour revitaliser une zone rurale proche d'une grande agglomération, en l'occurence le plateau de Villard-de-Lans, dans la région de Grenoble.

commercial, concernant la promotion de la race bovine limousine, a suscité un regain d'intérêt dans le monde entier pour la vache limousine. Certains éleveurs américains ont par exemple annoncé leur volonté de développer la race aux États-Unis. Même si ce cas semble anecdotique, il est néanmoins tout à fait représentatif de l'apport du multimédia pour les collectivités locales.

De la même façon, c'est parce que son maire a misé très tôt sur les nouvelles technologies que le petit village creusois de Felletin a réussi à sortir de sa torpeur et qu'il est devenu, au cours de l'été 1997, la première commune française à être équipée du système MMDS[14]. Soutenu financièrement par le Conseil régional, il a également attiré sur son territoire des sociétés telles que Parabole, qui développe des logiciels informatiques, ou Compal, qui propose aux enseignants un centre de ressources et d'expertises dans l'enseignement de langues par le multimédia.

Des contraintes incontournables

Cependant, il serait illusoire de penser que le télétravail créera des millions d'emplois. Comme le souligne l'Observatoire des télécommunications dans la ville[15], il ne faut pas prendre en compte exclusivement le point de vue local, mais raisonner en termes d'intérêt pour les entreprises. En clair, il faut se poser les questions suivantes : le milieu rural est-il vraiment un terrain propice au développement des téléactivités ? Les chefs d'entreprises trouvent-ils dans les villages les compétences et les débouchés dont ils ont besoin ? Dans cette optique, il s'agit moins pour les communes rurales de créer de toutes pièces des sociétés de téléservices au potentiel commercial incertain que d'offrir des opportunités à tous ceux qui aspirent à une autre qualité de vie avec le télétravail.

Dans la réussite de tels projets, il ne faut pas négliger non plus l'aspect humain lié à l'isolement que peut entraîner la vie rurale.

---

14. Composé d'une station de réception de programmes (antenne commune) et d'une station d'émission pour une zone restreinte (par microréseaux hertziens), le système MMDS (Multi-channel Multipoint Distribution Service) permet d'offrir des services analogues à ceux du câble pour un coût inférieur.
15. Rencontres annuelles de janvier 1997.

Combien d'entreprises appelées à un développement prometteur n'ont-elles pas buté sur des problèmes d'équipement scolaire ou administratif, ou sur l'insuffisance d'activités culturelles ? Pour réussir à attirer et séduire à long terme de nouveaux habitants, les élus ruraux doivent aider les citadins à réaliser leur rêve, en créant un environnement favorable.

Peut-être peuvent-ils s'inspirer du modèle des « télécottages » britanniques, au nombre de cent cinquante aujourd'hui, et qui regroupent en un même lieu des bureaux adaptés à la pratique du travail à distance, des services comme la crèche pour enfants et des activités de loisirs. Créés en Suède à la fin des années 80, avec l'aide des pouvoirs publics, ils y ont connu un certain succès avant de rencontrer des difficultés d'adaptation liées à l'ouverture à l'initiative privée. Le mouvement semble redémarrer et on compte aujourd'hui dans ce pays plus d'une quarantaine de centres dont l'équilibre financier paraît désormais assuré.

Un atout pour les petites villes
Les petites villes proches d'une grande agglomération peuvent miser sur leur situation géographique pour répondre à l'attente de personnes qui ne supportent plus le rythme de vie des métropoles, mais qui ne souhaitent cependant pas s'en éloigner trop. C'est le cas de la commune de Marly-le-Roi, en région parisienne, que son ancien maire, François-Henri de Virieu[16], avait décidé de transformer en « ville numérique ». Avec ce projet, lancé officiellement en septembre 1996, ce dernier souhaitait à la fois créer des services de proximité, soutenir le développement économique, culturel et éducatif de la ville, et favoriser une appropriation des technologies de l'information par les 17 000 habitants de la commune.

Cette expérience pilote, baptisée Marly@Cyber@Le Roi[17], comporte trois directions principales : l'Internet et les téléservices, le télétravail à travers les bureaux de voisinage et la mise en place

---

16. François-Henri de Virieu est décédé en octobre 1997.
17. @ : arobase. Signifie « chez » (*at* en anglais). Utilisé pour l'adresse E-mail. Dans ce cas, il s'agit d'une reconnaissance graphique.

d'une « carte-ville » à partir d'une carte à puce ouvrant l'accès à la fois à des services publics et à des services marchands. En ce qui concerne le premier point, la ville dispose déjà d'un serveur local, qui donne des informations sur l'activité municipale, les associations, les entreprises, le commerce et l'artisanat. Après avoir été assurée par une société privée, la gestion de ce site a été reprise par les associations de la commune à travers le Conseil local de la vie associative (CLVA). Parallèlement, la Poste met à la disposition des habitants des boîtes aux lettres électroniques, qu'ils disposent ou non d'ordinateurs ou de Minitel[18]. Quant à la municipalité, elle met en place trois types de téléservices : une billetterie avec la SNCF, un service de télédiagnostic médical avec une clinique privée et un système de courrier municipal entre les administrés (état civil, urbanisme, etc.) et la sous-préfecture pour l'envoi des délibérations du conseil municipal.

Le dossier de création d'un bureau de voisinage sur le territoire de la commune devrait aboutir au printemps 1998. Il repose sur un triple partenariat. D'un côté, la ville prend en charge la location de bureaux pendant une durée de dix-huit mois à deux ans. Le Catral, pour sa part, en garantit l'occupation par des entreprises volontaires, qui pourraient être Elf-Atochem, Schneider ou l'EDF. France Télécom et la Caisse des dépôts et consignations, enfin, s'engagent à les équiper et à les gérer.

Le dernier axe du projet concerne la création d'une « carte-ville ». Il s'agit d'un système de paiement électronique de différents services, grâce à l'emploi d'une carte à puce. « Le ministère des Finances et la Banque de France ont donné leur accord pour développer ce porte-monnaie électronique, déjà lancé dans plusieurs villes françaises comme Blois, Blagnac, Paris et Issy-les-Moulineaux », expliquent les responsables du dossier. Simultanément, une association de commerçants et d'artisans de la commune lancera un service privé en vue de développer l'activité locale.

---

18. En tant que service public, la Poste est favorable à l'attribution d'une adresse électronique à tous les Français, indépendamment de leur équipement. L'idée est de permettre l'envoi d'E-mail à tout destinataire potentiel, l'acheminement se faisant si nécessaire par le facteur, la Poste servant de « plaque tournante ». Inversement, il est question d'équiper les bureaux de poste pour permettre aux utilisateurs d'envoyer un E-mail, voire de consulter leur messagerie.

3. Parthenay ou la société numérique

Le projet de Parthenay, sous-préfecture des Deux-Sèvres qui
s'est lancée depuis plus de deux ans dans un vaste chantier de
numérisation de la cité, est, quant à lui, encore plus ambitieux.
Parmi les initiatives locales menées en France dans le domaine
des nouvelles technologies, aucune ne va aussi loin. Pour son
maire, Michel Hervé, ancien député européen et chef
d'entreprise, les nouvelles technologies de l'information et de la
communication ne permettent pas seulement de relancer
l'activité économique, elles doivent surtout favoriser l'avènement
d'une nouvelle citoyenneté.

Une information de proximité

Celle-ci passe par le développement de l'information de proximité avec, au départ, un meilleur accès à toute l'information municipale, autour d'une « mairie en réseau » : budget, cadastre,
archives, permis de construire, comptabilité sont organisés en
Intranet. Les délibérations du conseil municipal et divers contenus
d'intérêt général sont mis en ligne. Tout a commencé pour les
habitants en février 1996 avec l'ouverture d'un BBS (Bulletin Board
System) ou « babillard » - réseau fermé accessible seulement aux
Parthenaisiens - suivie moins d'un an plus tard par la mise en place
d'un Intranet du district de 18 000 habitants, baptisé In-Town-
Net. Son intérêt est d'autant plus grand que son contenu ne se
limite pas aux seules informations municipales, puisque tous les
acteurs locaux y participent, des commerçants aux agriculteurs, en
passant par le Trésor public, les hôpitaux, les agents immobiliers
et, évidemment, les habitants de la ville eux-mêmes. Ceux-ci peuvent tous disposer sur le réseau d'une « page annuaire » personna-
lisable pour formuler par exemple leurs centres d'intérêt. Ceux qui
le souhaitent peuvent en outre réaliser leurs propres pages Web.

Pour en arriver là, Michel Hervé n'a pas lésiné sur les moyens.
Des « espaces numérisés », équipés d'ordinateurs connectés au
réseau local et à l'Internet, sont ainsi accessibles gratuitement dans
plusieurs points de l'agglomération. Bien plus, le district facilite
l'acquisition des équipements (micro-ordinateur, modem) et services nécessaires (accès Internet), en proposant un *package* incluant

plusieurs centaines d'heures de connexion gratuite pour un prix total de 7 200 francs payable sur deux ans[19]. Ce tarif imbattable est le résultat de négociations avec la société Siemens pour l'achat d'un lot important de terminaux et de la fourniture d'accès par la municipalité elle-même ! « Pour responsabiliser quelqu'un, il faut qu'il passe du rôle de spectateur à celui d'acteur, explique Michel Hervé. En mettant ce média à la disposition des habitants de la ville, je leur donne les moyens d'agir et de créer à travers un projet commun. » Et ça marche : loin d'être un simple objet de curiosité, le réseau local devient un lieu d'échanges privilégié, autour de thèmes touchant directement la vie de la commune et ses activités - manifestations culturelles, programmes de cinéma, etc. -, mais aussi sur des sujets de société beaucoup plus larges. La municipalité a organisé son Netday en septembre 1997 avec deux écoles primaires, l'une publique, l'autre privée, tandis que les établissements du secondaire disposent déjà de leurs propres pages sur l'Intranet, souvent réalisées par les élèves.

Et ce n'est pas fini ! Dans les cinq ans à venir, Michel Hervé projette aussi de développer une multiplicité de réseaux spécialisés. L'Intranet Santé reliera les hôpitaux et les professionnels de santé du secteur. L'Intranet agricole cherchera, quant à lui, à promouvoir la viande de qualité de la région[20] et assurer une plus grande « visibilité » financière du marché local. L'Intra-villages connectera tous les villages des alentours, grâce à l'installation d'un micro-ordinateur chez le marchand de journaux, au café ou à l'épicerie du bourg. Il permettra aussi aux habitants isolés de commander à distance et de se faire livrer des marchandises par le supermarché de Parthenay. Mais le commerce électronique intéresse potentiellement tous les établissements du district : des magasins virtuels à l'enseigne de chacun pourront être ouverts. Quelques précurseurs

---

19. 3 600 francs en deux fois ou 300 francs par mois. Ce forfait comprend l'équipement complet avec périphériques (lecteur de CD-ROM, haut-parleur) et logiciels, ainsi que 400 heures gratuites de connexion au tarif heures creuses (ou 200 heures au tarif plein) par an. À partir de la troisième année, il sera demandé un paiement symbolique, les terminaux restant la propriété du district.
20. Parthenay est le troisième marché national, tous types de viande confondus. C'est aussi le sixième marché aux bestiaux français pour la viande bovine et le second pour la viande de moutons.

ont déjà démarré, même si le paiement ne se fait qu'à la livraison, en attendant le règlement sécurisé en ligne !

L'outil n'est pas une fin en soi

Aussi séduisant soit-il, ce projet ne rencontrerait pas autant de succès et ne serait pas aussi médiatisé s'il se contentait d'être une expérience purement technologique. Or, ce n'est pas le cas. Le grand mérite de Michel Hervé à cet égard est d'avoir su profiter de l'évolution technique pour approfondir les actions visant à redynamiser l'organisation sociale de sa ville, en mettant les habitants au cœur du dispositif. En effet, il n'avait pas attendu l'arrivée du numérique pour favoriser les initiatives individuelles et responsabiliser ses concitoyens, qui ont à leur disposition depuis longtemps des « Agents de développement », à l'écoute de leurs problèmes et de leurs souhaits, dans le but de faire émerger et réaliser avec eux des projets novateurs. C'est ainsi que les habitants d'un quartier, avec la participation des associations, peuvent recevoir une maîtrise d'œuvre déléguée pour certaines opérations d'urbanisme.

Cet exemple illustre parfaitement la place que devraient prendre les technologies multimédias dans la ville. Elles ont réellement la faculté d'assurer l'accès de tous à l'information et à la communication, d'abolir les distances, d'accélérer la vitesse du traitement de l'information et de transformer les rapports sociaux en profondeur. Il serait toutefois illusoire de croire qu'elles suffiraient à créer à elles seules un lien social, à structurer une communauté ou à générer des activités. À Parthenay, rappelle Michel Hervé, « l'appel aux nouvelles technologies de l'information intervient dans le prolongement d'une politique de citoyenneté active, au terme d'un travail de longue haleine pour favoriser les communautés transversales dans la ville et susciter les initiatives associatives de terrain ». À terme, c'est le rôle même de l'élu qui est transformé : plus animateur que décideur, plus inspirateur que réalisateur d'un programme.

Une population séduite, mais dans l'expectative

Avant d'en arriver là, Michel Hervé n'a pas encore gagné son pari. Comme le souligne Jérôme Chaussoneaux dans l'étude qu'il a consacrée à Parthenay[21], la population reste encore circonspecte. « Lors de mon enquête, les usagers ont exprimé le manque d'informations concrètes dont ils disposaient pour se prononcer sur ce projet de ville numérisée, explique-t-il. Certains citoyens, même ceux qui possèdent un E-mail, s'en sentent encore éloignés. » Un effort de communication et d'explication permanent paraît donc nécessaire, tant à l'égard des acteurs sociaux de la ville[22] que de la population elle-même, ce à quoi s'emploient les porteurs du projet.

Dans cette enquête, les premiers reconnaissent par exemple qu'ils utilisent peu les outils technologiques, soit parce que leur équipement est insuffisant, ou qu'ils n'en maîtrisent pas le fonctionnement, soit qu'ils n'en voient pas l'intérêt dans leur travail, ou qu'ils ne connaissent pas les attentes de leur public dans ce domaine. De même, certains semblent ne pas être préparés à perdre, comme conséquence du projet, leur pouvoir sur l'usager. D'autres mettent en avant leur doute quant à la réelle prise en compte des souhaits de la population dans les décisions prises. Un sentiment que l'on retrouve dans le grand public, qui ne s'intéresse pas massivement à l'expérience. Jérôme Chaussoneaux a même constaté une certaine méconnaissance des finalités du projet : « Il serait bon, suggère-t-il d'ailleurs, de communiquer sur ces points, en rappelant le contenu et les objectifs de cette ville numérisée, de situer les espaces en donnant leurs fonctions, et de montrer que l'utilisation est simple et les outils accessibles par tous, des plus jeunes aux retraités en passant par les femmes. » Il semble en effet que la pratique de ces outils soit essentiellement masculine.

L'auteur du mémoire rappelle aussi qu'il est indispensable de poursuivre une politique de sensibilisation du citoyen, non seulement au moment de la création du site, mais aussi par la suite. « Il ne suffit pas que la ville dispose d'un serveur, il faut aussi expliquer ce qu'est l'Internet, comment on utilise un ordinateur et comment

21. Jérôme Chaussoneaux a consacré son mémoire de maîtrise de sciences et techniques Territoire/Aménagement/Développement de l'université de Toulouse-Le Mirail à Parthenay, plus spécialement à « l'intégration des nouvelles technologies dans la continuité du développement local engagé ».
22. Il s'agit des maisons de retraite, centres de loisirs, foyers des jeunes travailleurs, du Cycle d'insertion professionnelle par alternance (Cippa), de l'Association intermédiaire de réinsertion ou d'associations d'aides à la lecture.

on peut consulter le site. » Mais on ne doit pas pour autant en conclure que la population est défavorable à cette initiative. Les habitants de la ville ne pensent pas qu'elle provoquera une aggravation de l'exclusion sociale et reconnaissent même qu'elle peut avoir un impact sur la démocratisation de la vie locale. Ils précisent que ces outils peuvent améliorer la gestion de la cité et les rapports entre la collectivité et ses citoyens, à condition qu'ils préservent les libertés individuelles et le secret professionnel[23].

En fait, la limite de l'expérience pourrait résider dans son financement. En plus de son apport personnel, la commune de Parthenay a bénéficié d'aides importantes de la Commission européenne, dans un premier temps[24]. Afin de prolonger le projet, il est donc essentiel de trouver un nouveau mode de financement, peut-être à travers un partenariat plus étroit entre le public et le privé, en faisant supporter une partie des investissements par les entreprises de la ville ou des industriels.

---

23. Pour l'accès à l'Internet, les utilisateurs disposent d'un identifiant et d'un mot de passe communs à tous les habitants, ce qui exclut toute possibilité de connaître les sites Web consultés par chacun.
24. Au titre des projets Metasa et Mind, dont ont également bénéficié les villes d'Arnedo (Espagne) et de Weinstadt, puis de Torgau (Allemagne).

La cyberdémocratie

L'ère des réseaux inaugure un nouveau mode de relations entre les citoyens et les hommes politiques. La transparence accrue de l'information, son accessibilité plus simple et plus immédiate, la possibilité de formuler son avis, voire d'interpeller en direct, vont modifier les règles du jeu démocratique. Avec les formes de démocratie les plus directes, les intermédiaires traditionnels (médias, syndicats, associations) pourraient voir leur rôle dilué dans l'agora électronique. Cacophonie ou populisme, anarchie ou dictature, le chemin qui mène de la liberté à sa privation est bien périlleux.

1. Vers une meilleure citoyenneté

La démocratie ne se limite pas au simple droit de vote. Elle concerne aussi la participation et la représentation des citoyens. Dans ce cadre, les nouvelles technologies de l'information et de la communication peuvent jouer un rôle majeur en facilitant l'accès à l'information pour tous. Un droit de vote « réel » requiert une information précise, à jour, sur laquelle peuvent s'appuyer les choix et les décisions démocratiques. Il faudra néanmoins éviter que le cyberespace ne reproduise les excès du monde actuel, avec le pouvoir médiatique, la recherche du spectaculaire et les phénomènes d'exclusion. Il est essentiel, explique Pierre Lévy[1], de se mobiliser en faveur d'un projet de civilisation centré sur l'intelligence collective, notamment à travers « la recréation du lien social par les échanges de savoir, ainsi que la reconnaissance, l'écoute et la valorisation des singularités, et une démocratie plus directe, plus ouverte et plus participative ».

---

1. Cf. *L'Intelligence collective*, La Découverte.

Élargir la participation démocratique

Le bon fonctionnement de la démocratie suppose que toute la population accède de manière égale à l'information. Si ce n'est pas forcément le cas aujourd'hui, il faut souhaiter que l'émergence des réseaux facilite ce mouvement. La Commission européenne, dans son rapport sur *La Société de l'information*, en souligne l'importance : « Les nouvelles technologies peuvent avoir une incidence extraordinairement positive sur nos démocraties et nos droits individuels en renforçant le pluralisme et l'accès à l'information publique, et en permettant aux citoyens de participer davantage aux décisions publiques. »

En attendant, certains élus locaux expérimentent déjà, à leur façon, une forme de démocratie interactive. Sans revenir sur le cas exemplaire de Parthenay, on peut citer les initiatives d'Issy-les-Moulineaux avec son expérience de télévision interactive. Baptisée T2I (Télévision Interactive Issy), cette opération a été lancée le 23 janvier 1997 : ce jour-là, les téléspectateurs câblés de la ville ont pu assister en direct aux débats du conseil municipal, diffusés sur l'un des canaux du réseau local. Ils ont même pu participer à l'événement en posant directement leurs questions aux élus via un numéro vert ou, tout simplement, sur l'Internet. Trois suspensions de séance avaient été prévues pour qu'ils puissent donner leur avis sur l'intérêt de l'opération et commenter le projet d'aménagement d'un quartier de la ville, qui était à l'ordre du jour.

Fortement médiatisée, cette expérience a été bien perçue. Plus de deux cents appels ont été reçus au cours du conseil municipal. Et un sondage téléphonique, réalisé auprès des 5 000 abonnés au câble, a montré que 45 % d'entre eux avaient suivi l'événement, que 92 % étaient séduits par l'initiative et que 86 % étaient favorables à la possibilité d'intervenir dans le débat. Devant un tel succès, le maire ne pouvait qu'être satisfait : « L'enthousiasme dont font preuve les Isséens pour la démocratie locale me permet de penser que la télévision locale interactive est aujourd'hui le moyen de réconcilier citoyens et élus locaux, explique-t-il. La télévision facilite l'accès de tous à l'organisation de la vie publique : il faut peut-être y voir un moyen de faire renaître la conscience civique. Sous réserve que nous, élus, sachions éviter l'écueil des débats politiciens, trop éloignés de la réalité, comme ont su nous le faire remarquer certains Isséens. »

L'expérience a été élargie à d'autres applications, à titre de tests. Un millier de foyers volontaires ont été recrutés à cette fin. Dotés d'un boîtier de réception ad hoc, leurs membres peuvent non seulement participer aux conseils municipaux, mais aussi se constituer leur propre programme de télévision, téléacheter... ou répondre aux sondages organisés par la mairie, car André Santini souhaite tester l'idée du référendum local : une façon d'inciter la population à participer davantage à la vie de la commune. Par ce biais, le maire d'Issy-les-Moulineaux remet au goût du jour le vieux rêve de la démocratie directe, dans laquelle chaque citoyen peut donner son avis sur tous les sujets qui le concernent. Ce retour aux sources même de la démocratie, au sens grec du terme, est important, dans la mesure où la classe politique ne bénéficie plus de la même aura qu'autrefois et que les Français sont moins nombreux à voter. Comme le soulignait François-Henri de Virieu dans une tribune du *Monde* en novembre 1996, « le mal dont souffre la démocratie, ce qui lui fait perdre sa vitalité, c'est la disparition des lieux d'échange, des endroits où l'on peut poser des questions - et pas seulement entendre des réponses toutes faites -, des endroits où l'on peut élaborer des projets ». Le cybermonde permettra-t-il de récréer l'agora ?

Les revers de la médaille

Élargir la pratique démocratique ne doit pas se faire à n'importe quel prix. Comme l'explique Philippe Quéau, directeur de la division de l'information et de l'informatique de l'Unesco, il faut se garder des dérives potentielles de la technologie[2] : « La cybercitoyenneté est techniquement possible. Mais il n'est pas sûr qu'elle n'ait pas des conséquences politiques redoutables à moyen terme, tout en favorisant certes, dans un premier temps, l'accès des citoyens à l'information et une circulation plus libre et plus large des idées. Il nous faut poser la question avec force : qu'est-ce que

2. Point de vue publié en juillet 1997, dans un numéro spécial du *Monde informatique* consacré au cybermonde.

le progrès ? Quel progrès voulons-nous ? Nous sommes à une croi-
sée des chemins. Les conséquences de nos choix peuvent être
incommensurables à cause de notre capacité d'intelligence actuelle.
Il importe donc de revenir à la sagesse des nations pour tenter de
sauver l'humain de ce qui apparaît comme un emballement de
plus en plus autonome du progrès technologique. »

La transition vers la société de l'information pourrait aussi poser
de graves problèmes de cohésion sociale en raison de l'instauration
d'une société à deux vitesses. D'un côté, ceux qui auraient accès
au réseau pourraient bénéficier de tous ses services, en s'instruisant,
en se cultivant, en faisant leurs courses sur des galeries commer-
çantes électroniques et en participant à la vie démocratique de la
cité. De l'autre, les exclus de l'Internet seraient voués au purgatoire
en ne pouvant ni apprendre, ni consommer, ni se divertir, ni exprimer leur opinion. C'est pourquoi il est important de multiplier les
lieux d'accès, au plus près de la vie des gens. Le rapport européen
sur *La Société de l'information* préconise d'ailleurs d'agir de préfé-
rence au niveau des collectivités locales. « Il importe de les revitaliser », notent les auteurs de ce texte, persuadés que « les
collectivités seront ainsi mieux à même de créer des possibilités
d'emploi et des richesses sur le marché planétaire » et qu'elles sont
les mieux placées pour « mettre en place des points d'accès aux
services publics pour tous ceux qui ne peuvent se permettre de
payer un abonnement aux services de la société de l'information à
titre individuel ». L'intention est certes louable, cependant on a vu
précédemment qu'à quelques exceptions près, les collectivités locales étaient loin d'être mobilisées autour de ce débat. C'est pourquoi les cybercafés, bibliothèques, centres multimédias et centres
de documentation ont un rôle majeur à remplir. Ils peuvent en
effet devenir de véritables lieux de formation, conviviaux, capables
d'éviter qu'un fossé ne se creuse entre ceux qui maîtrisent la technologie et les autres.

Un autre danger que soulève Paul Virilio[3] réside dans ce qu'il
appelle la « tyrannie du temps réel ». À force de vouloir tout vivre
et tout connaître dans la minute, le citoyen ne prend plus de recul

---

3. Cf. *Cybermonde, la politique du pire*, Textuel.

et réagit de façon réflexe. Or, pour vivre réellement sa citoyenneté, l'homme a besoin de réfléchir. « Le temps réel et le présent mondial exigent un réflexe qui est déjà de l'ordre de la manipulation », souligne-t-il. Pour lui, « la démocratie est donc menacée dans sa temporalité, puisque l'attente d'un jugement tend à être supprimée » : « C'est l'audimat qui remplace l'élection, et la carte à puce glissée dans le téléviseur qui remplace la délibération, ajoute-t-il. Il y a là un danger maximal pour la démocratie dans le temps de la décision et du vote. L'audimat et le sondage deviennent électoraux. Le sondage, c'est l'élection de demain, c'est la démocratie virtuelle pour une ville virtuelle. »

Cette dernière remarque doit être prise au sérieux, car l'histoire rappelle qu'un excès de démocratie peut tuer la démocratie. Dans un article de *Time* paru en janvier 1995, l'Américain Robert Wright mettait en garde les adeptes du vote électronique contre une « hyperdémocratie » trop branchée : « En enlevant au peuple le délicat pouvoir de faire les lois et en optant pour une démocratie représentative, plus réfléchie et plus pratique, James Madison[4] croyait avoir enterré pour toujours le fantôme obsédant des passions populaires déchaînées », rappelait-il. Visiblement, deux cents ans plus tard, personne n'a retenu la leçon.

Autre exemple historique, la démocratie athénienne a disparu, au IIIᵉ siècle avant Jésus-Christ, d'un excès de pratiques démocratiques. À son apogée, sous Périclès, le peuple était en effet toutpuissant et s'exprimait librement sur l'agora pour faire entendre son point de vue et sa vision de la cité. Certes, la souveraineté du peuple s'exerçait à l'intérieur de certaines limites : la démocratie obéissait à des règles très strictes concernant l'ordre du jour et la périodicité des séances de l'Assemblée, le mode d'introduction des projets de décrets, la procédure de leur discussion et de leur adoption, ainsi que les attributions de l'assemblée des Cinq cents, mais la discussion et le dialogue restaient toujours privilégiés. Les décisions étaient prises en se parlant, en écoutant les idées d'autrui et en expliquant les siennes. Avec la démocratie virtuelle, à condition

---

4. James Madison (1751-1836), quatrième président des États-Unis et l'un des signataires de la Constitution.

de ne pas se contenter d'appuyer sur le bouton d'une télécommande, cela peut être également le cas. Mais attention à la cacophonie électronique ! À Athènes, les règles n'ont pas empêché le débordement. Et dans le cybermonde, il n'y a guère de charte universelle...

2. Une pratique démocratique modifiée

L'ensemble du corps social est remis en cause par l'émergence des réseaux. Les associations ont compris très tôt l'intérêt des outils multimédias pour faire connaître leur existence et communiquer, voire recruter, des adhérents. À l'opposé, partis politiques et syndicats, dont la logique demeure souvent assez proche de la centralisation forte qui a longtemps caractérisé les institutions françaises, ont mis plus de temps pour les prendre en compte. Ils commencent maintenant à comprendre que les pratiques démocratiques en seront modifiées et que, s'ils n'adaptent pas leur discours et leur comportement à cette nouvelle réalité, ils risquent tout simplement d'être court-circuités.

Une ruée tardive vers le Net

Les états-majors parisiens des formations politiques n'ont « débarqué » que récemment sur l'Internet. Les premiers sites sont apparus début 1996 et les plus grandes formations politiques ont rejoint le mouvement moins d'un an plus tard. Les élections législatives anticipées de mai 1997 ont servi de catalyseur. Au sommaire de ces sites, la présentation du programme de chacun, de beaux graphismes, mais bien peu de forums de discussion et d'échange.

Le constat à en tirer est simple : les formations politiques ont avant tout vu là l'occasion de donner l'image de la modernité mais, dans l'ensemble, n'ont guère engagé une réflexion de fond sur les enjeux des nouvelles technologies. Au-delà de la simple vitrine, peu d'hommes politiques ont réellement entrevu les possibilités qu'offre le réseau pour tester des propositions, mieux gérer l'organisation des fédérations régionales et départementales et combattre ses adversaires. Depuis, il faut reconnaître que les serveurs se sont enrichis en jouant la carte de l'écoute et de l'interactivité. À côté des rubriques consacrées à la présentation du parti et de ses élus, ont été ouverts des espaces de discussion censés susciter un dialogue permanent, et ce dans l'esprit du Net.

L'idée est évidemment séduisante, mais on peut néanmoins se demander quel usage les partis politiques en feront. S'il s'agit seulement de diffuser ses convictions dans un emballage branché ou de toucher une population nouvelle, le bilan sera limité. En revanche, si le but est d'instaurer une nouvelle relation avec les citoyens français, la démocratie y gagnera. Cet enjeu est d'autant plus important que le monde politique n'a plus bonne presse. Sans aller jusqu'à dire, comme François-Henri de Virieu, que si les élus ne prennent pas en compte la « civilisation réseau », « nous allons tout droit vers une fracture sociale[5] », il faut bien reconnaître que le fossé se creuse entre les hommes politiques et les citoyens français. Daniel Janicot, président de l'association Vive la politique, dont l'ambition est de « revaloriser la chose publique », n'hésite d'ailleurs pas à tirer la sonnette d'alarme. Selon lui, « plus nous avançons dans une société de communication, plus nous reculons dans une société de dialogue ». Cette disparition de l'échange entre les citoyens et leurs gouvernants trouve son origine, explique-t-il, dans la complexité croissante de la société. Les débats actuels suscitent de tels niveaux d'analyse que le citoyen n'en maîtrise plus les contours. En deux mots, son avis pourrait se traduire par un laconique « on ne parle pas le même langage ». La richesse d'informations disponibles sur l'Internet permettra-t-elle de résoudre la contradiction ?

Un outil de communication politique

Pourtant, l'intérêt pour la vie politique n'est pas vraiment remis en cause. En France, les notions de citoyenneté et de civisme reviennent en force. Malheureusement, les Français ont souvent le sentiment de manquer d'éléments pour apprécier l'action politique nationale. Aussi le salut viendra-t-il peut-être des élus locaux. Les

---

5. Tribune au *Monde*, en novembre 1996.

exemples de Parthenay et d'Issy-les-Moulineaux démontrent, chacun à leur manière, que les Français ont une conscience très élevée
de la « chose publique », à condition d'en saisir les tenants et les
aboutissants. Aux hommes politiques d'en tirer les enseignements !

Aux États-Unis, Bill Clinton a parfaitement compris l'enjeu
que cela représentait, et il en a aussitôt tiré les conséquences. Poussé
par son vice-président, il ne s'est pas contenté de faire prendre à
son pays le virage des autoroutes de l'information, mais il en a
lui-même appliqué les règles avant les autres, en mettant en ligne
l'ensemble de ses discours et des textes élaborés par ses services, ou
en ouvrant un espace de dialogue sur le site de la Maison Blanche.
De la même façon, le président américain a été le premier à avoir
fait l'usage systématique des outils d'analyse de textes pour mettre
en évidence les contradictions de ses adversaires. S'il est difficile
d'affirmer que ce choix a influé sur le résultat des élections prési-
dentielles, on peut toutefois se poser la question. Certes, Bob Dole
n'a pas cessé, au cours de la campagne présidentielle, de rappeler
l'adresse de son propre site, mais cela ne pouvait suffire. Il lui
manquait l'image de la culture Internet.

Quoi qu'il en soit, cette campagne électorale de 1996, la première qui ait fait appel aux ressources du Net[6], aura marqué un
tournant dans l'histoire de la communication politique. Avec plus
d'un million de requêtes par jour enregistrées lors de la Convention
démocrate de Chicago, les Américains ont prouvé qu'ils atten-
daient beaucoup de cette nouvelle forme d'interactivité. Dans ces
conditions, on voit mal comment il serait possible à l'avenir de
faire marche arrière, d'autant que la démocratie a tout à y gagner.

Des syndicalistes prudents, des associations enthousiastes

Comme les formations politiques, les syndicats français font
preuve également d'une grande prudence. Aujourd'hui, s'ils ont à
peu près tous ouvert un site sur le Web, les contenus restent « classiques » et peu interactifs, plus proches de la vitrine que du débat
d'une assemblée générale. « Pour nous, l'Internet constitue une

---

6. Un peu plus tard, au printemps 1997, la campagne des législatives britanniques, qui a porté
au pouvoir Tony Blair, a aussi été marquée par un recours massif au Web.

vraie révolution, car il modifie totalement nos organisations », indique un responsable de la CFDT pour expliquer la lenteur avec laquelle sont adoptées ces nouvelles technologies[7]. Il faut dire qu'avec un réseau ouvert à tous, la structure pyramidale classique (confédération, fédération, union départementale, union locale et section syndicale) est totalement remise en cause. Malgré cela, les principales confédérations syndicales françaises envisagent toutes la mise en place d'un Intranet, reliant leurs unions départementales et les fédérations professionnelles. Mais il faudra certainement du temps, un changement de mentalité et l'accroissement du nombre de foyers connectés, pour que leur utilisation se généralise.

En revanche, les associations ont, elles, très vite compris l'intérêt qu'elles avaient d'être présentes sur le Web. Vitrine idéale, un site permet à moindre prix de se faire connaître, de recruter de nouveaux adhérents, de diffuser ses objectifs et d'engager le dialogue. Aujourd'hui, plusieurs centaines d'associations françaises ont investi la Toile, que ce soit pour défendre la protection de l'environnement, lutter contre l'extrême droite, promouvoir un sport connu ou inconnu ou encore défendre la liberté d'expression sur l'Internet, comme le Club de l'hypermonde, un « cercle de réflexion sur les impacts humains et les enjeux philosophiques du cyberespace », selon sa propre définition. D'autres, fidèles aux principes associatifs, se positionnent comme des courroies de transmission vers le réseau. C'est notamment le cas du célèbre site Mygale, un serveur qui permet aux particuliers et aux associations de créer leur propre minisite en offrant des comptes gratuits. Hébergé à l'origine sur Renater[8], il a dû être transféré vers un autre prestataire, du fait que la prolongation de l'expérience a fini par être considérée comme une violation de la charte de ce réseau public. Il est désormais accessible sur Cegetel On Line (ex Havas On Line), qui maintient la gratuité en échange de l'affichage de bandeaux publicitaires.

La multiplication et le succès des serveurs associatifs montrent bien à quel point les Français sont adeptes de dialogues et

---

7. *Libération*, 19 septembre 1997.
8. Réseau national de télécommunication pour la technologie, l'enseignement et la recherche.

d'échanges via l'Internet. C'est pourquoi l'ensemble du corps social
- formations politiques, administrations, syndicats - ne peut l'igno-
rer. Dans son rapport sur *Les Techniques d'apprentissage essentielles
pour une bonne insertion dans la société de l'information*[9], le sénateur
Franck Sérusclat suggère plusieurs pistes de réflexion : mieux diffuser l'information publique, multiplier les points d'accès, mettre
en place un réseau citoyen qui raccorderait l'ensemble des
collectivités locales, donner des moyens nouveaux aux initiatives
locales, encourager de nouvelles pratiques de communication avec
les élus - comme le courrier électronique -, mener une réflexion
sur l'adaptation du financement de la vie politique, intégrer les
nouvelles technologies dans la réforme de l'État et des procédures
administratives, et faire émerger de nouvelles relations avec les
administrés au quotidien. Autant de propositions assez concrètes
qui permettraient d'améliorer la participation et la représentation
des citoyens. C'est tout l'enjeu de notre société de demain.

3. L'administration en ligne

L'intégration des technologies de l'information dans
l'administration a commencé il y a quelques années dans les
relations avec les entreprises. L'ouverture vers le grand public
est plus récente, même si des services Minitel ont été mis en
place depuis longtemps. La problématique est générale et, à
l'étranger, d'ambitieux projets ont déjà été lancés. Dans tous les
cas, les trois axes concernés sont l'information du citoyen, la
simplification des formalités administratives et l'amélioration
des conditions de travail de l'administration. Un véritable défi,
car les habitudes issues d'une tradition administrative
centralisatrice ne sauraient être ignorées.

Les premiers pas

En France, c'est le ministère des Finances qui a montré la voie
en 1991 avec le projet Tedeco[10] d'échange de données informatisées (EDI), en l'ouvrant à d'autres administrations, collectivités

---

9. Office parlementaire d'évaluation des choix scientifiques et technologiques, août 1997.
10. Transfert électronique de documents entre correspondants.

territoriales, entreprises ou professions libérales. Les informations échangées, essentiellement sous la forme de fichiers informatiques, sont structurées suivant une norme agréée par l'Afnor et désormais reconnue sur un plan international. Le système a franchi une étape décisive en 1994 grâce à la possibilité légale pour les entreprises de remplacer les déclarations administratives écrites par des messages électroniques.

Ce moyen est aujourd'hui utilisé par plus de 2 000 organismes ou entreprises, tant pour les déclarations d'échanges de biens (douane) que pour la prise en compte des fichiers électoraux (Institut national de la statistique et des études économiques), ou encore la préparation de documents budgétaires (comptabilité publique). Parmi les autres utilisateurs, on dénombre les collectivités territoriales, les hôpitaux, les offices d'HLM, les caisses de sécurité sociale, l'ordre des experts-comptables, ainsi que des grandes entreprises.

Franchissant un pas de plus dans la recherche de la simplification des formalités avec les entreprises par le moyen des échanges de données informatisées, une circulaire du premier ministre, en date de janvier 1997, rend obligatoire l'adoption progressive de la norme EDIFACT[11] par les administrations, sur la base d'une directive européenne agréant ces structures de données établies dans le cadre des Nations unies. À chaque secteur (santé, transport, tourisme, etc.) correspondent des ensembles de messages prédéfinis (demande d'informations, commande, facturation, etc.), facilitant ainsi la mise en place de réseaux entre les administrations et les entreprises, que ce soit pour l'accomplissement de formalités administratives ou fiscales, ou encore pour la commande de fournitures. À terme, la mise en réseau des grandes administrations et des entreprises pourrait déboucher sur l'organisation de « téléprocédures » pour le traitement des appels d'offres dans le cadre des marchés publics.

Vers le grand public, les premières actions remontent à l'ouverture des divers services d'information Minitel il y a plus d'une dizaine d'années, avec la possibilité dans certains cas d'accomplir

---

11. Electronic Data Interchange For Administration, Commerce and Trade.

des formalités ou d'effectuer des calculs (impôt sur le revenu, par exemple). Toutefois, la véritable impulsion a été donnée par l'ouverture de sites Web par les grandes administrations durant l'année 1996, suivant en cela les premiers exemples des ministères de la Culture, des Affaires étrangères et des Postes et Télécommunications.

Une circulaire du premier ministre, en date du 15 mai 1996, enjoint en effet aux administrations centrales d'ouvrir un serveur avant fin 1997, sous la racine commune gouv.fr. Le double but poursuivi est à la fois de renforcer la présence francophone sur le Net et de mieux informer le citoyen sur les missions des différentes administrations, les services offerts (informations pratiques), l'actualité du secteur et les principaux textes législatifs et réglementaires sur des thèmes donnés. Matignon a donné l'exemple avec son site ouvert à l'automne 1996, tandis que celui de la présidence de la République a été inauguré le 14 juillet 1997.

Un mouvement en marche

Le mouvement est général, puisque l'ensemble des grandes structures administratives, quel que soit leur statut, sont désormais présentes, qu'il s'agisse de la Délégation à l'aménagement du territoire et à l'action régionale (Datar), du Commissariat général au plan ou de l'Institut national de la statistique et des études économiques (INSEE).

Les grandes institutions de la République ont également pris les devants, à commencer par le Sénat ou l'Assemblée nationale, qui mettent à la disposition de tout citoyen les principaux textes de loi et les rapports parlementaires. L'ensemble des sites officiels nationaux est répertorié sur le serveur Admifrance de la Documentation française.

Au niveau des régions, des départements et des communes, on observe la même tendance, les serveurs des collectivités territoriales étant de plus en plus nombreux sur le Web. Les sites nationaux comme ceux des collectivités, par leur contenu rédactionnel comme par les liens hypertextes mis en place, contiennent de très nombreuses informations utiles, mais le potentiel réel de l'Internet commence à peine à être exploité.

Ainsi, rares sont les serveurs qui répondent rapidement à un courrier électronique par la même voie, la plupart des administrations se contentant de la voie postale avec les délais habituels. Un tel mode de communication directe est en effet aux antipodes des schémas d'organisation et de fonctionnement de l'administration, qui ne pourra pleinement l'intégrer que par une adaptation des dispositions existantes en matière de droit et de délégation de signature. Il conviendra de distinguer à cet égard les réponses informatives de celles qui peuvent engager une responsabilité et qui, par conséquent, sont susceptibles de recours (calculs de droits, autorisations diverses, octroi de subventions, etc.).

Pendant ce temps, à l'étranger, des administrations se lancent avec ambition dans le cybermonde, particulièrement en Amérique du Nord. Au Québec, la première opération d'envergure concerne la numérisation de l'état civil : en deux ans (1997/1998), 18 millions d'extraits d'actes, répertoriés sur 450 000 registres, vont être stockés dans une gigantesque base de données image et texte. L'objectif est triple : limiter la dégradation des documents en évitant leur manipulation, faciliter l'accès et améliorer les délais d'émission. Ce projet s'inscrit dans le cadre du programme de l'Autoroute de l'information, qui mettra à terme toutes les administrations en ligne et facilitera l'accomplissement des formalités par un système de « guichet unique » ouvert à toutes les structures administratives[12].

Quant aux États-Unis, la réforme de l'administration est au cœur de la stratégie de la société de l'information, le président Clinton ayant souligné dès le début de sa première présidence que l'un des objectifs devait être d'éliminer le *red tape* (« lenteurs bureaucratiques »). Les administrations fédérales et locales s'y sont mises, par l'introduction des échanges de données informatisées pour les relations avec les entreprises ou la création de sites Web facilitant les démarches des usagers. L'État du Massachusetts, par exemple, permet d'accomplir en ligne les formalités d'immatriculation des véhicules et même de payer ainsi ses contraventions avec une carte de crédit.

---

12. Voir p. 244.

Les conditions à remplir

Toute politique concernant la mise en réseau des administrations concerne nécessairement trois axes majeurs : l'information du public, la simplification des formalités administratives et la modernisation des conditions de travail des fonctionnaires.

Sur le premier point, les possibilités ouvertes par l'Internet obligent à repenser les conditions de mise à disposition de l'information pour le public. Avec le Minitel, la tarification kiosque aboutit à faire payer l'obtention d'une information publique, dont la production est elle-même financée par l'impôt ! Avec le Web, c'est l'accès à l'information et non l'information elle-même qui est facturée. À l'avenir, la gratuité de mise à disposition deviendra la règle et le paiement de l'information l'exception. Celle-ci n'est concevable que pour des cas particuliers, essentiellement à usage professionnel, où la présentation et le regroupement de l'information se traduisent par une réelle valeur ajoutée. C'est sur ces bases que la banque de données Lex, qui contient des résumés analytiques des textes officiels et une indexation des termes utilisés, a fait l'objet d'une concession d'exploitation à une société privée.

En ce qui concerne la simplification des formalités administratives, le champ ouvert par les technologies de l'information est considérable : état civil, déclaration d'impôt, calcul et règlement, consultation des permis de construire et du cadastre. Évidemment, la mise en œuvre ne pourra se faire sans la modification préalable des procédures et la formation des personnels, ainsi qu'un budget d'investissement en équipement et logiciels adéquats. Néanmoins, une première approche pourrait consister à instaurer un dialogue plus direct avec l'usager, ce qui suppose de doter certaines catégories d'agents de boîtes aux lettres électroniques, leur permettant de répondre directement aux questions posées. Tout comme l'huissier dirige l'utilisateur vers le responsable, les pages d'accueil des sites Web pourraient indiquer, selon les domaines, les coordonnées électroniques des fonctionnaires en charge des dossiers. Le mouvement a été amorcé dans certains cas par la mise à disposition de terminaux et la création d'Intranets facilitant le travail coopératif. Partant de cette base, il sera plus aisé d'ouvrir ensuite le dispositif vers l'usager.

Cependant, de telles orientations ne peuvent être envisagées que dans le cadre d'un plan d'ensemble, qui pourrait résulter notamment des réflexions déjà engagées par différentes instances, comme le Commissariat à la réforme de l'État ou la Commission de coordination de la documentation administrative (CCDA). En attendant, certains « cyberfonctionnaires », réunis au sein de l'association Admiroutes, esquissent déjà ce que peuvent apporter les outils multimédias dans la relation administration/administrés.

« Améliorer les liens entre les élus et la population. »
Pierre Laffitte*

Les hommes politiques français ont mis longtemps à prendre conscience de l'émergence des nouvelles technologies de l'information. Comment l'expliquez-vous ?

La société française dans son ensemble a pris du retard en la matière. La plupart du temps, les hommes politiques sont submergés par les problèmes du présent et traduisent donc les besoins de la société. Heureusement que certains émergent. C'est en particulier le cas de René Monory et de plusieurs sénateurs, qui ont su développer des réflexions prospectives. C'est aussi le cas des membres de l'Office parlementaire d'évaluation des choix scientifiques et technologiques, qui regroupe à la fois des sénateurs et des députés, dont les rapports sont très prospectifs.

Les dernières élections américaine et britannique ont été marquées par le phénomène Internet. Pensez-vous que la France puisse être touchée à son tour lors des élections régionales de 1998 ?

Je l'espère, sans en être sûr. Je fais de mon mieux dans ma région et pousse mes collègues sénateurs à faire de même.

Selon vous, que peuvent apporter les technologies de l'information pour nos démocraties occidentales ? Davantage de transparence et de participation à la vie de la cité ? N'y a-t-il pas un risque d'exclusion des populations qui n'auront pas accès au réseau ?

Davantage de transparence. C'est en particulier la volonté manifestée par la mission sénatoriale que j'ai présidée et dont tout le rapport présenté à la presse est disponible sur l'Internet. De plus, contrairement à certaines craintes, le multimédia peut diminuer l'exclusion si les communes réalisent ce qui se fait déjà dans les Alpes-Maritimes, à Saint-André : former les jeunes des quartiers difficiles grâce à des accès publics ouverts le soir, dans des médiathèques, bibliothèques ou locaux associatifs. Dans ce cas, les nouvelles technologies de l'information deviennent un facteur d'intégration sociale.

De tout temps, la démocratie directe a généralement échoué. Peut-on imaginer qu'il en aille différemment avec l'Internet ?

Il n'est pas question de démocratie directe, mais de nouveaux outils pour améliorer les liens entre les représentants élus (500 000 en France) et la population.

Vous avez largement inspiré en France les Netdays, destinés à accélérer l'équipement des écoles. Pensez-vous qu'un tel partenariat public/privé soit envisageable en France ?

L'expérience démarrée autour de Sophia Antipolis se développera par osmose partout. Déjà, des expériences similaires sont lancées dans l'Hérault, dans le Vercors, en Alsace et dans le Nord. Et un Intranet des collectivités locales se met en place dans la Vienne.

De nombreux rapports, dont le vôtre, ont été publiés depuis un ou deux ans. Qu'en retenez-vous ? Quelles sont les mesures qui vous paraissent les plus urgentes ?

L'essentiel, c'est que toute la société se mette en action. Curieusement, à quelques exceptions près, le monde économique est moins « moteur » alors qu'il est le plus concerné. Quant à la presse, à part certains titres comme *Le Monde* ou *Nice Matin*, elle est encore en retrait. Il faudrait aussi que les ministères se restructurent en fonction des nouvelles possibilités. Il faut casser les structures et les habitudes hiérarchiques pour constituer des groupements réactifs ne fonctionnant plus selon des traditions héritées de Napoléon ou Taylor.

Votre appel à la « croisade numérique » a-t-il été entendu ?

Partiellement, notamment dans les collectivités locales. Il faut poursuivre. L'aide des médias est indispensable. Malheureusement, la plupart sont peu préoccupés de construire un avenir meilleur et préfèrent à tort suivre ce qu'ils croient intéresser la population.

* *Fondateur de Sophia Antipolis, le sénateur Laffitte a été l'un des précurseurs de la diffusion des nouvelles technologies en France.*

Des enjeux culturels

Si les Égyptiens avaient bénéficié, à leur époque, d'outils comme l'Internet ou les CD-ROMs, le fonds mythique de la bibliothèque d'Alexandrie pourrait être consulté aujourd'hui par tout un chacun. En plus d'ouvrir des capacités proprement vertigineuses de stockage du patrimoine, ces technologies permettent aussi l'action culturelle. Ainsi le reseau Internet offre une possibilité unique de développer la francophonie à travers le monde. À l'heure où l'anglais semble s'imposer comme un nouvel espéranto, la création d'un cyberespace francophone est une chance à saisir. Enfin, à l'instar de la découverte de l'imprimerie, qui a largement contribué à l'essor de la Renaissance, le multimédia bouleverse déjà fortement la création artistique. Contrairement à ce que certains Cassandre laissent entendre, la culture électronique peut favoriser l'écrit traditionnel en suscitant une créativité nouvelle, comme le cinéma l'a déjà démontré.

1. La numérisation du patrimoine

La numérisation du patrimoine mondial est en route. Depuis quelques années, bibliothèques, musées, fonds d'archives et centres de documentation ont compris que la société de l'information allait bouleverser leur quotidien. Des dizaines d'années d'habitudes de classements et de rangements sont ainsi remises en question. Leur existence même, en tant que lieu unique dans lequel il faut se rendre pour consulter des fonds documentaires, n'a plus lieu d'être. À n'en pas douter, la bibliothèque ou le musée de demain ne ressembleront plus à ceux que l'on connaissait. Le conservateur de l'an 2000 ne sera plus cet homme qui gardait ses trésors, en préférant ne pas les montrer au public pour éviter toute dégradation, mais, au contraire, un homme orchestre capable de les mettre en valeur, de les situer dans leur contexte et d'en expliquer l'intérêt.

Une volonté politique

C'est en 1995 que le ministère de la Culture a lancé officiellement, avec l'aide financière de la Datar, sa politique de numérisation des fonds culturels français. Son objectif : constituer des collections numérisées de textes, de sons, et d'images fixes et animées. Menée en collaboration avec de nombreux partenaires régionaux, comme les institutions culturelles, les services décentralisés de l'État, les associations professionnelles, ainsi que les sociétés savantes - universités et grands organismes de recherche -, cette opération a pour but d'offrir, à terme, des dossiers électroniques multimédias. Ceux-ci seront ensuite accessibles sur l'Internet et référencés dans de grandes bases de données nationales, riches de centaines de milliers de fiches documentaires comme le sont déjà les bases Joconde pour les peintures, sculptures et estampes des musées, et Mérimée pour les monuments historiques. « Cette politique vise à compenser les excès de la centralisation parisienne qui a marqué notre histoire, remarque Jean-Pierre Dalbera, chef de la mission de la recherche et de la technologie du ministère de la Culture et de la Communication. Elle est également une réponse aux besoins de conservation des originaux qu'une consultation trop fréquente met en danger ou qui se dégradent naturellement. »

Parmi les principaux programmes de numérisation figure notamment celui de la Bibliothèque nationale de France (BNF), soit 100 000 documents, 300 000 images et 30 millions de pages numérisées d'ici à fin 1999. Pour consulter ces documents numérisés et accéder au catalogue, le public disposera à terme de près de 3 000 postes multimédias, dont quelques centaines fonctionnent enfin, un an après l'ouverture de la bibliothèque. Parallèlement, un réseau Intranet devrait être constitué pour permettre à des chercheurs et étudiants de se connecter directement au système d'information interne de la BNF. Pour les autres, un serveur est à leur disposition, au moyen duquel il est possible d'accéder également à certaines bases de données et à des catalogues.

Créé dès 1994, le serveur Web du ministère est la plate-forme privilégiée sur laquelle sont diffusés les grandes bases de données nationales[1] et les parcours interactifs sur le patrimoine. Il permet aussi d'accéder à des bases de données internationales. La France

---

1. Joconde et Mérimée, mais aussi Archéos, l'Observatoire des musées et les fonds de nombreuses bibliothèques, dont la Bibliothèque nationale de France.

est en effet à l'origine d'un projet de réseau de serveurs d'informations culturelles au niveau européen. Baptisé Aquarelle, il est élaboré en collaboration avec l'Institut de recherche en informatique et en automatique (Inria) et des partenaires scientifiques et culturels de plusieurs pays. Également soutenu par la Commission, il vise à mettre au point les outils d'échanges d'information entre les grandes bases de données multimédias sur le patrimoine en Europe.

Cette expérimentation grandeur nature permet de tester le couplage de ces informations avec les systèmes de gestion du territoire (cartes, plans, réseaux, etc.). « Aquarelle devrait à la fois favoriser le multilinguisme et fournir aux professionnels (éditeurs et concepteurs de produits multimédias) les outils nécessaires pour accéder en ligne à des ressources multimédias exceptionnelles », explique Jean-Pierre Dalbera.

Naissance de la musétique

Considérés comme conservateurs et gardiens d'une certaine culture académique, les musées ont mis du temps à prendre le virage multimédia. Certes, quelques précurseurs avaient déjà saisi, dans les années 80, l'importance de la révolution technologique qui s'annonçait. « Demain, l'exposition et le musée ne pourront plus être passifs devant la contemplation et les questions des visiteurs. Ils devront être interactifs et répondre aux interrogations différentes de chacun d'eux », pronostiquait déjà en 1985 Jean-François Lyotard, à l'occasion de l'exposition *Les Immatériaux*, qui a marqué l'apparition, en France, du multimédia dans un musée public, le centre Georges-Pompidou, en l'occurrence. De même, la Cité des sciences et de l'industrie de La Villette ou le fameux Exploratorium de San Francisco ont mené très vite des expérimentations pilotes interactives. Mais il aura fallu en réalité une dizaine d'années de plus pour que la prise de conscience soit totale et que la muséographie classique, tournée vers la conservation des collections, prenne un second souffle.

La musétique, puisque c'est ainsi qu'il faut appeler cette discipline, n'en est encore qu'à ses débuts. Si elle est porteuse d'une nouvelle façon de présenter l'art, le savoir, les techniques et l'histoire, via un éventail de nouveaux moyens technologiques, tout reste à faire. Il ne suffit pas d'installer des écrans ou des bornes interactives dans un musée pour que tout change. En fait, il faut complètement repenser la fonction de l'institution : l'essor de l'interactivité dans les musées s'accompagne obligatoirement d'une modification des pratiques de la visite, comme l'explique Sharon Mac Donald[2] : « La muséographie dite traditionnelle a tendance à discipliner le corps du visiteur, elle le garde à distance, selon l'injonction "On ne touche pas, on regarde". La foule se surveille, se régule et doit suivre un parcours prédéfini, conçu à l'identique pour tous. À l'inverse, les nouvelles formes d'exposition fonctionnent sur le modèle de l'interactivité. Du coup, le corps est actif plutôt que passif, flexible plutôt qu'ordonné, fragmenté plutôt que collectif. Le visiteur est sollicité et non dirigé, il construit son parcours au gré des stimuli que provoquent l'exposition ou la dynamique du groupe auquel il appartient. »

Des conséquences majeures

En reliant les différents établissements entre eux, les réseaux permettront à l'avenir de mettre en valeur tous les fonds documentaires, des plus petits aux plus grands. C'est une étape importante, car il faut savoir que les collections de la plupart des petits musées sont très hétéroclites. Ils ont souvent été constitués au cours des siècles au gré des opportunités d'acquisition ou de dation : du coup, ils sont incapables d'offrir un ensemble cohérent et de développer une identité suffisamment forte pour susciter la visite du public ou l'intérêt des chercheurs. En revanche, des fonds muséographiques numérisés deviennent tout à fait valorisables.

Par ailleurs, en modifiant les pratiques de la visite, les nouvelles technologies instaurent un nouveau rapport avec le musée. Celui-ci est en effet totalement désacralisé : il quitte les vitrines et devient un outil pédagogique, ludique et non contemplatif. Désormais, le visiteur ne se contente plus de regarder, il touche, il entend, il voit, il échange. La mise en scène est faite pour le surprendre et rendre la visite exceptionnelle. Celle-ci devient alors un événement

---

2. Dans un article paru en juin 1993 dans la revue *Public et Musées*.

marquant et singulier, qui échappe à la banalité du quotidien. Dans le même temps, le musée perd son image de sanctuaire réservé à une certaine élite : il est ouvert à tous. Autrement dit, les nouvelles technologies peuvent non seulement faciliter l'accès au savoir et à la connaissance, mais également modifier l'appréhension de la pratique culturelle. Ce qui constituerait une avancée considérable pour notre société.

2. La francophonie

Dès le départ, l'anglais s'est imposé, et de loin, comme la première langue de l'Internet, au point que celui-ci a été qualifié de « réseau anglo-saxon » par un ancien premier ministre. Y a-t-il là une menace pour les autres langues et les autres cultures ? La réponse est liée à l'appropriation du réseau par les différentes collectivités nationales et linguistiques, sachant que l'anglais est la langue maternelle de moins de 10 % des habitants de la planète.

L'anglais, nouvel espéranto

Actuellement, l'anglais occupe bien la toute première place sur le Net, même si d'autres langues commencent à affirmer leur présence. Selon une enquête publiée par Babel en mai 1997, à l'initiative de l'Internet Society, 84 % des documents stockés sur les serveurs du Web sont en anglais. Les 16 % restants sont partagés entre l'allemand, qui vient en deuxième position avec 4,5 %, le japonais (3,1 %), le français (1,8 %), l'espagnol (1,2 %), le suédois (1,1 %), l'italien (1 %), puis le portugais, le néerlandais, le norvégien et le finnois. L'écart entre l'anglais et les autres langues demeure donc considérable, mais il se réduit, sachant qu'au départ tous les serveurs étaient anglophones. Il est en tout cas intéressant de noter que les présences les plus fortes sont celles de pays où la pénétration du multimédia est la plus rapide. L'Allemagne a plus de deux millions d'abonnés à l'Internet et le Japon n'en est pas loin. Le français et l'espagnol bénéficient de leur statut de langues universelles et, pour notre langue, c'est l'apport important du Québec (plus du tiers des serveurs francophones) qui lui assure cette position ! Quant aux langues scandinaves, leur présence s'explique par les taux de raccordement les plus élevés du monde.

Si l'on se réfère aux réalités géopolitiques, la place des différentes langues sur le réseau devrait progressivement refléter davantage le poids démographique des communautés linguistiques. Le chinois, pratiquement absent du Web aujourd'hui, est la première langue mondiale et l'économie de la République populaire connaît l'un des plus forts taux d'expansion à l'heure actuelle. Après l'anglais, qui est parlé par 427 millions d'individus[3], l'hindi est parlé par 418 millions d'Indiens, l'espagnol par 266 millions de personnes, l'arabe par environ 180 millions, le portugais par 165 millions, le russe par 158 millions, le japonais par 124 millions, le français par environ 120 millions, suivi de l'allemand avec plus de 100 millions et de l'italien avec 63 millions.

La diversité culturelle et linguistique sur le Net ne peut que se développer fortement dans les prochaines années : rares sont les pays aujourd'hui totalement à l'écart du réseau. L'Afrique, dont l'équipement en télécommunications connaît un retard important avec les plus faibles taux de pénétration du téléphone de la planète, est désormais reliée à l'Internet, dans le cadre de programmes d'aide multilatéraux (Banque mondiale) ou bilatéraux (États-Unis, Canada, Québec). L'usage est limité pour l'essentiel aux administrations, instituts de recherche et universités, ainsi qu'à quelques entreprises mais, par ce biais, ces pays sont raccordés à l'un des principaux vecteurs de l'économie globale.

Chaque nation souveraine à son siège à l'ONU et sa place sur l'Internet. Mais le réseau peut aller plus loin : l'autorité palestinienne, par exemple, qui n'a pas encore le statut étatique, a une présence importante sur le Net. Pour les minorités ethniques, linguistiques ou culturelles, le Web apparaît comme un espace d'expression qui leur permet d'affirmer leur identité, comme le font les indiens Hopi ou Navahos aux États-Unis, ou les Inuit au Canada. Plus près de nous, Corses et Bretons utilisent l'Internet

---

3. Chiffres tirés de la *Cambridge Encyclopedia of Language*.

pour maintenir le contact dans leur langue avec la diaspora. Le global rejoint ici le local, selon le néologisme « glocal » utilisé par certains. Le développement du multilinguisme sur le Net permettra de refléter la diversité culturelle et linguistique de la planète et de donner aux principales langues à vocation universelle, dont le français, la place qui leur revient. L'anglais n'en demeurera pas moins le *primus inter pares*, ayant déjà acquis le statut de langue des affaires, des sciences et du tourisme. Nombre de serveurs sur l'Internet sont au moins bilingues et la langue du courrier électronique est l'anglais à 80 % ! Cela n'est guère surprenant, si l'on sait qu'en l'an 2000, selon *Time Magazine*, un quart de la population mondiale, soit 1,5 milliard de personnes, parlera l'anglais, dont seulement un quart dans les pays anglophones.

Les chances du français

La communauté francophone regroupe environ 120 millions de personnes dans le monde, sur quatre continents. Si l'on ajoute à ce chiffre ceux pour lesquels le français est une seconde langue, le total est d'environ 150 millions d'individus. L'Agence de la francophonie regroupe ainsi près de cinquante pays, qui reflètent une grande diversité culturelle, géographique et politique : pays européens francophones, Canada, Québec et Haïti pour l'Amérique, pays africains, mais aussi Moyen-Orient (Liban) et Asie (Viêtnam, Laos, Cambodge). Dans le contexte des autoroutes de l'information et du multimédia, ce sont principalement le Canada, le Québec et les pays européens qui sont moteurs pour la francophonie, que ce soit en termes de technologie ou de nombre de serveurs (98 % en 1997). Pour les autres pays, il s'agit d'un enjeu fort en termes de présence dans l'économie mondiale et de développement, de sorte que leur place devrait peu à peu s'affirmer.

L'avenir de la francophonie sur le Web est lié au dynamisme de ses différentes composantes. À cet égard, l'ensemble Canada-Québec suscite un effet d'entraînement certain : sur un peu plus d'un million d'ordinateurs reliés à l'Internet pour le monde francophone, 600 000 seraient situés en Amérique du Nord ! Quant au nombre de serveurs francophones, il serait de 20 000, dont plus du tiers outre-Atlantique. En ce début de l'ère de la société de l'information, la France n'est donc pas, par rapport à son poids démographique, en première ligne pour défendre les positions de sa propre langue ! Il s'agit d'un paradoxe qui a été mis en avant par de nombreux experts, à l'occasion du Marché international des inforoutes et du multimédia organisé à Montréal en mai 1997, en même temps que le premier Sommet des ministres francophones chargés des autoroutes de l'information. Cela n'est que la conséquence inévitable et déplorée du retard français, tant qu'il subsiste !

L'Internet offre une possibilité extraordinaire de donner corps à la francophonie, au-delà des institutions officielles, grâce à la naissance d'un cyberespace francophone. Pourtant, pour Jean-Claude Guédon, professeur à l'université de Montréal et auteur de *L'Internet et le Cyberespace*[4], la francophonie des autoroutes est toujours à créer. « En raison de la situation linguistique très variée des pays qui la composent, la francophonie est en tension et reste un territoire linguistique virtuel. L'actualisation, l'affirmation de ce territoire devra passer par la création d'un cyberespace commun[5]. » La création d'un tel espace passe avant tout par le développement des forums francophones, mais aussi de sites passerelles entre les différents pays. Tel est le cas de carrefour.net, outil de recherche qui répertorie des sites québécois, français, suisses et belges, et tient à jour un inventaire des vingt sites les plus visités pour chaque pays. Ce sont les internautes eux-mêmes, en particulier les jeunes, qui donneront réalité à ce cyberespace francophone. Des initiatives comme celle de l'Agence de la francophonie, qui a lancé début 1997 le concours Francophonie-jeunesse et inforoutes, permettent de mieux cerner les attentes et comprendre les motivations personnelles et professionnelles pour entrer en contact avec d'autres francophones, fussent-ils à l'autre bout de la planète !

Que faire ?

Pour encourager la création de contenus francophones sur l'Internet, un Fonds francophone pour le développement des autoroutes a été créé. De même, la coopération franco-québécoise dans

---

4. Paru chez Gallimard, « Découvertes ».
5. Interview au *Devoir de Montréal*, le 18 mai 1997.

le domaine du multimédia a-t-elle permis la signature de nombreux accords de coproduction et de distribution entre les entreprises du secteur. En France, la Délégation générale à la langue
française a déployé un certain nombre d'actions visant à assurer la
place du français sur les nouveaux réseaux, qu'il s'agisse, en liaison
avec l'Afnor, de l'édition de guides techniques sur l'utilisation des
caractères typographiques et accents propres à la langue française
dans les logiciels, ou de la francisation effective de ceux commercialisés en France. Par ailleurs, sur son site Web, la Délégation
anime un forum auquel plus de huit cents internautes sont inscrits,
tandis que la rubrique « France-langue assistance » offre aux traducteurs, terminologues et rédacteurs techniques la possibilité de
se concerter sur les néologismes du français technique.

Pour ce qui est des outils utilisés sur le Web, l'Aupelf-Uref[6] a
contribué à la mise au point du logiciel de messagerie WREF, dont
les spécificités portent sur la gestion de l'accentuation, la structure
des dates selon les règles de la langue française et l'affichage des
messages techniques (aides) en français. La même association est
aussi à l'origine du moteur de recherche des sites scientifiques francophones appelé Francoroute, développé par le Centre de
recherche en informatique de Montréal.

3. La création artistique

De tout temps, la modernité a influé sur la création artistique.
Toutefois il est possible de parler d'une influence directe de
techniques sur l'art seulement depuis la révolution industrielle
du XIXᵉ siècle. Logiquement, la tendance s'est encore accentuée
au XXᵉ siècle, avec le Bauhaus, le futurisme, le dadaïsme ou le
constructivisme. Après la Seconde Guerre mondiale, la naissance
de l'informatique a engendré ce que l'historien Frank Popper[7]
qualifie de Computer Art. Aujourd'hui, l'émergence des réseaux
et des technologies multimédias ouvre aux artistes de nouvelles
opportunités et crée une relation inédite entre l'œuvre, son
créateur et le public.

---

6. Association des universités partiellement ou entièrement de langue française-Université des
réseaux d'expression française.
7. Dans son livre *L'Art à l'âge électronique*, Hazan.

Les origines de l'art électronique

C'est au XIXe siècle, quand la révolution industrielle commença à faire sentir ses effets dans la vie quotidienne des gens, qu'est né l'art électronique. Selon Frank Popper, les trois personnalités les plus marquantes de ce renouveau artistique sont William Morris, Henry Van de Velde et Hermann Muthesius.

Le premier, s'élevant contre le rôle non fonctionnel dévolu à l'art, crée à Londres en 1861 un atelier d'artiste sur le modèle d'un atelier d'artisanat. Sa philosophie inspirera, quelques années plus tard, l'architecte et designer belge Van de Velde qui en appliquera les principes pour réorganiser l'École des métiers d'art de Weimar, dont son successeur, Walter Gropius, fit le Bauhaus en 1919.

Comme Van de Velde, Hermann Muthesius est l'un des fondateurs du Deutscher Werkbund, une association créée en 1907 qui réunit des fabricants, des architectes, des artistes et des écrivains, dont le principal objectif est de déterminer de nouveaux critères de design fonctionnels, correspondant à la machine et non arbitrairement imposés à celle-ci.

Peu avant la Seconde Guerre mondiale, le Bauhaus et son équivalent américain, le Chicago Institute of Technology, fondé par Laszlo Moholy-Nagy, donnent à la machine ses lettres de noblesse : l'« esthétique de la machine » fait alors son entrée dans la vie moderne.

Toujours selon Frank Popper, « trois autres mouvements artistiques du premier quart du XXe siècle ont influencé l'art de notre ère électronique : le futurisme, le dadaïsme et le constructivisme ». C'est en effet le premier qui a préconisé la « fusion de l'art et de la science ». Le deuxième, qui cherchait de nouveaux moyens de représenter la réalité dans la vie moderne, les a trouvés dans la technologie. « Presqu'aussitôt arrivé en Amérique, j'eus la révélation que le génie du monde moderne est la machine et que dans la machine l'art peut trouver une très vivante expression », note alors le peintre Francis Picabia. Quant aux constructivistes, ils militent pour que les artistes aient une formation d'ingénieurs ou de techniciens qualifiés.

L'émergence du Computer Art

L'art informatique est né aux États-Unis en 1952 lorsque Ben Laposky utilise une calculatrice analogique et un oscillographe cathodique pour réaliser ses *Electronic Abstractions*. Quatre ans plus tard, il parvient même à produire une image électronique en couleurs. Ensuite, tout va très vite. En 1960 sont réalisées les premières images de synthèse et en 1965 les premières œuvres utilisant l'ordinateur. Dès cette époque, les artistes sont partagés sur l'utilisation de l'informatique. Pour certains, l'ordinateur est uniquement un outil facilitant la création d'images. Pour d'autres, c'est un moyen de réaliser des œuvres visuelles. D'autres encore l'utilisent pour ses capacités spécifiques, analogues aux processus mentaux humains, et le considèrent comme une entité créatrice autonome.

Avec l'apparition des micro-ordinateurs, puis des technologies multimédias et de l'Internet, l'art électronique va prendre un nouvel essor. Peu à peu, on voit apparaître deux grands types d'artistes : d'abord ceux qui utilisent surtout la puissance informatique pour créer des œuvres spectaculaires, mais particulièrement coûteuses. C'est le cas de l'artiste australien Jeffrey Shaw, qui travaille à partir d'une station Silicon Graphics. Adepte de l'interactivité, il propose à son public un voyage initiatique et virtuel. Dans son schéma, le spectateur ne peut plus se contenter d'être passif, il doit devenir acteur de l'œuvre elle-même.

Pour cela, Jeffrey Shaw a conçu une véritable machine composée d'une série d'écrans vidéo géants, formant un mur d'images circulaire qui capte le regard à 360 degrés, et d'une caméra fixée sur un trépied. Une fois installé, le spectateur chemine lui-même dans une cité virtuelle, via la caméra vidéo dont les mouvements sont pris en compte en temps réel par un ordinateur qui modifie le paysage imaginaire projeté sur les écrans. D'autres, plus nombreux, optent pour des micro-ordinateurs plus modestes. Pour eux, la logique n'est pas dans la puissance de calcul mais dans l'utilisation de l'outil comme instrument de créativité. Leur principe pourrait se résumer ainsi : « Puisque nous vivons dans une société de l'information, utilisons l'outil informatique pour développer une écriture qui prenne en compte le pixel dans un univers à deux ou trois dimensions. »

Des approches artistiques très différentes

L'apport des nouvelles technologies dans la création est propre à chaque artiste. Pourtant, il est possible de distinguer quatre grands types d'approches.

En premier lieu, il y a les artistes qui travaillent toutes leurs œuvres en trois dimensions. C'est le cas de Jeffrey Shaw, mais aussi du Japonais Masaki Fujihata, qui conçoit des objets tridimensionnels qu'il fait réaliser par des fraiseuses numériques. Ensuite, d'autres utilisent le CD-ROM comme outils de création. C'est le cas par exemple de Nil Yalter, plasticienne d'origine turque, dont l'œuvre *Pixelismus* a été présentée à Paris en 1996 lors de l'exposition Espaces interactifs-Europe. Conçu comme un livre électronique permettant un libre cheminement à travers le travail des artistes qui ont créé des images et des sons réels et virtuels, ce CD-ROM interactif a été réalisé à partir d'images retouchées à l'ordinateur, de séquences vidéo retraitées numériquement, de séries d'images de synthèse en 3D, et de sons informatiques élaborés autour des harmoniques, en analogie avec les pixels de l'image électronique.

D'autres artistes encore cherchent à retranscrire l'image numérique en deux ou trois dimensions sur des supports de même nature. Miguel Chevalier utilise par exemple fréquemment le plexiglas comme support de ses œuvres. Il interroge la matérialisation de l'image à l'ère de sa reproductibilité électronique. « Cette image hybride peut emprunter au dessin, à la photographie et à la vidéo, explique-t-il. Elle peut aussi établir toutes les passerelles, tous les passages, toutes les séquences fixes ou animées et se concrétiser sur des supports magnétiques (CD-ROMs ou disques durs). »

Mais l'ordinateur n'est pas à ses yeux un simple substitut aux matériaux traditionnels du peintre, dont le répertoire illimité de formes et de couleurs permet une perpétuelle métamorphose. C'est pour exprimer celle-ci que Miguel Chevalier réalise des œuvres séquentielles qui reprennent le thème de l'ordre et du désordre, du baroque et du classique, avec différentes variations.

La quatrième catégorie d'artistes comprend ceux qui utilisent le potentiel de l'Internet pour créer des œuvres en évolution permanente, comme le Français Bernard Demiaux ou l'Espagnol

Muntadas. Ce dernier a notamment réalisé *The File Room*, un serveur Web qui accueille tous les éléments qui ont fait l'objet d'une censure culturelle.

En utilisant l'Internet pour sa spécificité, Muntadas crée un lieu unique, un modèle de système ouvert et interactif. Loin d'être une œuvre achevée, *The File Room* a été dès son origine mise à la disposition du public, qui peut la faire vivre et l'enrichir quotidiennement. « La technologie interactive est ainsi utilisée pour adjoindre de nouveaux points de vue, compléter des informations manquantes, défier les notions d'auteur, et refléter directement des voix et des opinions chaque fois que possible », note l'auteur.

D'une certaine façon, Fred Forest s'inscrit également dans cette famille. Pour ce titulaire de la chaire des sciences de l'information et de la communication de l'université Nice Sophia-Antipolis, l'Internet constitue en effet le mode d'expression de l'avenir. « Hier, explique-t-il, l'artiste laissait sa trace dans un espace physique, comme le mur des cavernes ou la toile, en se confrontant à la matière. Aujourd'hui, il peut laisser son inscription identitaire dans l'univers des réseaux. »

Au-delà du simple discours, une telle démarche remet complètement en cause le marché de l'art dans son ensemble. Pour diffuser son œuvre, « l'artiste n'est plus contraint de passer par des pouvoirs institutionnels, politiques et culturels », souligne ce libertaire convaincu.

Cet artiste est même allé encore plus loin en procédant, fin 1996, à une vente aux enchères d'une de ses œuvres électroniques, *Parcelle/Réseau*. Une innovation totale : comme le rappelait le commissaire-priseur, Me Binoche, à l'issue de la vente, une telle œuvre n'existe pas sur le plan du droit, puisque ce n'est ni un dessin, ni une peinture. Dans ces conditions, « comment appliquer les droits de douane à un Japonais ou à un Américain qui achèterait une œuvre française placée sur l'Internet » ? Réalisée en direct sur le Web, cette première vente aux enchères d'une œuvre virtuelle, qui a été adjugée au prix de 58 000 francs à l'hôtel Drouot, a donné naissance à un nouvel espace artistique et culturel en ligne.

Les deux acheteurs de *Parcelle/Réseau*[8] ont en effet aussitôt créé la galerie Nart, dont la vocation est de présenter des œuvres de jeunes talents du monde entier. L'œuvre signée Fred Forest y est accessible à tout internaute.

Les inconnues de la musique en ligne

Les technologies numériques et l'interactivité des réseaux ouvrent également de nouvelles perspectives pour le monde de la musique. Organisé en février 1995, le premier concert interactif sur l'Internet permettait à chaque spectateur de modifier en direct la feuille de service du concert, de choisir les scénographies et de changer les arrangements. Depuis, des expériences de ce type se sont multipliées et de nombreux sites proposent des œuvres musicales créées à plusieurs mains par des artistes qui ne se sont jamais rencontrés. Dans le domaine de la création musicale, plusieurs démarches sont possibles : soit les auteurs travaillent en commun et au même moment dans un « studio en ligne » ; soit ils interviennent seuls sur des œuvres ouvertes qui peuvent être actualisées en permanence. Dans ce cas-là, le site hébergeur met généralement à leur disposition une série d'échantillons sonores. En France, l'Institut de recherche et de coordination acoustique sur la musique (Ircam) met au point un tel studio en ligne. Ce projet a pour but de développer sur un serveur une véritable banque de données d'échantillons sonores et de logiciels spécifiques. Par ce biais, il est désormais possible de créer des sons nouveaux à partir d'enregistrements différents : un véritable trésor pour les compositeurs.

De manière générale, et comme pour l'édition, les réseaux informatiques risquent de modifier profondément l'industrie du disque et de la musique. Pourquoi un artiste devra-t-il passer sous les fourches caudines de l'édition musicale s'il peut établir directement un contact à distance avec son public ? En devenant son propre éditeur, le compositeur court-circuite toute la chaîne de production et de distribution. Ce n'est pas un hasard si plusieurs labels spécialisés dans la musique en ligne ont été créés aux États-Unis.

---

8. Bruno Chabannes, président de Victoire Télématique, la filiale multimédia de Desfossés International (groupe LVMH), et de Globe Online, et Antoine Beaussant, président du Groupement des éditeurs de services en ligne.

4. *La planète numérique*

Au fil des époques, la puissance des empires et des nations s'est mesurée successivement en bataillons, puissance navale, possessions coloniales, production industrielle et, enfin, par la détention de l'arme nucléaire. Au XXIe siècle, la puissance planétaire sera redistribuée en termes d'« intelligence collective ». Le palmarès des nations s'établira en fonction du taux de raccordement des foyers, écoles et entreprises aux autoroutes de l'information, du développement du télétravail comme facteur d'aménagement du territoire et du rapport coût/efficacité pour la collectivité d'un système de santé informatisé. Dans ce contexte, le leadership américain est évident, et il en va de même pour le dynamisme japonais, alors que l'Asie dans son ensemble s'affirme. Et l'Europe ? La situation y est contrastée. Quant au tiers-monde, c'est une nouvelle chance de développement qui s'offre, à condition de ne pas être relié au village global que par des chemins vicinaux.

Facteurs de puissance

Les industries de l'information et de la communication représentaient un marché international de plus de 1 450 milliards de dollars en 1996 : 650 pour les équipements, logiciels et services informatiques, et 800 pour les équipements et services de télécommunication. Un chiffre très supérieur aux exportations mondiales de produits agricoles ! Leurs croissances sont les plus rapides de toutes les industries, avec un taux moyen annuel de 15 % par an depuis 1990 pour l'informatique et de 10 % pour les télécommunications. Leur contribution au PIB mondial devrait dépasser 10 % d'ici à l'an 2000 et poursuivre son expansion au-delà.

1. Les marchés mondiaux

La croissance des industries de l'information et de la communication s'est effectuée jusqu'à présent sur des marchés relativement protégés, qu'il s'agisse d'équipement ou de programmes. À partir de ces bases nationales se sont constituées de grandes sociétés multinationales, même si l'accès à certains segments de marché demeurait restreint (droits de douane, quotas, etc.). Saisissant l'intérêt pour le consommateur et, par conséquent, pour l'emploi, d'une plus grande ouverture du secteur, les différents États concernés se sont mis d'accord depuis fin 1996 sur des mesures destinées à libérer un potentiel de développement encore captif.

L'Accord sur les technologies de l'information (ATI)

La logique de globalisation de l'économie, dont les technologies de l'information constituent un incontestable accélérateur, ne pouvait laisser longtemps subsister d'importants droits de douane sur des produits fabriqués et distribués mondialement. C'est pourquoi un accord historique de désarmement tarifaire portant sur plusieurs centaines de produits - le plus important jamais obtenu dans un seul secteur - a été signé en décembre 1996, dans le cadre de l'Organisation mondiale du commerce (OMC) à Singapour. Il concerne principalement les semi-conducteurs et les composants informatiques, les micro-ordinateurs et les logiciels, les équipements téléphoniques et les modems. L'électronique grand public (équipement vidéo et audio, CD audio, CD-ROM) n'est pas concernée pour l'instant, la France ayant mis en avant l'« exception culturelle » pour défendre le marché national du CD-ROM contre l'invasion de produits américains. Sont également exclues de ces dispositions les fibres optiques, à la demande des États-Unis, qui maintiennent encore, avec le Japon, d'importantes barrières douanières sur ces produits clés. Craindraient-ils d'être concurrencés dans ce domaine sur leur propre territoire ?

Quoi qu'il en soit, les consommateurs, principalement européens, gagneront une dizaine de milliards de dollars, par la baisse du prix des microprocesseurs utilisés dans les ordinateurs et dans la plupart des produits informatiques grand public. Par ailleurs, l'accord aura pour effet de stimuler encore plus la croissance du marché mondial des logiciels, services et solutions matérielles associées à l'Internet, qui devrait atteindre 210 milliards de dollars en l'an 2000 - contre 12 en 1996, selon le cabinet Input.

Dans la même perspective, l'Organisation mondiale du commerce, après trois ans de négociations, a bouclé en février 1997 à Genève un accord sur la libéralisation des télécommunications, complétant ainsi le dispositif. 68 pays, représentant 93 % du marché mondial des télécommunications, ont paraphé ce texte qui concerne tous les moyens de diffusion (câble, fibres optiques, fréquences hertziennes terrestres ou par satellites) et tous les services (téléphone, fax, radiomessagerie, téléphone cellulaire, transmission de données). D'ici à 2002, il conduira à l'abolition des monopoles subsistant en dehors de l'Amérique du Nord et de l'Union européenne, désormais libéralisées, avec toutefois une inconnue concernant la Chine, qui n'est pas encore membre de l'OMC. La concurrence ainsi ouverte et les possibilités de prises de participation vont accélérer la croissance du secteur tout en abaissant les coûts pour les usagers, avec des économies estimées à 1 000 milliards de dollars d'ici à dix ans.

Géopolitique électronique

80 % du marché des technologies de l'information est contrôlé par les États-Unis, le Canada, le Japon et l'Union européenne (qui importe cependant 150 milliards de dollars de produits chaque année). Globalement, le premier pays exportateur est le Japon avec 107 milliards de dollars en 1995, suivi de peu par les États-Unis avec 98 milliards, puis de Singapour avec 61 milliards, la part des autres pays (Royaume-Uni et Allemagne d'une part ; Hong-Kong, Corée, Malaisie, Taïwan d'autre part) tournant autour d'une trentaine de milliards chacun. La France, quant à elle, exporte pour environ 21 milliards de dollars.

Ces chiffres permettent de situer la base de production installée dans ces différents pays, mais ils ne reflètent pas la réalité de la recherche et de l'innovation en amont, ni celle de l'actionnariat en aval quant à l'affectation des gains. Nombre de composants américains sophistiqués peuvent par exemple entrer dans la fabrication d'équipements informatiques au Japon, et la place de numéro trois de Singapour s'explique surtout par la présence, sur le territoire de cette « ville-État », d'entreprises d'électronique grand public du monde entier attirées par la disponibilité d'une main-d'œuvre hautement qualifiée, relativement peu coûteuse et faiblement syndicalisée. L'économie des technologies de l'information et de la communication est très complexe à cerner à l'aide des concepts classiques de l'analyse économique et de la statistique, en raison des nombreux accords croisés de recherche, de financement ou de fabrication, l'essentiel étant de disposer de compétences spécifiques et d'une présence dans certains domaines clés pour rester « dans la course ».

Le palmarès mondial

Les bases industrielles de la société de l'information recouvrent un vaste secteur englobant les « contenants[1] » et les « contenus[2] ».

---

1. Équipements informatiques, télécommunications et matériel audiovisuel grand public.
2. Logiciels et programmes informatiques, films et programmes de télévision.

Pour l'ensemble de ces domaines, les positions américaines et japonaises sont particulièrement fortes, celles de l'Europe apparaissant moins homogènes.

Les États-Unis, disposant d'un grand marché, pionniers dans la micro-informatique, leaders mondiaux de l'exportation d'images avec Hollywood, sont aujourd'hui la première « puissance multimédia », présente sur tous les fronts. La première société mondiale de l'électronique et de l'informatique est IBM, avec un chiffre d'affaires de 75,9 milliards de dollars en 1996. Remarquable redressement pour « Big Blue », qui avait sévèrement encaissé le coup au début de la micro-informatique, face aux nouveaux arrivants comme Apple ou Compaq, et qui s'est offert le luxe de lancer un emprunt centenaire fin 1996, souscrit en totalité ! EDS (Electronic Data Systems), avec 14,4 milliards, est le numéro un parmi les SSII[3]. Intel, avec 20,8 milliards, est le leader dans le domaine des microprocesseurs, tandis que Microsoft avec 8,67 milliards est de loin le premier concepteur et producteur de logiciels micro-informatiques. Dans le domaine des logiciels de gestion de bases de données, Oracle, avec 4,2 milliards de chiffre d'affaires, est la première entreprise de son secteur.

Pour les « stations de travail » et serveurs Internet, Sun est le premier fournisseur mondial, avec plus de 7 milliards de dollars. Compaq, enfin, s'est hissé en quelques années au premier rang des constructeurs de micro-ordinateurs et a réalisé en 1996 un chiffre d'affaires record de 18,1 milliards, avec un bénéfice en forte croissance, là où d'autres ressentent le contrecoup de la conjoncture. Forte de cette position, la société diversifie son activité dans deux directions : les entreprises, avec l'acquisition en juin 1997, pour 3 milliards, de Tandem, spécialisé dans les grands serveurs et les machines à tolérance de pannes, ainsi que les solutions d'accès au réseau Internet, par le biais de divers partenariats avec de petites sociétés spécialisées. Dans le domaine des logiciels et équipements réseaux, les positions américaines sont aussi solidement établies. Cisco, qui a absorbé Stratacom au début de 1996, est avec 4,1 milliards de dollars le premier constructeur mondial d'équipements

---

3. Sociétés de services et d'ingénierie en informatique.

de réseaux informatiques. Il a toutefois été dépassé en chiffre d'affaires par l'ensemble 3Com-US Robotics, leaders respectifs sur les marchés des cartes d'interface réseau et les modems, dont la fusion en février 1997, au prix de 7 milliards, constitue le record dans le monde de l'informatique. Le nouveau groupe, avec un poids de l'ordre de 5 milliards, est dirigé par le Français Éric Benhamou, ingénieur des Arts et Métiers installé de longue date dans la Silicon Valley et qui présidait aux destinées de 3Com depuis 1990[4].

La suprématie américaine s'impose également en matière d'édition et de programmes de cinéma et de télévision, production et distribution confondues. Time-Warner, depuis sa fusion avec le groupe Turner, pèse 20 milliards de dollars, suivi de près par Disney ABC-Capital Cities. Dans le domaine des télécommunications, les États-Unis disposent avec AT&T du numéro deux mondial, avec 51 milliards de dollars de chiffre d'affaires, ainsi que d'un très important potentiel de recherche et développement dans ce secteur stratégique. En effet, Lucent Technologies, ancien laboratoire de Bell, figure parmi les vingt premières sociétés mondiales de l'électronique, avec un poids de 22 milliards de dollars.

Avec un tel palmarès et la création de nombreuses *start-up*, rien d'étonnant à ce que les nouvelles technologies se soient hissées au premier rang des activités industrielles du pays, soit 6,2 % du PIB, selon le rapport « *Cybernation* », publié en novembre 1997 par l'Association américaine de l'électronique et la Bourse des valeurs Nasdaq. Avec 866 milliards de dollars de chiffre d'affaires en 1996, le secteur, comprenant les produits de haute technologie, les logiciels et services informatiques, et les télécommunications, est également devenu le plus gros exportateur de biens manufacturés, pour un total de 150 milliards de dollars.

De Tokyo à Bruxelles

Le Japon, quant à lui, possède avec NTT le premier opérateur mondial de télécommunications, qui pèse plus de 82 milliards de dollars. Sa présence est également très forte dans le domaine de

---

4. Voir p. 319.

l'électronique grand public, les entreprises nippones étant les leaders du secteur : Matsushita, avec 51 milliards de chiffre d'affaires, suivi de peu par Sony, mais également par Hitachi, Toshiba et Canon. Avec NEC, le Japon possède le second producteur mondial de microprocesseurs. Quant aux jeux vidéo, Nintendo et Sega (qui a fusionné avec Bandaï, début 1997) sont de loin les premiers sur ce créneau. Dans le domaine de l'édition, le Japon connaît les plus fortes diffusions de la presse mondiale, les grands groupes entamant une ambitieuse diversification vers le multimédia.

Face aux bastions américain et japonais, les positions européennes sont variables selon les secteurs. Sur les vingt premières sociétés mondiales de l'électronique, on compte six américaines, neuf japonaises, une coréenne et seulement quatre européennes. Il s'agit de Siemens, numéro quatre avec 49 milliards de dollars de chiffre d'affaires, Philips, au neuvième rang avec 35 milliards, Alcatel, en dix-septième position avec 21,2 milliards et Bosch, à la dix-neuvième avec plus de 20 milliards. De même, sept micro-ordinateurs sur dix vendus en Europe sont de marque américaine : Bull, qui n'y occupait qu'une place modeste, a revendu l'américain Zenith, et Olivetti se retire du secteur. Il ne reste plus guère pour défendre les couleurs européennes que Siemens-Nixdorf, numéro un sur son marché national.

En revanche, la présence européenne dans le secteur des télécommunications est assez bien assurée. Deutsche Telekom, privatisée depuis 1996, est numéro trois mondial avec un chiffre d'affaires de 46 milliards de dollars, suivi de France Télécom, avec 30 milliards de dollars. Dans le domaine de l'édition, de la production et de la diffusion de programmes, l'Europe dispose également de bases solides avec deux grands groupes de dimension internationale : Bertelsmann est le numéro trois mondial et Havas figure au cinquième rang.

2. Le poids croissant de l'Asie

L'expansion des économies asiatiques et leur insertion progressive dans l'économie globale constituent l'un des phénomènes géopolitiques majeurs de cette fin de siècle[5]. Il ne s'agit plus seulement de pays comme la Corée, Taïwan ou Singapour, qui ont tôt fait de suivre l'exemple japonais, mais aussi de grands pays comme la Malaisie, la Chine, voire l'Inde. Les taux de croissance asiatiques sont les plus élevés du monde, supérieurs même à ceux des pays occidentaux d'avant la crise. Désormais dans ces pays, immenses marchés potentiels, les industries électroniques et informatiques sont l'une des principales locomotives de la croissance. Ainsi, sur les deux rives du Pacifique, de la Californie au Sud-Est asiatique, apparaît un vaste ensemble géo-économique fondé sur les industries de l'information et de la communication. Les accords croisés se multiplient, de plus en plus souvent établis sur des capacités de recherche et de production de pointe. Une leçon à méditer pour l'Europe...

Le dynamisme asiatique

Le schéma de croissance asiatique tend à se reproduire de pays en pays depuis la reconstruction de l'économie nippone dans les années 60 et son arrivée en force sur des créneaux tels que l'automobile et l'électronique, où les pays occidentaux avaient jusque-là un quasi-monopole. La réussite du Japon a tendu à accroître le niveau des salaires, rendant du coup très compétitifs des pays comme la Corée, à la main-d'œuvre bon marché mais hautement qualifiée. Située au départ sur des secteurs industriels traditionnels - textile, sidérurgie, construction navale -, la concurrence s'est rapidement étendue à l'électronique. Les fabricants coréens d'audiovisuel grand public, d'écrans ou de mémoires informatiques rivalisent déjà dans le monde entier avec les plus grands constructeurs japonais. Sans avoir la même dimension, les firmes de Taïwan ou de Singapour représentent une part croissante de la sous-traitance dans le secteur, tout en proposant de plus en plus de produits finis, en particulier pour la micro-informatique. Mais les coûts de production deviennent à leur tour plus élevés et certains transferts de fabrication vers la Malaisie, l'Inde ou la Chine sont désormais

---

5. L'impact de la crise financière et boursière asiatique, intervenue à la mi-1997, le prouve à contrario, même s'il est trop tôt pour en évaluer tous les effets.

pratiqués. C'est aussi une manière de prendre pied dans les marchés à plus fort potentiel.

Les pays émergents, en particulier en Asie, représentent une part croissante de l'investissement international : 40 % des flux mondiaux d'investissement en 1993-1994, selon une étude Arthur Andersen publiée en janvier 1997. L'Asie devrait même être la destination privilégiée des investissements internationaux au cours des cinq prochaines années. Le potentiel demeure en tout cas élevé, car si l'Europe de l'Ouest détient encore 41,5 % du montant total des investissements internationaux et l'Amérique du Nord 26 %, l'Asie du Sud-Est n'en représente à ce jour que 12,7 %. Par ailleurs, il convient de relever l'importance des flux d'investissements internes à la région : sur les 340 milliards de dollars d'investissements étrangers réalisés en Chine sur la période 1992-1996, 70 % proviennent d'autres pays asiatiques. Les disponibilités financières de pays comme la Corée ou Taïwan leur permettent en même temps d'investir en Europe et aux États-Unis, dans l'électronique et l'informatique grand public en particulier !

D'autres facteurs de réussite

Il est tentant d'expliquer aussi cette réussite par d'autres facteurs. Jean Mandelbaum[6] attribue en partie ce succès, tout particulièrement dans les domaines des technologies de l'information et de la communication, à une donnée culturelle forte : le système d'écriture idéographique. Il faut à un Chinois, un Coréen, ou un Japonais deux ou trois années de travail intense pour apprendre, de mémoire visuelle, une petite partie indispensable des quelque 30 000 idéogrammes recensés, là où il suffit de quelques semaines à un enfant occidental pour maîtriser les 26 lettres de l'alphabet et leurs liaisons logiques et phonétiques.

C'est cet apprentissage difficile que les Asiatiques ont su transformer en avantage. Le sens de la précision et de la « qualité totale », mais aussi de l'esthétique et de la cohésion sociale en serait issu. De telles « vertus collectives » peuvent indéniablement contribuer

---

6. Président de France Pacific Consultants et coauteur avec Daniel Haber de *La Revanche du monde chinois*, Economica.

à l'appropriation des modes de fonctionnement d'industries fondées sur la collecte et le traitement de l'information. L'esprit de synthèse, facilité par le recours à une logique associative, héritée de la mémoire graphique, se prête particulièrement bien à une approche systémique. Or celle-ci, caractéristique des peuples « néo-confucéens », s'avère un atout précieux dans les métiers d'intégration qui modèlent notre société postindustrielle. Quoi qu'il en soit, nombre de pays asiatiques poursuivent avec succès une politique économique fondée en grande partie sur la production de matériels et de logiciels et, de plus en plus, sur l'utilisation de nouveaux réseaux comme facteur de développement, comme l'illustrent les exemples suivants.

Les « Trois Tigres »

Après le Japon[7], les premiers « miracles économiques » asiatiques sont ceux de la Corée, de Taïwan et de Singapour. Leurs performances économiques leur ont valu d'être appelés les « Trois Tigres », en référence symbolique à la toute-puissance de ce félin dans la cosmogonie chinoise !

La Corée. - Premier d'entre eux, la Corée est un acteur industriel reconnu. Des conglomérats *(chaebol)* comme Samsung et Goldstar se partagent avec les principales entreprises japonaises du secteur et TCE (Thomson Consumer Electronics), filiale de Thomson Multimédia, le marché américain de l'audiovisuel grand public. Daewoo, intéressé par l'Europe, était d'ailleurs candidat fin 1996 à la privatisation de cette dernière société, qui n'a pas abouti. Samsung a eu plus de chance. Déjà premier producteur mondial de mémoires informatiques (DRAM), il est devenu le fournisseur privilégié d'IBM pour les écrans d'ordinateurs, en vertu d'un contrat conclu fin 1996. Le fabricant coréen doit livrer sur trois ans cinq millions de moniteurs, pour une facture totale de 2 milliards de dollars. Il va ainsi renforcer sa présence dans un secteur sur lequel il est déjà leader, avec 8 millions d'écrans vendus en 1996, soit plus de 17 % du marché mondial.

Taïwan. - Taïwan est le troisième producteur mondial de

---

7. Voir p. 228.

composants et équipements dans le domaine des technologies de l'information, pour une valeur totale de 24 milliards de dollars en 1996. Ce pays est très présent dans le secteur des semi-conduc-teurs, des modems, la société GVC étant l'un des principaux constructeurs mondiaux, et des micro-ordinateurs, en particulier avec Acer. Numéro un de l'informatique taïwanaise et troisième fabricant mondial de micro-ordinateurs en volume, le groupe a réalisé en 1996 un chiffre d'affaires de 5,9 milliards de dollars. Partenaire privilégié de Texas Instruments, avec lequel il a codé-veloppé et fabriqué la ligne d'ordinateurs portables de cette entre-prise (quatrième rang du marché américain), Acer a racheté cette activité à TI début 1997. Cette acquisition fait suite à celle réalisée en 1990 de la société américaine Altos, spécialisée dans les systèmes informatiques sous UNIX. Ces rachats témoignent d'une stratégie de pénétration directe du marché américain par un fabricant qui est déjà le sous-traitant de plusieurs grands acteurs du secteur.

Singapour. - Singapour, qui abrite sur son petit territoire de nombreuses industries électroniques et informatiques et est l'une des principales places financières asiatiques, a tôt saisi l'intérêt éco-nomique et social d'une infrastructure de télécommunications sus-ceptible de relier entreprises, universités et particuliers, qu'il s'agisse d'applications éducatives, professionnelles ou de loisirs. Le plan IT 2000, formulé dès août 1991, peut être à cet égard considéré comme le précurseur des autoroutes de l'information, puisqu'il précède d'un an le discours historique d'Al Gore sur le sujet. « IT 2000, vision d'une île intelligente » repose sur un maillage systématique du territoire, à la fois par des moyens de radiocom-munication et par fibre optique. L'objectif est de consolider la position financière de Singapour, mais aussi d'apporter à ses habi-tants l'ensemble des services rendus possibles par les technologies numériques : transactions administratives et formation à distance, téléshopping, vidéo à la demande, services mobiles de transmission de données. Par cet ambitieux projet, Singapour se positionne comme un véritable laboratoire préfigurant le monde de demain.

Les trois grands

À leur manière, de grands pays du continent préparent aussi

activement le XXIᵉ siècle. Il s'agit de l'Inde, de la Chine et de la Malaisie, pays musulman à la charnière des deux premiers.

L'Inde. - L'Inde, disait Alberto Moravia, est moins remarquable par ses paysages que par ses hommes. Alors référence religieuse, mystique et esthétique, cette affirmation s'applique bien aujourd'hui aux capacités des Indiens dans le domaine des logiciels. L'Inde, grâce au savoir-faire de ses ingénieurs et à sa main-d'œuvre à bas prix, est l'un des grands pays de la programmation informatique, par le biais de la sous-traitance. Nombre d'entreprises lui confient des développements de logiciels, et certaines comme Swissair y ont même délocalisé une partie de leur activité informatique. Les entreprises Tata possèdent, quant à elles, plus d'informaticiens que toutes les sociétés de services et d'ingéniérie informatiques françaises réunies. L'entreprise HCL de New Delhi, créée en 1976, a réalisé l'an passé un chiffre d'affaires de 550 millions de dollars en logiciels, avec des partenaires comme IBM et Hewlett-Packard, et prévoit d'atteindre les trois milliards en l'an 2000. On comprend mieux dans ces conditions comment l'Inde exporte déjà pour plus de un milliard de dollars de logiciels par an.

La Malaisie. - La Malaisie, principal producteur mondial de caoutchouc naturel, est moins connue pour son industrie électronique et informatique florissante. Avec un taux de croissance de 8 % par an en moyenne ces dernières années, c'est le pays de la démesure : les deux tours Petronas de Kuala Lumpur sont les plus hautes du monde, dépassant le record détenu par le gratte-ciel Sears de Chicago ! Moins visible, mais tout aussi ambitieux, le MSC (Multimedia Super Corridor) vise à doter le pays de sa propre autoroute de l'information, très largement au service des entreprises. Pour attirer davantage d'investisseurs étrangers, une immense zone industrielle de 750 kilomètres carrés est en cours de réalisation à proximité de la capitale. Baptisée Discovery Area, entièrement câblée en fibre optique et dotée d'accès Internet, elle jouit d'un statut fiscal avantageux.

La Chine. - La Chine représente le plus fort potentiel de développement en Asie. Dans le domaine de l'information et de la communication, les besoins sont immenses, ne serait-ce que pour permettre à un plus grand nombre de Chinois de disposer d'un téléphone : 4 % seulement de la population en était équipée fin 1995, le ratio fixé comme objectif étant de 10,5 % en l'an 2000. Pour y parvenir, le gouvernement a décidé d'investir 342 milliards de francs, dont les deux tiers seront absorbés par la construction de 300 000 kilomètres de fibres optiques. Le plan mis en œuvre devrait permettre d'ajouter 54 millions d'abonnés aux 41 millions existants. Mais, comme d'autres pays, la Chine a pris en attendant des « raccourcis technologiques » : à la mi-1996, le pays disposait de 5,6 millions d'abonnés au téléphone mobile, secteur qui connaît un taux de croissance de 188 % par an ! L'ouverture à la concurrence en 1992, marxisme nonobstant, et la contribution de puissants investisseurs étrangers (Motorola, Ericsson) ont certainement facilité ce succès, fondé largement sur la technologie européenne GSM.

Dans le domaine de l'Internet, la Chine a également de grandes ambitions. Son objectif est de relier six cents villes chinoises et plusieurs centaines de milliers d'entreprises dans les vingt ans à venir au « réseau des réseaux » ! Les 500 000 utilisateurs de l'Internet dénombrés au milieu de 1996 sont actuellement desservis par trois prestataires publics, qui ne sont toutefois pas autorisés à donner l'accès à tous les sites. De même, Microsoft a rencontré quelques difficultés avec le logiciel Windows 95 en idéogrammes, qui a dû être modifié, car il contenait des associations de caractères au contenu jugé politiquement incorrect... La Chine accomplit des pas de géant sur la voie des autoroutes de l'information, mais ne tient pas dans l'immédiat à ce qu'elles deviennent des voies de communication !

3. Le tiers-monde

L'irruption du multimédia constitue aussi un enjeu pour les pays du tiers-monde. D'un côté, rester à l'écart des nouveaux réseaux serait courir le danger d'une marginalisation. De l'autre, le risque de perte d'identité, voire d'autonomie de décision face aux pays industrialisés ne peut être négligé. À cela s'ajoute la difficile gestion de sociétés à deux vitesses : l'élite a accès à l'information, tandis que la majorité, en partie analphabète, ne sera sans doute pas en mesure, que ce soit en termes économiques ou culturels, d'accéder avant longtemps à ces nouveaux outils du savoir. Pourtant, si l'on en croit Nelson Mandela, « les technologies de communication ne doivent pas être considérées comme un luxe, intervenant après le développement général du pays, mais comme l'une des convictions qui déterminent les capacités des pays en développement à engager la modernisation de leur économie et de leur société[8] ».

Des inégalités planétaires

La moitié de la population mondiale n'a jamais utilisé un téléphone ! Ce simple constat indique tout le chemin qui reste à parcourir pour que les habitants de la planète dans leur ensemble puissent bénéficier des bienfaits de la société de l'information. Les infrastructures de télécommunications sont en effet très inégalement réparties suivant les continents et les pays. L'Amérique du Nord et l'Europe de l'Ouest disposaient à elles seules de plus de la moitié des 677 millions de lignes existant dans le monde en 1995.

Le critère de base en la matière est le nombre de lignes principales pour cent habitants. Selon l'Idate[9], ce chiffre était en 1995 de 61 en Amérique du Nord, 49 en Europe de l'Ouest, 17 en Europe de l'Est, 9 en Amérique latine, 5 en Asie-Pacifique, 4 au Moyen-Orient et en Afrique. Et encore, dans ces deux dernières zones, les disparités sont très fortes : Singapour, l'Australie, la Nouvelle-Zélande ont évidemment un taux très élevé, comme certains émirats ! Les pays émergents, qui représentent plus des quatre cinquièmes de la population mondiale, ont quatre fois moins de lignes téléphoniques que les pays développés.

En revanche, même faiblement équipés, ces pays ont souvent une infrastructure de télécommunications relativement récente, capable d'acheminer différents trafics, notamment de données. Ils

---

8. Discours prononcé par Nelson Mandela à Genève, en octobre 1995, devant le 7e Forum international des télécommunications. L'Afrique du Sud a accueilli en mai 1996, à Midrand, la première conférence consacrée à la société de l'information et au développement.
9. Institut de l'audiovisuel et des télécommunications en Europe.

possèdent en effet un taux d'équipement en lignes numériques, permettant une communication en qualité et en volume qui n'a souvent rien à envier aux pays industrialisés. Ainsi, toujours selon l'Idate, en 1995, en Amérique du Nord, le taux de numérisation était de 77 % des lignes, en Asie-Pacifique de 72 %, en Europe de l'Ouest et en Amérique latine de 64 %. Pour l'ensemble Moyen-Orient/Afrique, le pourcentage était de 70 %, mais avec des situations très différentes. Quant à l'Europe de l'Est, elle affiche dans ce domaine un grand retard, avec seulement 20 % de lignes numérisées !

En matière de radiotéléphonie cellulaire, même si l'on assiste à un certain boom, en particulier en Asie, les pays industrialisés demeurent très en avance. En 1995, près de 60 millions d'abonnés sur environ 90 millions dans le monde sont nord-américains ou européens. En Amérique du Nord, on compte aujourd'hui 13 abonnés pour 100 habitants, 6 en Europe de l'Ouest et 1 en Amérique latine et en Asie. Ces taux sont appelés à augmenter rapidement, en particulier dans les pays émergents, dont le développement du marché de la téléphonie mobile est spectaculaire et représente une part croissante des quelque 175 millions de téléphones mobiles dénombrés dans le monde à la fin de 1997, selon l'Omsyc[10].

D'autres indicateurs reflètent bien la réalité du sous-développement en infrastructures de télécommunications, qui conditionnent à la fois l'accès au marché mondial, aux circuits financiers et aux connaissances indispensables au décollage économique. Ainsi, le trafic international de télécommunications « sortant » est au moins sept fois supérieur pour les pays industrialisés, si l'on se réfère aux données de l'Union internationale des télécommunications (UIT). De même, les revenus des opérateurs de télécommunications s'inscrivent dans un rapport de 1 à 10 !

De la télévision à l'ordinateur

S'il est un domaine où les pays du tiers-monde possèdent un équipement proche de celui des pays industrialisés, c'est celui de

---

10. Observatoire mondial des systèmes de communication.

la télévision ! Celle-ci a fait son entrée dans la majorité des foyers, tous régimes et niveaux de développement confondus ! En Amérique du Nord et au Japon, la moyenne est de deux récepteurs par foyer. En Europe de l'Ouest, l'ensemble des ménages sont équipés d'au moins un appareil, de même qu'en Russie ou au Brésil. En Chine, plus des quatre cinquièmes des habitations en sont dotées et en Inde le tiers. La situation est plus différenciée pour les magnétoscopes, mais cet équipement demeure très présent : 82 % des foyers nord-américains équipés de TV et 62 % des européens, 65 % en Extrême-Orient (mais moins de 10 % en Chine), 42 % au Moyen-Orient, 30 % en Amérique latine et 21 % pour une partie de l'Afrique[11].

Dans ces conditions, on peut penser qu'un scénario comparable, même avec un décalage de moindre ampleur, pourrait se réaliser avec le micro-ordinateur. En fait, il faudrait qu'un certain nombre de conditions soient réunies et que, pour cela, les principaux dirigeants du tiers-monde acceptent pleinement les promesses et les risques de la mondialisation de l'information. En l'occurrence, TV et micro ne représentent pas les mêmes enjeux. En effet, le développement phénoménal de la télévision peut s'expliquer, dans le cas de dictatures par exemple, par le contrôle des moyens d'information, mesure encore relativement répandue, même si les satellites rendent de plus en plus difficile le maintien du monopole ! Ailleurs, l'ouverture consentie au monde extérieur a pu parfois contribuer à une certaine perte d'identité, source elle-même d'intolérances raciales ou religieuses.

Dans le cas du multimédia, il ne faudrait pas que la fiscalité et les droits de douane grèvent le coût d'acquisition. Un taux d'alphabétisation suffisant, voire la connaissance de l'anglais, sont également nécessaires. Même si ces conditions étaient réunies, certains pays ne sont pas nécessairement prêts à autoriser leurs citoyens à ouvrir pleinement la fenêtre sur le monde : la Chine et Singapour ne sont pas les seuls à bloquer les accès à certains serveurs Internet, jugés politiquement ou moralement incorrects. Le contrôle des contenus n'est-il pas à long terme un combat d'arrière-garde, face

11. Source Screen Digest, 1995.

à la mise en œuvre de moyens de communication de plus en plus reconnus comme facteurs de développement ?

Infrastructures de télécommunications et développement

Aujourd'hui il n'y a plus guère de pays dans le monde qui n'accomplisse un effort pour se doter d'une infrastructure moderne de télécommunications, dans le cadre des actions de développement économique et social. Face à l'explosion démographique des villes du tiers-monde, un maillage de télécommunications adéquat peut être un instrument d'aménagement du territoire. Sans cela, face à la pénurie de cadres et de moyens de formation, il ne saurait y avoir de politique sanitaire ou éducative réellement efficace. À cet égard, les pays en voie de développement disposent d'un atout : partant d'un niveau d'équipement réduit, il est possible d'effectuer des sauts technologiques pour acquérir d'emblée les solutions les plus performantes.

Il en est ainsi du pourcentage de lignes numériques dans ces pays dont on a vu qu'il est souvent comparable à celui des pays industrialisés. De la même manière, des effets de substitution sont possibles, avec un bénéfice économique réel, dans la mesure où l'investissement peut être réduit. La radiotéléphonie cellulaire constitue dans certains cas une réponse adéquate à l'ampleur des besoins de financement pour des installations fixes. Les satellites plutôt que des liaisons terrestres coûteuses au travers de zones parfois mal contrôlées et l'énergie solaire plutôt qu'un réseau électrique classique représentent des solutions mieux adaptées et qui ont fait leurs preuves, tant en Afrique qu'en Inde, pour alimenter les installations de réception dans des territoires éloignés.

Toutefois, même avec des objectifs réalistes, les besoins sont considérables et les investissements demeurent très élevés. L'Afrique, soit 12 % de la population mondiale, ne dispose pas de plus de lignes téléphoniques que toute la ville de Tokyo ! C'est pourquoi les pays du tiers-monde font de plus en plus appel aux capitaux extérieurs pour les nouveaux équipements. La privatisation de l'opérateur public - réalisée il y a quelques années en Amérique latine (Argentine, Mexique), en 1996 en Côte d'Ivoire et en 1997 au Sénégal - est l'un des moyens utilisés. L'appel direct au capital privé national ou étranger, en particulier pour la radiotéléphonie mobile, en constitue un autre. Le téléphone cellulaire s'est ainsi développé au Zaïre avec la société Telecel et la Côte d'Ivoire dispose de trois opérateurs mobiles sur son territoire ! Désormais, vingt-cinq pays africains possèdent un réseau qui, il est vrai, ne couvre le plus souvent que la capitale.

Les réseaux, facteur d'insertion dans l'économie globale

Les nouveaux réseaux mondiaux comme l'Internet sont-ils un luxe réservé aux pays industrialisés ou peuvent-ils également contribuer au développement économique des pays pauvres ? Si l'on en juge par les initiatives prises sur un plan international, il semble que responsables politiques et experts retiennent la seconde hypothèse. La Banque mondiale a ainsi lancé Infodev pour apporter un soutien dans la définition et la réalisation de politiques de développement appuyées sur les systèmes d'information et de communication. Worldtel, organisme qui a le soutien des principaux opérateurs téléphoniques, apporte les compétences techniques et le soutien financier de ses membres. L'AID, Agence américaine pour le développement international, a promu un programme destiné à permettre à vingt pays africains d'accéder au réseau Internet en négociant des tarifs avantageux sur les liaisons internationales. Le Canada, avec Afrinet, et le Québec, avec Afriweb, ont mis en œuvre, avec la collaboration de l'Agence de la francophonie, des actions en faveur des pays africains. Le premier concerne la mise en place des équipements et la formation des personnels techniques, le second le conseil à la conception et à la création de sites.

L'Internet offre aux responsables du tiers-monde le bénéfice d'une somme de connaissances directement utiles aux programmes de développement. Un institut agronomique du Mali dispose par exemple grâce au Net d'une information précieuse sur la météo ainsi que sur la culture et l'amélioration de certaines espèces végétales. De même peut-on citer, parmi les projets lancés à l'occasion du sommet du G7 à Bruxelles en février 1995, la mise en place d'un réseau international sur les catastrophes naturelles et d'un autre sur l'environnement, domaines dans lesquels les pays moins avancés sont particulièrement démunis.

Commerce et développement

En dernier lieu, le Net constitue une vitrine ouverte sur le commerce mondial. Nombre de pays du tiers-monde disposent de leur propre site afin de présenter leur économie, leurs productions et leurs entreprises à des investisseurs ou clients potentiels. La Conférence des Nations unies sur le commerce et le développement a franchi un pas de plus en mettant en place, dans le cadre de son programme *Trade Efficiency*, des « pôles commerciaux régionaux » pour faciliter le commerce des matières premières et des biens manufacturés. L'objectif est de mieux faire connaître ces productions et les conditions tarifaires liées, tout en réduisant, pour le vendeur, le coût des transactions par des procédures simplifiées grâce à l'informatique.

Le projet repose sur un recours systématique à l'EDI pour les commandes, la facturation et le suivi logistique, selon le standard Edifact développé par les Nations unies et adopté par de nombreux pays et l'Union européenne. Les plates-formes informationnelles régionales mises en place (fournisseurs, produits, appels d'offres) sont reliées au réseau mondial et intègrent l'ensemble des autres acteurs (douanes, transporteurs, banques, assurances). Environ quatre-vingt-dix pôles de ce type sont déjà constitués, avec un état d'avancement variable, les premiers à avoir démarré étant le Brésil et l'Indonésie. En diminuant leur coût, les promoteurs du projet attendent une augmentation du nombre de transactions. Sur un commerce mondial estimé à 400 milliards de dollars par an, les économies escomptées à terme sont de 100 milliards, bien plus que l'aide annuelle totale des pays riches aux pays en développement !

Les trois pôles

La société de l'information introduit de nouveaux facteurs de puissance et des terrains de compétition supplémentaires entre les nations. Dans ce contexte, trois ensembles géopolitiques sont en rivalité et en coopération, ce que l'on appelle désormais la « coopétition », tant les intérêts sont à la fois concurrents, enchevêtrés et complémentaires. Il s'agit des États-Unis, du Japon et de l'Union européenne.

1. Les États-Unis

Si les États-Unis sont aujourd'hui le leader incontesté dans le domaine des technologies de l'information et de la communication, où leurs entreprises sont de loin les plus puissantes, c'est le plus souvent grâce aux hommes qui les ont fondées, qui ont conduit leur stratégie et géré leur croissance. Les conditions d'émergence des idées et des initiatives ne sont-elles pas mieux réunies dans ce pays où l'esprit pionnier demeure vivace ? C'est la société tout entière - classe politique, chefs d'entreprise, citoyens - qui est embarquée vers une nouvelle « conquête de l'Ouest ».

Les pionniers

Nombre de figures emblématiques du secteur informatique et multimédia ou leurs jeunes émules sont issus du système universitaire américain, sans que l'obtention d'un diplôme soit forcément indispensable. Bill Gates, par exemple, a fondé Microsoft sans avoir achevé ses études à Harvard et Larry Ellison, P-DG d'Oracle, deuxième société mondiale de logiciels, rivale de la précédente, a également quitté l'université pour créer sa société. Pour ce qui est de la « génération Internet », Marc Andreesen, créateur du logiciel de navigation Mosaic et cofondateur avec Jim Clark de Netscape, est, pour sa part, diplômé de l'université de Chicago. Quant à Jerry Yang et David Filo, qui ont lancé Yahoo, l'annuaire le plus consulté du Web, ils sont tous deux ingénieurs en électricité et en sciences informatiques de l'université de Stanford, dans la Silicon Valley.

Pour réussir il faut aussi être créatif : certains sont inventeurs, d'autres ont tôt compris l'importance d'une innovation pour s'y tailler un domaine de compétence. Parmi les premiers, on peut citer le génial Steve Jobs, créateur de Apple. Il y a aussi Tedd Hoff, recruté en 1968 par Intel, petite société californienne de 11 employés, créée la même année et qui a conçu le premier micro-processeur. Parmi ceux qui savent rejoindre une révolution, il y a Bill Gates. Il a d'abord saisi l'importance stratégique du système d'exploitation dans les micro-ordinateurs, en évitant d'accorder des droits exclusifs sur le MS-DOS au profit d'IBM. Plus récemment, après s'être contenté d'observer le phénomène Internet, voire de songer à le contrer avec le Microsoft Network, il a amorcé sur ce plan un virage à 180 degrés. Enfin, parmi les *start-up* aux réussites les plus spectaculaires engendrées par l'explosion du Net, il y a bien sûr Yahoo, mais aussi Big Book. Cet annuaire professionnel multimédia en ligne, créé par Kris Hagerman, 28 ans, recense 11 millions d'entreprises américaines.

Pour ceux qui ont déjà une expérience à leur actif, savoir valo-riser son potentiel, ou rebondir, n'est pas une moindre qualité. Intel a été fondée par Andrew Grove, Gordon Moore et Bob Noyce, qui s'étaient rencontrés chez Fairchild Electronics. Quant à Steve Jobs, après s'être séparé de Steve Wozniak avec lequel il fonda Apple, il créa la société Next, qui a depuis fusionné avec cette dernière[1]. Jim Clark a fondé Netscape en 1994 après avoir quitté Silicon Graphics, qu'il avait créé en 1982, délaissant son poste d'enseignant à Stanford. Spectaculaire rebondissement après son départ de la société qu'il avait fait prospérer, mais qui ne l'avait pas suivi dans son idée de fabriquer des ordinateurs graphiques bon marché.

---

1. Il a été nommé, en septembre 1997, président par intérim d'Apple.

Aucune position, même accompagnée de la réussite la plus éclatante, n'est acquise et le succès peut être de courte durée. C'est pourquoi chacun demeure vigilant et prêt à tout moment à s'engager dans une nouvelle aventure. C'est ce qu'Andrew Grove, consacré « homme de l'année 1997 » par le magazine *Times*, exprime dans un livre intitulé *Only the paranoid survive*, en soulignant que « tout succès en affaires contient les germes de sa propre destruction. Plus votre réussite est grande, plus il y aura de gens pour vous en arracher un morceau, et puis un autre, encore un autre, jusqu'à ce qu'il ne vous reste plus rien ! ».

Un terreau fertile

Ces hommes sont pur produit de l'Amérique. Sans l'environnement qui a favorisé leur créativité et leur esprit d'entreprise, il est vraisemblable qu'ils n'auraient connu ailleurs ni la même notoriété, ni la même puissance, ni la même richesse, tous étant devenus milliardaires avant la trentaine. C'est un fait que le décloisonnement et la mobilité de la société américaine favorisent l'éclosion, puis le développement des idées et des applications nouvelles. Les liens entre université et entreprise sont étroits et les programmes de recherche souvent menés en commun : Stanford est l'une des composantes de la Silicon Valley et le Media Lab du MIT expérimente aujourd'hui avec l'industrie les applications qui seront utilisées demain sur les autoroutes de l'information. Mais il y a aussi un état d'esprit : le goût du risque et l'acceptation de son corollaire, l'échec, sont plus développés outre-Atlantique. L'argent n'est pas en soi critiquable. Le signe tangible de la réussite est même un enrichissement rapide ! Enfin, le jeune âge peut être un atout : point n'est besoin d'attendre pour connaître le succès. La jeunesse d'esprit, quant à elle, permet d'être toujours en avance d'une évolution, quitte à abandonner pour recommencer.

Comment expliquer autrement qu'au Forum économique de Davos, consacré début 1997 à « l'édification d'une société en réseaux », les P-DG, scientifiques et experts capables de réfléchir sur les enjeux étaient tous, à de rares exceptions près, américains ? Les « petits génies » d'aujourd'hui deviendront les grands businessmen de demain, selon un schéma désormais immuable. Un jeune, à

peine ou fraîchement diplômé, a une idée de nouveaux produits
ou services, il obtient un peu d'argent (jusqu'à quelques millions
de dollars, cependant, dans certains cas !) d'une société de capital-
risque[2], si celle-ci juge son idée intéressante (la procédure est rapide
et le demandeur ne s'épuise pas en rendez-vous interminables et
recherches de garanties). Grâce à son apport personnel, plus ou
moins élevé, et celui du capital-risque, la société nouvelle est créée.
Les salariés embauchés, pas plus de trois à cinq, recevront des *stocks
options*[3] alléchantes et se mettent au travail. Délai : moins de deux
ans pour aboutir. Le succès conduit au Nasdaq, cela a été le cas
de Netscape et de Yahoo, voire au rachat par un « grand » du
secteur qui a les reins solides. Microsoft, avec son abondante tré-
sorerie, a ainsi absorbé nombre de petites sociétés créées pour lancer un produit unique. En cas d'échec, l'intéressé peut toujours
explorer une nouvelle idée, quoique la mobilisation du capital-
risque devienne alors plus difficile, ou simplement se faire embau-
cher par une grande société à l'affût d'esprits brillants, même s'ils
n'ont pu réussir du premier coup !

Les nouvelles vedettes

Le phénomène, parti de la Silicon Valley et considérablement
amplifié par l'Internet, a fait sentir ses ondes de choc à travers tout le
pays et jusqu'à la capitale fédérale. Un nouvel équilibre des pouvoirs
est en train de se créer. Pouvoir exécutif, pouvoir judiciaire et hommes politiques comptent désormais avec l'influence des promoteurs
de la société de l'information. Signe des temps, la revue *Time*, dans
un dossier consacré en juin 1996 aux Américains ayant le plus
d'influence sur la société d'une part, et les plus puissants en termes de
pouvoir réel de décision d'autre part, a établi des classements dans
lesquels les principaux acteurs du secteur informatique et multimédia reçoivent la part belle. Parmi les hommes et femmes les plus
influents, on relève en tête Jim Clark, puis Al Gore. Le vice-
président est cité pour son rôle dans la législation finalisant la libéralisation des télécoms et des médias audiovisuels, autant que pour son

---

2. Voir p. 317.
3. Titres de la société acquis dans des conditions préférentielles.

action en faveur de l'équipement informatique des écoles. On trouve aussi dans ce classement une certaine Patty Stonesifer, à la tête de la division des médias interactifs de Microsoft (Slate, MSNBC), trois responsables du monde de la télévision et un cinéaste, Robert Redford, père du cinéma « indépendant » (de Hollywood). Quant aux dix Américains les plus puissants, seulement deux sont des hommes politiques : le président Clinton en tête et le « speaker » conservateur de la Chambre des représentants, Newt Gingrich, en dixième position. Cinq sont des acteurs majeurs du multimédia : Bill Gates (numéro 2), Rupert Murdoch, P-DG de Newscorp (numéro 4), Michael Eisner, P-DG de Disney-ABC (numéro 5), Jack Welch, P-DG de General Electric, qui contrôle notamment la chaîne NBC (numéro 6), et enfin Andrew Grove, P-DG d'Intel (numéro 7).

La NII ou l'interventionnisme à l'américaine

Même si la prééminence américaine dans le domaine de l'informatique était bien établie avant l'arrivée du numérique et que les entreprises du secteur, anciennes ou *start-up*, ont tôt fait de conquérir le multimédia, le gouvernement américain n'a pas laissé le secteur aux seules forces du marché. La National Information Infrastructure (NII), formulée dès le début de 1993, est conçue comme un projet mobilisateur destiné à consolider les positions américaines, à ouvrir la voie à de nouvelles applications et à inciter l'ensemble des institutions et des citoyens à s'orienter résolument dans la direction de la société de l'information.

Les structures mises en place pour lancer le projet et en suivre les développements traduisent bien son caractère prioritaire. Une *task force* de l'Infrastructure de l'information (IITF) a été créée afin de permettre un contact permanent tant avec le Congrès qu'avec le secteur privé, représenté au sein d'un conseil consultatif. L'IITF, présidée par le secrétaire d'État au Commerce, comprend trois comités, aux attributions différentes : politique de télécommunications, politique de l'information et applications. L'organisme, qui rassemble des représentants de l'ensemble des administrations, est placé sous la responsabilité de la Maison Blanche. Al Gore est personnellement impliqué dans l'avancement du projet, qui fait l'objet d'un suivi régulier de sa part.

Dans l'arsenal des mesures de la NII figure d'abord la création d'un cadre législatif et réglementaire concurrentiel, destiné à favoriser l'émergence des autoroutes de l'information. C'est désormais chose faite. Afin d'assurer une couverture complète du territoire, notamment en milieu rural, et l'accès de tous les citoyens à ces services, la notion de service universel, rénovée, est réaffirmée. Même aux États-Unis, les seuls mécanismes du marché ne sauraient répondre à des préoccupations liées à l'aménagement du territoire ou à caractère social. Par ailleurs, toute une série de règles fiscales sont destinées à encourager l'investissement privé en recherche et développement, ainsi que des dispositions favorisant l'activité des PME du secteur. L'action engagée ne néglige aucun aspect du développement des autoroutes de l'information : les questions liées aux standards techniques sur les réseaux, au cryptage et à la sécurité font l'objet d'un suivi au plan fédéral. Il s'agit ici de sécurité nationale et de sécurité économique, face à d'éventuelles menées terroristes visant à paralyser les réseaux ou à accéder à certaines bases de données, sans parler des actions nuisibles des *hackers*.

L'ensemble des secteurs et institutions ont été mobilisés dans le cadre d'un appel à propositions conduit par l'ARPA, dénommé TRP (Technology Reinvestment Project), qui a reçu une dotation initiale d'un milliard de dollars. Cela a permis le lancement de plus de 200 projets sur les quelque 2 800 propositions reçues, financés conjointement par le gouvernement fédéral, les États et les collectivités locales, avec le soutien du secteur privé. Les domaines qui bénéficient d'une attention particulière sont la santé, l'éducation, les bibliothèques, l'information et les formalités administratives, ainsi que le commerce électronique interentreprises.

Les projets pilotes ont certes une vertu pédagogique, grâce à leur grande visibilité, mais le gouvernement fédéral ne se contente pas de soutenir des applications aux résultats rapidement mesurables. D'autres initiatives, moins connues, dotées de moyens considérables, préparent le long terme. Le programme *High Performance Computing and Communications* (HPCC), par exemple, vise à mettre au point des ordinateurs encore plus puissants, des réseaux plus rapides et des logiciels de plus en plus sophistiqués. Il a reçu des crédits annuels de l'ordre d'un milliard de dollars ces dernières années.

Sachant que plus des deux tiers des salariés américains occupent des postes liés aux secteurs de l'information et de la communication entendus au sens le plus large, on mesure les effets potentiels d'une économie en réseaux. La NII pourrait créer jusqu'à 300 milliards de dollars de chiffre d'affaires nouveau pour l'ensemble des secteurs industriels, selon ses promoteurs. L'Institut de stratégie économique estime pour sa part que le NII pourrait accroître le PNB de 194 à 321 milliards de dollars d'ici à l'an 2007 et augmenter la productivité des entreprises de 20 à 40 % !

Les enjeux du commerce électronique

Les États-Unis ont très tôt reconnu l'importance du commerce électronique. Dans le cadre de la NII, les efforts ont d'abord porté sur un soutien aux initiatives privées dans le domaine des échanges interentreprises avec le projet Commercenet, tandis qu'était lancée une vaste réflexion sur les implications juridiques du commerce électronique grand public, dont les grandes orientations ont été annoncées au milieu de 1997.

Le projet Commercenet constitue une démarche exemplaire de coopération entre les pouvoirs publics et le secteur privé. Bénéficiant de fonds fédéraux et de l'aide financière de l'État de Californie, il associe plus d'une centaine de grandes entreprises, dont des constructeurs informatiques, des sociétés de logiciels, des SSII, des opérateurs de télécommunications, des banques et des transporteurs. Y participent également des entreprises étrangères, notamment japonaises. L'ambition est de faciliter la mise en place d'un marché électronique ouvert sur l'Internet pour les transactions *business to business*, reposant sur l'échange de données informatisées (EDI). La généralisation de ce genre de solution permettra de réduire le temps de mise à disposition des produits et services, et donc de faire des économies de frais généraux. À l'horizon de l'an 2000, la majorité du commerce interentreprises aux États-Unis devrait ainsi s'effectuer sur l'Internet. En attendant, c'est le président Clinton lui-même qui a donné le coup d'envoi du commerce électronique grand public, en indiquant en juillet 1997 les grandes lignes de la politique libérale qu'il entendait suivre en ce domaine. Leadership du secteur privé, absence de nouvelles taxes, autorégulation des professionnels en matière d'utilisation des données personnelles nominatives par une labellisation des sites, telles sont les principales dispositions en la matière[4].

2. Le Japon

Leader dans le domaine audiovisuel, le Japon est resté longtemps à l'ombre des États-Unis pour ce qui est de la micro-informatique. Mais l'écart pourrait se réduire considérablement, si l'on en juge par l'essor du marché national de l'Internet. Les ambitions sont mondiales. Après les produits de quasi-monopole japonais, comme les écrans plats et les jeux vidéo, les terminaux, les logiciels et les applications multimédias sont désormais visés. Les autorités misent sur l'ensemble du secteur, par une plus grande ouverture des télécommunications à la concurrence et l'engagement d'un programme national des inforoutes, partant du constat qu'il a déjà créé 760 000 emplois au cours des six dernières années. L'économie nippone se tourne résolument vers les technologies de l'information et de la communication, devenu premier secteur industriel en 1995, avec 10,3 % de la production[5].

Une évolution plus qu'une révolution

Le Japon n'a pas été complètement pris de court par l'Internet. Il dispose en effet de services en ligne depuis plus de dix ans : le plus ancien est Nifty-Serve, lancé par le constructeur informatique Fujitsu, numéro un avec plus de 1,8 million de clients. Il est talonné par PC-Van, lancé par NEC. Créés dans des environnements propriétaires, ces services leaders du marché se sont ouverts au monde Internet : Nifty-Serve, basé au départ sur un accord avec Compuserve, offre désormais un accès au Web, comme les deux services de PC-Van, Mesh et Biglobe.

Il faut dire que le succès de l'Internet a développé la concurrence, avec l'arrivée de nombreux fournisseurs d'accès, dont

---

4. Voir p. 302.
5. Livre blanc sur les télécommunications, mai 1997.

certains émanent de grands groupes, comme Sony avec So-Net. Le dernier en date, lancé début 1997, est America On Line, associé à Mitsui et au quotidien économique *Nikkeï*. Le marché représente un potentiel important, le Japon étant déjà à cette date au quatrième rang parmi les utilisateurs du Net. Quant au taux de pénétration de la micro-informatique dans les foyers, il était de 20 % fin 1997 et devrait passer à 44 % en l'an 2000 !

En attendant, l'opérateur NTT attribue déjà une part substantielle de l'accroissement de son trafic au succès de l'Internet. Fin 1996, on dénombrait en effet, selon l'institut de recherche Daïwa, 2,4 millions d'utilisateurs dans le grand public et 4 millions en entreprise.

La presse prend les devants

La presse écrite au Japon est l'une des plus puissantes, en raison de ses diffusions élevées : le *Yomiuri Shimbun*, avec 14,5 millions d'exemplaires pour ses deux éditions quotidiennes, est le premier journal mondial. Ce pays est aussi celui où les grands groupes de presse sont les plus actifs dans le domaine du multimédia, conçu comme un prolongement du journal. Le *Yomiuri* est présent sur l'Internet avec l'éditorial du jour et un résumé des principales informations. Des initiatives plus originales ont été prises par d'autres organes de presse : l'*Asahi Shimbun* a créé l'Asahi-Net, service en ligne positionné en numéro trois du marché.

De leur côté, le *Mainichi Shimbun*, troisième quotidien japonais, et le *Sankeï Shimbun* offrent un véritable journal électronique de poche. Dans le cas du premier, le contenu éditorial est téléchargeable sur un PDA[6], le terminal électronique miniature Zaurus de Sharp, via le service en ligne Nifty-Serve. Il suffit de trois minutes pour recevoir une vingtaine d'articles au choix sur les cent cinquante à deux cents proposés chaque jour. Le *Sankeï* propose, quant à lui, son édition électronique à télécharger sur un petit terminal conçu par Mitsubishi, à partir du poste de télévision tout simplement ! Les données sont transmises sur les signaux de la chaîne Fuji, qui fait partie du même groupe de communication.

---

6. Personal digital assistant (« Assistant numérique personnel »).

Les grands acteurs : des ambitions mondiales

Tout comme les États-Unis, le Japon a ses *success stories* éblouissantes qui permettent à des hommes et à des entreprises encore inconnues il y a quelques années de jouer dans la cour des grands.

Softbank, multinationale du multimédia. - La société Softbank a été fondée en 1981 par Masayoshi Son, surnommé aujourd'hui le « Bill Gates japonais ». Âgé de 39 ans, il est désormais à la tête de la quatrième fortune du pays. Pourtant, ce jeune entrepreneur d'origine coréenne, après avoir fait ses études à Berkeley, a eu du mal à trouver des banques disposées à l'aider. Il a néanmoins réussi à créer son entreprise, laquelle est devenue, à la fin des années 80, numéro un de la distribution de logiciels au Japon, avec 40 % du marché. Bousculant les règles non écrites d'un capitalisme nippon fondé sur les grands groupes et les réseaux d'entente, il n'allait pas s'arrêter en si bon chemin. Assurant son expansion grâce au marché financier, il part à la conquête de l'Amérique. Dans la foulée de quelques petites acquisitions, il rachète en 1995 l'éditeur de presse informatique Ziff Davis pour 10,5 milliards de francs, et Comdex, organisateur des plus grands salons informatiques mondiaux, pour 4 milliards. Devenu numéro un dans ces deux secteurs, Softbank rachète, en 1996, 80 % de Kingston Technology Corporation, l'un des premiers fournisseurs mondiaux de cartes d'extension mémoire, pour la somme de 7,5 milliards de francs.

Présente sur plusieurs créneaux informatiques, l'entreprise s'intéresse également de près à l'Internet. Dès 1994, elle fonde avec NTT Data une filiale commune, Mediabank, pour la fourniture d'accès Internet et la vidéo à la demande. En Chine, Softbank s'allie avec l'américain Unitech Telecom (dont il contrôle 30 %) et gagne un appel d'offres pour la mise en place de services d'accès au Web. Mais c'est aux États-Unis que Masayoshi Son va réaliser ses prises de participation les plus stratégiques, parmi les sociétés leaders sur leur créneau : 37 % de Yahoo au printemps 1996, après les 10 % acquis dans Cybercash, spécialiste des transactions sécurisées sur le Net. À la fin de l'année, enfin, il prend une participation minoritaire dans Asymetrix, société de logiciels Internet créée par Paul Allen, qui n'est autre que le cofondateur de Microsoft. La télévision numérique intéresse également Softbank, qui a décidé de lancer en 1998, avec Rupert Murdoch, le bouquet J Sky B. Fuji TV et Sony, pour les décodeurs, participent au projet, comprenant plus d'une centaine de chaînes.

Réalisant désormais un chiffre d'affaires supérieur à 12,5 milliards de francs (et 1,1 milliard de bénéfices), Softbank est devenu un acteur clé du multimédia au Japon. Après Mediabank, ce sera Yahoo Japan (referençant 40 000 serveurs, la majorité en langue japonaise), puis Cyber Communications, première agence de publicité japonaise dédiée à l'Internet, créée avec le géant du secteur, Dentsu. Mais Softbank est aussi incontournable à l'échelon international : via Softbank Interactive, la société contrôlerait 40 % du marché américain de la publicité sur Internet. Yahoo est d'ailleurs l'un des principaux supports publicitaires dans le cyberespace. Si Kingston Technologies affiche une très forte rentabilité, d'aucuns craignent que l'édifice Softbank ne soit fragile, car la société s'est fortement endettée pour effectuer ces acquisitions, dont le nombre dépasse désormais la cinquantaine !

À chacun son terminal. - La bataille du multimédia est déclenchée chez les grands constructeurs audiovisuels, informatiques et de consoles de jeux japonais. Ils sont attentifs à l'envolée du marché du micro-ordinateur personnel et des besoins nouveaux créés par la mobilité. Quant au marché potentiel pour l'Internet des téléspectateurs n'ayant pas encore franchi le pas de l'informatique, il s'agit de le capter avec des « téléordinateurs ». Chacun doit défendre son pré carré, tout en cherchant à investir celui du voisin, par téléviseur-web ou micro-ordinateur interposé[7].

La première tendance est celle des fabricants d'audiovisuel grand public qui se lancent dans le multimédia : c'est le cas de Sony, qui commercialise un boîtier de raccordement à l'Internet à partir du téléviseur, fondé sur la technologie américaine Web TV. C'est également vrai pour Mitsubishi qui lance sur le marché un téléviseur Internet intégré. Quant à Bandaï, plus connu comme fabricant de jouets et de jeux vidéo, il a signé un accord de licence avec Apple pour son Pippin, branché au téléviseur. Inversement,

---

7. Voir p. 281.

des grands de l'informatique comme NEC lancent un PC-téléviseur, pour damer le pion aux nouveaux entrants.

Quant au PDA, qui évolue maintenant vers la couleur et la connexion Internet, c'est un appareil très répandu au Japon, le premier commercialisé il y a trois ans étant le Zaurus de Sharp, qui a passé le million d'exemplaires et a rencontré aussi un grand succès aux États-Unis. Mitsubishi est également sur ce créneau, de même que NEC et Casio avec les premiers micro-ordinateurs de poche dotés du nouveau système d'exploitation simplifié de Microsoft, le Windows CE. Matsushita, avec le Pinocchio lancé début 1997, y ajoute le fax et la fonction téléphone.

Même si les entreprises nippones sont attentives à ces nouveaux créneaux, le gros du marché de la micro-informatique, en forte croissance, continuera a être fondé sur le micro-ordinateur lui-même. C'est pourquoi Toshiba, déjà numéro un mondial des ordinateurs portables, et Sharp y entrent à leur tour, comme Sony et Hitachi. Tous lorgnent du côté des États-Unis : Fujitsu, deuxième constructeur sur le marché nippon derrière NEC, et Hitachi y ont même implanté des usines. NEC, troisième fabricant mondial et second sur le marché américain, a pris le contrôle début 1996 de Packard-Bell et de Zenith Data Systems.

Le savoir-faire à la japonaise. - Les Japonais disposent d'un quasi-monopole pour la fabrication des écrans plats utilisés dans les micros portables. Partant de cette compétence, les entreprises nippones ont réalisé des recherches poussées depuis plusieurs années pour utiliser cette technologie avec des écrans de plus grande dimension : micro-ordinateurs de bureau, mais aussi futurs terminaux de loisirs à domicile pouvant mesurer jusqu'à un mètre en diagonale. Ces écrans à plasma ou à cristaux liquides présentent de grands avantages : moindre encombrement[8] et une consommation d'énergie vingt fois plus faible. Le prix élevé demeure le dernier obstacle majeur à leur généralisation : un moniteur à cristaux liquides coûte encore sept fois plus cher qu'un modèle classique. Les principales entreprises qui se positionnent sur ce marché sont

---

8. 15 centimètres d'épaisseur pour un micro-ordinateur au lieu des 40/50 centimètres habituels.

Sharp, actuel leader mondial, et Matsushita. Pour les écrans à très grande dimension, des prototypes ont été développés par le premier en association avec Sony, mais également par Fujitsu. Enfin une alliance a été conclue au milieu de 1997 entre Sony, Sharp et Philips pour industrialiser la technologie Palc (plasma and liquid crystal) développée par le premier et combinant les avantages des deux procédés.

Le Japon est aussi presque sans rival dans les jeux vidéo. Jusqu'au début de 1997, trois entreprises, Sega, Bandaï et Nintendo, se partageaient le marché. La fusion des deux premières a créé un groupe de 30 milliards de francs de chiffre d'affaires, leader mondial du loisir multimédia. Dans ce secteur hyperconcurrentiel et aux marges étroites, cela va permettre de réaliser des économies d'échelle non négligeables. Belle perspective pour les créateurs de *mangas* (« dessins animés ») dont le succès mondial, sur console vidéo ou à la télévision, ne se dément pas.

Les autoroutes de l'information

Si le secteur privé au Japon fait preuve d'une extraordinaire vigueur dans le domaine du multimédia, les pouvoirs publics accompagnent le mouvement plus ou moins rapidement.

Les télécommunications. - Dans le secteur des télécommunications, le Japon, malgré un démembrement partiel de l'opérateur public NTT en 1985, n'a pas engagé une dérégulation aussi ambitieuse que celle lancée auparavant aux États-Unis puis en Grande-Bretagne. De ce fait, les tarifs japonais demeurent encore très élevés, constituant un frein au développement de l'activité, notamment pour les nouvelles applications multimédias. C'est pourquoi il a été décidé fin 1996 que NTT, qui demeure le premier opérateur mondial de télécommunications, serait réorganisé en trois entités distinctes : deux opérateurs locaux et un opérateur longue distance, l'ensemble étant toujours contrôlé à 65 % par l'État. Ces entités seront en concurrence avec les petits opérateurs locaux d'une part, les opérateurs longue distance comme DDI, Japan Telecom et Teleway Japan d'autre part, ainsi que les internationaux comme KDD, IDC et ITJ, désormais autorisés à offrir des services intérieurs. Le résultat attendu est une baisse sensible du prix des appels régionaux et internationaux, NTT ne pouvant offrir que progressivement des services vers l'étranger. La nouvelle donne des télécommunications japonaises entraîne une restructuration du secteur, Japan Telecom et ITJ ayant décidé de fusionner en avril 1997, KDD et Teleway prévoyant de faire de même d'ici à octobre 1998. La prochaine étape devrait être l'entrée d'opérateurs étrangers au capital de certains concurrents de NTT, selon un schéma désormais classique dans d'autres pays.

Les inforoutes du Japon. - Le MITI, l'équivalent du ministère de l'Industrie et du Commerce extérieur réunis, est avec le MPT (ministère des Postes et Télécommunications) le promoteur des programmes gouvernementaux d'autoroutes de l'information. Deux secteurs sont particulièrement visés : l'éducation et le commerce électronique. Le premier projet a démarré dès 1994 avec le raccordement d'une centaine d'écoles à l'Internet. En 1995, ce programme a reçu une dotation de 50 millions de francs, outre les crédits propres de l'Éducation nationale. Le relais pris en 1997, avec un appel à propositions, doit permettre de poursuivre le mouvement : il s'agit d'un vaste chantier, le Japon possédant près de 40 000 établissements scolaires !

En matière de commerce électronique, le MITI a lancé fin 1995, avec des crédits de 1,6 milliard de francs sur trois ans, un appel à propositions, qu'il qualifie d'« expérience la plus importante au monde ». Les 20 projets retenus, sur les 230 soumis, impliquent plus de 350 sociétés commerciales et 500 000 consommateurs. Les acteurs sont aussi bien IBM Japon que NTT, Fujitsu ou Softbank, mais aussi Mitsubishi et Toyota. Le MPT, de son côté, a lancé Cyberbusiness Conference avec un investissement de 85 millions de francs de 1996 à 1999. L'association créée à cet effet regroupe les principales entreprises nippones tous secteurs confondus et la section japonaise du Commercenet américain. Enfin, JCB (Japan Credit Bureau), le premier émetteur de carte bancaire du pays, lance le service en ligne Planet fondé sur le standard SET, bien que le MITI poursuive encore sa réflexion sur le choix d'une norme de cryptographie. L'originalité du projet JCB réside dans le fait que l'ensemble des commerçants affiliés se verront proposer la possibilité de créer leur vitrine virtuelle sur le serveur.

Une société moins hiérarchisée. - La société japonaise repose sur de nombreux codes sociaux, particulièrement développés sur le lieu de travail : sens profond de la hiérarchie, respect dû aux anciens. L'irruption du courrier électronique dans ce paysage organisé, où la communication ne saurait s'établir sans répondre à des normes, crée un certain bouleversement. Là où une entreprise comme Sony n'a pas hésité à doter ses 30 000 employés d'adresses E-mail, d'autres sociétés font preuve de davantage de circonspection. Certains Japonais voient dans ces nouvelles possibilités une source de conflits puisque la communication peut s'établir tous azimuts ! Enfin, il n'est pas sûr que les jeunes internautes acceptent de rentrer dans le moule : l'organisation « à la japonaise » de la nouvelle génération sera sans doute assez différente de celle d'aujourd'hui. Il n'empêche, les premiers adeptes du courrier électronique l'ont adapté aux usages nippons : les *smileys* anglo-saxons, permettant d'exprimer les sentiments par la ponctuation, ont été revus et corrigés par leurs soins !

3. L'Europe

Au palmarès des grandes industries du secteur figurent peu d'entreprises du vieux continent, et d'ailleurs elles sont rarement leaders. En matière d'innovation technologique, l'initiative vient le plus souvent d'outre-Atlantique et d'outre-Pacifique. La Commission européenne a établi le constat dès 1994 et s'efforce par différents moyens de modifier cette situation. Après avoir esquissé de grandes orientations, des directives ont été adoptées, des programmes de recherche engagés et des applications mises en œuvre. La mobilisation autour du thème de la société de l'information est désormais une priorité. Il s'agit à la fois de sortir de la crise, d'adapter l'économie à de nouvelles réalités, tout en préservant une spécificité faite de diversité linguistique et culturelle.

Les grandes orientations

Le livre blanc sur *La croissance, la compétitivité et l'emploi*, publié en 1993, exprime la conviction que « l'énorme potentiel qui existe pour de nouveaux services tant liés à la production qu'à la consommation, à la culture et aux loisirs, permettra la création d'un grand nombre d'emplois nouveaux ». Partant de cette affirmation, le rapport Bangemann présente, en mai 1994, un certain nombre de recommandations, sur la base desquelles une série d'actions importantes ont été lancées. Ce texte souligne que la société de l'information a le pouvoir d'améliorer la qualité de vie des habitants de l'Europe, d'accroître l'efficacité de l'organisation sociale et économique, tout en renforçant sa cohésion. Le danger de création d'une société à deux vitesses n'est pas pour autant méconnu. Aussi est-il indiqué que « de grands efforts doivent être déployés pour favoriser une large acceptation et une utilisation réelle des nouvelles techniques ».

Le secteur privé. - Le rapport met aussi en avant le fait que « l'attention accordée au niveau politique est trop intermittente », le secteur privé attendant un nouveau signal. L'affirmation selon laquelle l'investissement privé sera l'élément moteur va dans ce sens, « les situations monopolistiques et anticoncurrentielles » étant considérées comme les vrais obstacles. Par ailleurs, si « l'information a un effet multiplicateur qui dynamisera tous les secteurs économiques », les auteurs relèvent que « ces tendances et ces nouvelles possibilités demeurent moins bien perçues par les entrepreneurs européens que par leurs homologues américains ». Parmi les handicaps à surmonter figure également la « faible culture informatique en Europe ».

La clé de voûte. - La recommandation principale du rapport concerne la libéralisation complète des services et infrastructures de télécommunication, achevée le 1ᵉʳ janvier 1998. La baisse des tarifs doit entraîner une utilisation plus large des équipements, engendrant ainsi des revenus supplémentaires, tout en facilitant le développement d'autres services et applications. Une telle mesure favorisera par ailleurs l'accès des opérateurs européens à d'autres marchés, dans un secteur où la globalisation s'impose. Dans le domaine juridique, le rapport Bangemann donne le départ de travaux concernant la protection de la propriété intellectuelle, le respect de la vie privée et la sécurité de l'information, recommandant sur ce plan une politique commune à l'échelle de l'Union européenne. Parmi les autres orientations, un accent particulier est mis sur l'interconnexion complète des réseaux et la mise en place de services de base normalisés. Enfin des initiatives cofinançables par l'Union européenne sont suggérées pour contribuer au décollage de l'offre et de la demande. Les créneaux concernés sont le télétravail, l'enseignement à distance, les réseaux de santé, les services télématiques pour les PME et le multimédia.

Le coup d'envoi. - La plupart de ces mesures ont été entérinées par le Conseil européen, à Corfou, dès juin 1994. La principale, concernant la libéralisation du secteur, engagée au début des années 90 avec les terminaux, transmissions de données et communications par satellite, s'est poursuivie avec la téléphonie mobile, basée sur le standard GSM, en attendant de toucher la téléphonie vocale fixe, qui représente encore l'essentiel du trafic. Si le marché est ouvert à la concurrence depuis le 1er janvier 1998, il ne deviendra pleinement une réalité qu'en 2003, puisque le Luxembourg, la Grèce, l'Irlande, le Portugal et l'Espagne bénéficient d'un régime dérogatoire.

Un plan d'action. - En juillet 1994, la Commission, sur la base des décisions prises à Corfou, a publié un plan d'action intitulé « Vers la société de l'information en Europe ». Il s'agit en fait d'un programme de travail articulé autour de quatre volets : le cadre réglementaire et légal ; les réseaux, services de base, applications et contenus ; les aspects sociaux, sociétaux et culturels ; les actions de promotion et de sensibilisation. Il a été réactualisé à la fin de 1996 sur la base de quatre priorités :

1. Améliorer l'environnement des entreprises, avec des mesures et des projets destinés à faciliter l'usage des nouvelles technologies par les PME.

2. Investir dans l'avenir, c'est-à-dire faciliter l'introduction de la société de l'information dans les écoles et développer des actions liées à la notion de formation et d'apprentissage tout au long de la vie *(lifelong learning)*.

3. Répondre aux besoins des citoyens par des mesures et des projets permettant d'améliorer la qualité de vie et de faciliter l'appropriation des nouveaux outils par tous. C'est pour la Commission une manière de renforcer l'intégration européenne

par la création de réseaux culturels (éducation, bibliothèques, musées).

4. Répondre au « défi mondial », qui couvre aussi bien les négociations commerciales multilatérales que la coopération avec les autres pays européens et les pays en développement.

Le quatrième programme cadre de recherche et développement

Le secteur des technologies de l'information est le premier bénéficiaire du quatrième programme cadre de recherche et développement (1994-1998) : le total des crédits alloués, environ 20 milliards de francs, représente 28 % du total. Destinés à inciter au montage de projets européens impliquant plusieurs pays et des partenaires industriels, ils se répartissent en trois catégories.

Premièrement, le programme IT (Information Technologies), qui représente les deux tiers de la somme, correspond à des activités de recherche et de développement dans cinq domaines : logiciels, semi-conducteurs et microsystèmes, systèmes multimédias, recherche fondamentale, applications spécifiques sectorielles. ACTS[9], ensuite, qui concerne des projets de recherche et de démonstration dans le domaine des technologies et des services de communication avancés. Il s'agit du premier programme de ce type ouvert à une participation mondiale. Plus de trente-trois pays, dont neuf pays d'Europe centrale et orientale, y contribuaient début 1997. Parmi le millier d'entreprises et de centres de recherche associés à ses travaux, on remarque la présence de quelques sociétés asiatiques (principalement du Japon), américaines et canadiennes. Les projets sont axés pour l'essentiel sur la configuration des réseaux rapides à large bande. Enfin, troisièmement, le programme Applications télématiques, qui est axé sur des services d'intérêt général, tournés vers les besoins de l'utilisateur et la demande du marché. Les projets concernent les services publics et administrations, l'emploi et la qualité de vie et l'ingénierie linguistique.

Les projets financés sur crédits européens sont très divers. Beaucoup sont centrés autour des besoins de la personne ou du citoyen. Le programme i3 (i cube) a pour objet de faciliter l'appropriation

---

9. Advanced Communications Technologies and Services.

des technologies de l'information. La mise en place de « communautés connectées » permettant l'échange et l'analyse d'expériences constitue l'un des axes pour dépasser la « peur du monde virtuel ». Le programme Adapt-bis concerne, lui, le monde professionnel. Les orientations relèvent de la sensibilisation, de la formation et de l'expérimentation sur le lieu de travail, en liaison avec les partenaires sociaux. Elles portent aussi sur l'évaluation et l'anticipation de l'évolution du marché du travail par rapport aux technologies de l'information.

Dans le domaine de l'éducation, il existe une série d'initiatives particulièrement novatrices. Web for Schools, par exemple, aura permis en 1996 de former 600 professeurs dans 150 écoles à l'utilisation du Net comme outil pédagogique. Apprendre dans la société de l'information est un projet qui vise à encourager l'interconnection des établissements entre les pays membres, et à stimuler le développement et la dissémination de contenus pédagogiques. En matière culturelle et linguistique, Info 2000 a pour but de stimuler le développement d'une industrie européenne du contenu multimédia et à encourager son utilisation. Le programme MLIS (Multilingual Information Society), décidé fin 1996, vise à réduire le coût du transfert d'informations entre langues et à promouvoir les industries d'ingénierie linguistique (dictionnaires en ligne, traduction automatique).

Où va l'Europe ?

Bien que certains pensent que les technologies de l'information et de la communication sont sources de chômage, il est cependant établi qu'elles créent des emplois nouveaux. Les actions engagées au niveau européen et les initiatives gouvernementales revêtent donc un caractère d'urgence. Dans la meilleure des hypothèses, le temps perdu ne pourra être rattrapé en quelques années. Combler le fossé, au-delà des mesures les plus immédiates et indispensables, c'est créer une autre vision afin que chaque jeune Européen ait les mêmes chances que ses homologues américain et asiatique pour bâtir la société de l'information.

Chômage et création d'emplois. - Le livre vert intitulé *Vivre et travailler dans la société de l'information*, publié fin 1996, rappelle que les États-Unis, le Canada et le Japon, qui investissent le plus dans les nouvelles technologies, sont aussi les pays qui créent le plus d'emplois. Même l'Allemagne, dans ce domaine, investit moitié moins par habitant que les États-Unis ! Le retard de l'Europe lui aurait coûté un million d'emplois sur les deux dernières années, selon une étude réalisée en février 1997 par le cabinet Booz-Allen et Hamilton pour les ministres européens de l'Industrie. En effet, les secteurs informatique et télécommunications auraient connu une croissance de 2,4 % par an en Europe, contre 9,3 % aux États-Unis. Toutefois, avec la dérégulation, 1,3 million d'emplois pourraient être maintenus ou créés dans l'Union d'ici à 2005, selon une étude menée par Bipe Conseil pour le compte de la Commission, en janvier 1997. Certes, il y aurait près de 300 000 suppressions d'emplois parmi les opérateurs historiques, mais à celles-ci correspondraient 93 000 postes créés chez leurs concurrents et 1,2 million d'emplois dans d'autres secteurs, fortement liés aux télécommunications, comme la construction électrique et électronique, l'équipement et la distribution de produits de communication.

Le tableau européen. - L'Europe n'est pas si mal placée dans tous les secteurs : malheureusement, ceux où elle occupe des positions avancées, comme la commutation, les transmissions et les systèmes mobiles, ne sont plus aujourd'hui les plus profitables. Par ailleurs, l'industrie informatique européenne, à de rares exceptions près comme Siemens-Nixdorf, a subi de lourdes pertes ou fortement diminué ses parts de marché. Elle cherche souvent son salut par des fusions ou des prises de participation étrangères, voire la vente de l'activité. Le constructeur britannique ICL a été repris par Fujitsu il y a plusieurs années, Bull a ouvert son capital à NEC et Motorola et revendu Zenith Data Systems, tandis qu'Olivetti a cédé son activité informatique à Piedmont International, fin 1996. Au moins cela permet-il une injection de capitaux et de technologie.

Dans le domaine du grand public, Philips tient bon mais continue à connaître des difficultés face à la concurrence asiatique, de même que Thomson Multimédia, qui reste dans le secteur public. Pour ce qui est des microprocesseurs, Philips, Siemens et SGS Thomson ne représentent que 7 % du marché mondial, et encore grâce à l'Union européenne, qui a décidé d'aider ces entreprises à défendre leurs positions. Dans les logiciels, l'Europe ne compte que deux entreprises, allemandes (SAP et Software AG), parmi les vingt premières mondiales. En revanche, dans les secteurs de la communication, avec Bertelsmann et Havas, et des télécommunications, avec Deutsche Telekom, France Télécom et British Telecom, l'Europe reste bien placée au niveau international.

Redresser la barre prendra du temps, dans la mesure où les actions engagées ne feront pleinement sentir leur effet que dans quelques années, qu'il s'agisse de politique industrielle ou de libéralisation des télécommunications. En attendant, la Commission cherche également à favoriser la création d'entreprises, en décernant le Prix européen de la technologie de l'information, destiné à encourager l'innovation et la créativité dans ce domaine. Parallèlement, les jeunes Européens vont progressivement intégrer l'informatique et les réseaux dans leur éducation. C'est la « génération Internet » qui pourra redonner ses chances à l'Europe. Celle-ci pourrait ainsi devenir la « grande puissance du XXIᵉ siècle », pour reprendre les termes du célèbre économiste américain Lester Thurow[10].

10. *La Maison Europe*, Calmann-Lévy, 1992. Une analyse confirmée dans une interview au *Monde*, le 11 mars 1997.

Les précurseurs

Au sein de la galaxie multimédia, le Québec fait figure de pionnier avec un programme ambitieux concernant l'« autoroute de l'information », aux applications diversifiées, alors que la population est déjà très impliquée dans l'utilisation de l'Internet. En Europe, l'Allemagne et le Royaume-Uni ont un nombre de terminaux connectés à l'Internet respectivement quatre et deux fois plus élevé qu'en France, avec des populations comparables. La Finlande apparaît comme un précurseur : le passage à une véritable société de l'information y est déjà engagé. Le programme du G7, quant à lui, permet à tous les pays d'échanger leurs expériences et d'engager un vaste programme de coopération internationale sur les autoroutes de l'information.

1. Le Québec et l'autoroute de l'information[1]

Le Canada n'est pas en retard sur les États-Unis dans le domaine des nouvelles technologies de l'information. Les taux d'équipement des foyers canadiens en micro-ordinateurs et de raccordement Internet se rapprochent des taux américains. En outre, le Canada dispose, à côté de ses infrastructures de télécommunication, d'un réseau de câblo-distribution sophistiqué et d'une couverture par satellites de télévision adéquate, facilitant ainsi les accès. Les entreprises canadiennes de l'informatique et du multimédia sont dynamiques et présentes de Vancouver à Montréal en passant par Ottawa. Dans toute la Fédération, le raccordement des écoles du primaire et du secondaire à l'Internet devrait s'achever en 1998.

La « Belle Province » en pointe

Dans ce contexte, le Québec, avec ses 7,4 millions d'habitants dont 6 millions de francophones, mérite une attention particulière. Très en pointe, la « Belle Province » a vu en l'autoroute de

---

1. Alors qu'en France les « autoroutes de l'information » désignent le terme générique, au Québec, il s'emploie au singulier.

l'information un enjeu économique et culturel majeur, à la fois en termes de créations d'emplois et d'affirmation d'identité. Cela est tellement vrai que l'agglomération de Montréal, deuxième ville francophone du monde, est devenue en l'espace de quelques années une véritable technopole, qui représenterait la plus forte concentration en emplois de haute technologie du Canada[2]. En effet, environ 600 entreprises multimédias et Internet y sont établies, dont les trois quarts emploient moins de 25 personnes et n'ont pas plus de quatre ans d'existence[3]. Mais cette expansion n'est pas celle d'un « bastion » face aux centres multimédias du continent. La plupart des Québécois sont bien entendu bilingues et les créateurs-développeurs montréalais très attentifs aux évolutions américaines. Il se constitue ainsi un axe Montréal-Boston-New York[4], dont le poids pourrait contrebalancer, selon certains observateurs, celui de la Californie avec son « Silliwood » (Silicon Valley-Hollywood).

À la vitalité de l'industrie correspond l'engouement des Québécois pour le multimédia et l'Internet. Certes, avec 24 %, le taux d'équipement des ménages, dont les deux tiers possèdent modem et lecteur de CD-ROM, reste inférieur à celui de l'Ontario avec ses 36 %[5]. 590 000 utilisateurs Internet n'en sont pas moins dénombrés dans les foyers, auxquels s'ajoutent 497 000 sur le lieu de travail et 241 000 dans l'enseignement, soit un total de 1 328 000[6], c'est-à-dire 20 % de la population. 62 % des utilisateurs québécois se raccordent à la Toile moins de quatre heures par mois, mais, parmi les gros consommateurs, 14 % se connectent plus de vingt heures et 5,3 % plus de quarante heures ! Quant aux usages, ils sont tournés majoritairement vers le plaisir (surfer sans idée préconçue) et la culture, dans des proportions comparables[7]. Pour ce

---

2. Étude Banque Scotia, septembre 1997. Selon celle-ci, 6,9 % de la main-d'œuvre locale travaillerait dans les hautes technologies, représentant les deux tiers du secteur au Canada. La ville d'Ottawa conteste cette étude et estime devancer Montréal.

3. *ScienceTech Communications*, Montréal, mai 1997, « Perspectives sur l'industrie et le marché du multimédia au Québec ».

4. Voir p. 58.

5. Voir note 3, *supra*.

6. Statimédia, Montréal, juin 1997.

7. Voir note 3, *supra*.

qui est des sites proches de leurs préoccupations, les internautes n'ont que l'embarras du choix, un bon tiers des serveurs francophones étant québécois.

Une ambition

Pour favoriser ces différentes évolutions, le gouvernement du Québec a créé fin 1995 un secrétariat à l'Autoroute de l'information, chargé d'élaborer une stratégie, de la mettre en œuvre et d'en coordonner l'exécution avec le secteur privé. Le rapport *Vers une stratégie de mise en œuvre de l'autoroute de l'information*, publié en avril 1996, esquisse les grandes orientations. La généralisation des accès sur tout le territoire, la mise en ligne de l'administration, la connexion des écoles et des bibliothèques, et le déploiement d'un réseau de santé font notamment partie des priorités. Le soutien à l'innovation technologique et à la création de contenus multimédias complètent le dispositif. Pour atteindre les résultats recherchés, chaque ministère mobilise des moyens financiers propres pour rationaliser son action, les autres projets bénéficiant de l'apport d'un Fonds de l'autoroute de l'information, qui soutient les initiatives du secteur privé en particulier. Ce fonds, doté d'environ 215 millions de francs pour 1996, a permis de lancer une cinquantaine de projets. À partir de 1997 et pour une période de trois ans, 260 millions de francs supplémentaires ont été budgétés, une moitié sous forme de subventions et l'autre sous forme de garanties de prêts[8]. À ce titre, 60 nouveaux projets dans différents secteurs, sur 360 soumis, ont été sélectionnés début 1997.

Les actions mises en œuvre concernent la création d'accès à l'autoroute de l'information sur l'ensemble du territoire, afin de rendre les différents services disponibles pour tous les Québécois, où qu'ils se trouvent. Des points d'accès publics seront ouverts dans les centres communautaires et dans des sites locaux cofinancés par les collectivités territoriales et le secteur privé, ainsi que dans les bibliothèques[9]. Ils sont conçus à la fois comme des instruments

---

8. Ces montants n'incluent pas les budgets consacrés aux écoles ou à la création multimédia, indiqués séparément.
9. D'ici à l'an 2000, la totalité des bibliothèques seront reliées à la Très Grande Bibliothèque (TGB) du Québec.

du développement régional et comme la concrétisation de la notion de service universel. Le citoyen québécois doit également bénéficier de services administratifs simplifiés, grâce à des formules de « guichet unique interactif », pour la feuille d'impôts, le permis de conduire et le certificat de naissance électroniques en particulier.

Par ailleurs, la mise à jour en ligne (changement d'adresse, état civil) en une seule fois pour l'ensemble des administrations et organismes publics va également dans le sens d'un meilleur « service public[10] ». Le même souci de simplification des procédures existe vis-à-vis des entreprises, qu'il s'agisse de formalités administratives ou de fiscalité.

Deux secteurs clés

L'éducation et la santé sont considérées comme prioritaires. L'État consacre le quart de son budget au premier et 30 % au second. Dans le domaine de l'autoroute de l'information, les dépenses prévues sont en proportion, d'autant que les nouvelles technologies devraient permettre à terme d'assurer la même qualité d'enseignement et de soins à tous, dans un territoire grand comme trois fois la France, et dont une grande partie connaît un climat très rude plus de la moitié de l'année.

Pour ce qui est de l'éducation, les écoles, tant primaires que secondaires, bénéficient de 1,5 milliard de francs de budget sur cinq ans pour l'équipement et les raccordements, 70 % des dépenses devant être couvertes par ce biais, le reste étant à la charge des collectivités et du secteur privé. Comme tout grand programme, il a connu quelques difficultés et des retards par rapport aux prévisions. Alors que la connexion des établissements devait être achevée fin 1997, cet objectif ne devrait pouvoir être atteint que vers la fin de 1998, un tiers du programme étant déjà réalisé en mai 1997. Il semble sur ce plan que les contraintes liées au dimensionnement de certains réseaux et à la disponibilité de personnels techniques aient été sous-estimées. Malgré cela, il est prévu d'améliorer le taux d'équipement informatique des écoles en faisant passer la moyenne actuelle, qui est de 21 élèves pour un

---

10. Voir p. 181.

ordinateur, à 10 en quatre ans, rattrapant ainsi un retard sensible par rapport à la moyenne nationale[11].

Évidemment, le plan ne se limite pas à l'investissement, mais s'attache à faire évoluer à la fois les méthodes et les objectifs de l'enseignement. Sont ainsi définies les compétences techniques et d'organisation que les élèves doivent atteindre à la fin du primaire et à celle du secondaire. Quant aux professeurs, ils sont appelés à recevoir les qualifications nécessaires : formation adaptée pour ceux qui exercent, intégration dans le cursus pour les futurs diplômés. Le tout ne saurait enfin être complet sans la mise au point d'outils didactiques adaptés que les pouvoirs publics encouragent par diverses aides.

Pour la santé, le plan, tout aussi ambitieux, prévoit l'information systématique de la population par la mise en ligne de données sur la prévention, les soins et les ressources sanitaires. Le programme comprend également la création d'un véritable réseau de santé (Inforoute Santé Québec) entre usagers, professionnels et établissements, pour faciliter l'accès aux soins et améliorer la gestion. Sur ce dernier point, une « carte de santé sécuritaire » permettra de mieux suivre les patients, tout en gérant plus efficacement le système dans l'intérêt de la collectivité.

Préserver une identité

Dans le cadre du programme gouvernemental sur l'autoroute de l'information, un accent particulier est mis sur les contenus culturels et linguistiques, afin de défendre la spécificité québécoise en termes d'expression et de création francophones. Tout un volet est consacré aux « industries de la langue » dans lesquelles le Québec s'est fait une spécialité, qu'il s'agisse de traduction automatique ou de recherche indexée en langue naturelle. Un autre concerne le renforcement de la présence artistique québécoise dans la création de contenus multimédias, aussi bien pour valoriser le patrimoine par la numérisation des œuvres, des fonds documentaires et des archives, que pour l'encouragement à la création contemporaine. La production multimédia bénéficie dans le cadre de ces

---

11. *Info-Tech Magazine*, août 1997.

différentes mesures d'un fonds pluriannuel de 260 millions de francs, ainsi que d'un crédit d'impôt couvrant 30 % des coûts de réalisation. Sur un plan international, la coopération avec la France est privilégiée en vertu d'une convention signée en juin 1996, afin de favoriser les coproductions et les partenariats entre entreprises. Un certain nombre d'accords de ce type ont été signés entre sociétés françaises et québécoises, allant même, dans le cas d'Ubisoft, jusqu'à une implantation au Québec.

2. La Finlande

Le temps de *l'homo communicator*, dont le précurseur viendrait de Finlande, est-il arrivé ? Ce pays, d'une superficie des deux tiers de celle de la France pour une population inférieure à six millions d'habitants, tendrait à prouver que l'un des besoins fondamentaux de l'homme est la communication, capable de vaincre l'éloignement et l'âpreté du climat à proximité du pôle ! En effet, la Finlande est à l'avant-garde des nouvelles technologies. Le secteur de l'information et de la communication représente plus de 10 % du produit national brut. Sur le plan des usages, la Finlande bat les records du monde : premier pays en termes de pénétration du radiotéléphone, possédé par un Finlandais sur trois, et premier pays pour le nombre d'ordinateurs reliés à l'Internet (62 ‰ à la mi-1997) ; 10 % de la population se connecte au réseau au moins une fois par semaine ! Besoin de communication certes, mais aussi environnement très favorable, la Finlande ayant été l'un des pays les plus ouverts à la dérégulation et à la concurrence, ce qui explique une tarification téléphonique parmi les plus basses en Europe. S'y ajoute une dimension sociopolitique dont les autorités d'Helsinki ont tôt pris conscience.

Un grand projet national

L'objectif consiste à créer, par un engagement actif des pouvoirs publics et une forte contribution des collectivités territoriales, une véritable « société en réseau » ouverte à tous, dont les points d'appui principaux seraient les écoles et les bibliothèques. L'accès public gratuit à l'Internet[12] doit permettre d'éviter que les citoyens les plus défavorisés ne puissent bénéficier de cet immense source de savoir et de formation. En toute logique, le rôle pivot sur ce plan est confié au ministère de l'Éducation et de la Culture, mettant ainsi l'accent sur la formation et les contenus de qualité. Le ministre de l'Éducation déclarait mi-1996[13] : « Nous ne voulons plus de citoyens obéissants, mais des citoyens qui peuvent prendre des responsabilités, être créatifs, capables de résoudre des problèmes que nous ne connaissons pas aujourd'hui. Qu'ils apprennent à apprendre. »

Après la réunion de différents groupes d'experts en 1994, l'impulsion politique a été donnée au plus haut niveau début 1995 par le Conseil d'État[14]. Ce dernier a défini les grands axes de développement de la Finlande comme société de l'information, en donnant mandat à chaque administration de préparer des plans d'action détaillés par secteur, à commencer par l'éducation et la culture.

Les lycées et collèges, ainsi que les établissements de formation doivent inclure dans leurs programmes l'acquisition du savoir-faire de base en matière de technologies de l'information, de gestion de l'information et de communication, un accent particulier étant mis sur la formation des maîtres et des professeurs. L'utilisation de ces compétences doit être intégrée à l'enseignement de toutes les matières. En amont, le primaire doit préparer les enfants à l'usage de ces technologies. Quant à la formation professionnelle des adultes, elle doit être favorisée non seulement par les bibliothèques et les institutions publiques mises en réseau, mais aussi par la promotion de l'enseignement à distance.

Cette directive a fait l'objet de propositions détaillées contenues dans deux rapports, publiés en 1995 et 1996, sous l'égide du ministère de l'Éducation et de la Culture. *Éducation, formation et recherche dans la société de l'information* définit les conditions de

---

12. Début 1997, 50 % des bibliothèques disposaient d'accès Internet ouverts au public.
13. Interview au *Monde* du 23 juin 1996.
14. L'équivalent du Conseil des ministres.

l'accroissement du parc micro-informatique des établissements[15] et
de la mise en réseau, les connaissances techniques de base à acquérir, une nouvelle approche de la pédagogie, ainsi que les principes
de formation initiale et continue des enseignants. *Pour une société
de l'information orientée vers la culture* est un livre « vert » qui couvre un vaste champ d'actions touchant à la mise en réseau des
bibliothèques et des musées, la numérisation du patrimoine, l'édition électronique, la création de contenus multimédias et d'œuvres
artistiques originales en finnois[16]. Les démarches engagées dans ces
deux rapports se rejoignent par le lancement d'un plan portant sur
les années 1996-2000. Le budget pour 1996 était de 260 millions
de francs, à compléter avec des financements équivalents des collectivités territoriales. Cela représente un montant non négligeable
pour un pays dont la population n'est que le dixième de celui de
la France.

L'enseignement déjà engagé

Certaines institutions n'ont pas attendu le lancement de ces
grands projets pour s'engager dans la voie des premières réalisations. Le Centre de développement des technologies de l'information, associé au ministère de l'Éducation et du Travail ainsi qu'aux
principales organisations patronales et syndicales, a créé dès 1994
un « permis de conduire informatique » dont les cours sont dis-
pensés dans des centres de formation publics et privés, l'examen
homologué étant organisé dans près de 200 écoles et collèges. Ce
diplôme atteste des connaissances informatiques de base nécessaires
à la maîtrise de l'outil tant en local qu'en réseau et l'utilisation des
principaux logiciels, autant de compétences généralement requises
pour une recherche d'emploi, quel qu'en soit le niveau.

Les universités finlandaises ont vu, pour leur part, dès le début
des années 80, l'intérêt d'une mise en réseau, en créant Funet (Finnish University Network). L'arrivée de l'Internet, l'accroissement

---

15. Les établissements secondaires avaient en 1996 un taux d'équipement micro-informatique
déjà très élevé comparé à d'autres pays, avec une moyenne de 14 élèves par terminal. L'objectif
pour l'an 2000 est de descendre en dessous du seuil d'un micro-ordinateur pour 10 élèves.
16. Deux tiers des Finlandais sont au moins bilingues (anglais, allemand, suédois ou français),
mais la langue constitue un enjeu culturel d'autant plus fort que le marché est étroit.

du nombre des applications et le développement de l'usage ont cependant nécessité une mise à niveau par l'accroissement du débit, grâce à la technologie ATM[17]. Les universités disposent toutes désormais d'un tel accès, ce qui fait aujourd'hui de Funet l'un des réseaux de ce type les plus performants. Il faut dire que la systématisation du courrier électronique[18], pour les professeurs comme pour les élèves, la publication de thèses et de rapports de recherche en ligne, l'accès aux documents numérisés et la multiplication des connexions Internet ont fortement accru les besoins. L'université d'Oulu, située non loin du cercle polaire, ne comprend pas moins de 35 rubriques académiques et pratiques, directement accessibles aux étudiants sur son serveur Internet, y compris les inscriptions et les résultats d'examens, aussi bien que le logement, les loisirs ou les horaires de bus municipaux.

Les lycées et les collèges ne sont pas en retard : 240 d'entre eux ont leur propre site Web et la mise en réseau est bien engagée. À Helsinki, tous les établissements seront reliés d'ici à l'an 2000 et plus de la moitié sont déjà connectés à l'Internet. Quant au primaire, son équipement est également prévu à travers tout le pays, avec une généralisation au début du prochain millénaire. Il existe même des maternelles pilotes qui familiarisent les bambins à l'informatique !

Administrations et collectivités en réseau

La priorité accordée à l'éducation et à la culture ne conduit pas pour autant à négliger les autres secteurs. L'administration et les services sociaux font également l'objet d'une attention particulière. En Finlande, le courrier électronique est d'emploi généralisé dans les ministères depuis une dizaine d'années[19]. La plupart des fonctionnaires ont leur adresse E-mail et les correspondances échangées ne sont pas considérées comme moins importantes que celles expédiées par la poste. En outre, la simplification des formalités administratives a déjà conduit plusieurs administrations à mettre en

---

17. Voir p. 269.
18. L'installation d'une boîte aux lettres est gratuite et l'usage du courrier à partir du campus également.
19. Messagerie X 400 utilisée avant le déploiement de l'Internet.

ligne différents formulaires qui peuvent être remplis électroniquement. Les nouvelles technologies sont également mises à contribution pour améliorer le fonctionnement des administrations. Chacune dispose, par exemple, d'un Intranet, qui accélère la circulation interne de l'information. Dans certains ministères, il est ainsi possible de prendre connaissance des comptes rendus de réunions dans un délai très court.

En ce qui concerne les organismes de sécurité sociale et de prévoyance, des expériences ont été engagées pour préparer la mise en réseau, avec prestation délivrée à l'usager à domicile. Kela, l'institution d'assurance sociale, qui dispense aussi bien une aide financière aux étudiants, les indemnités de chômage et de sécurité sociale que les retraites, est au centre du dispositif. Aussi un étudiant pourra-t-il postuler pour une allocation d'études directement depuis son micro-ordinateur. Quant au secteur de la santé, une carte électronique d'assuré social sera distribuée aux ayants droit, mais son utilisation sera extensive. Le médecin pourra adresser directement au pharmacien les ordonnances, ce qui permettra de mieux gérer les stocks de médicaments, tout en évitant au malade de se déplacer deux fois si le produit prescrit est épuisé.

Outre les administrations, de nombreuses collectivités territoriales ont pris des initiatives originales. Le projet Helsinki Arena 2000, qui réunit la municipalité, une compagnie de téléphone local et différentes entreprises publiques et privées, vise à créer une « capitale en trois dimensions » pour faciliter l'accès aux informations de service, de culture et de loisirs (horaires, formalités, réservations) dans un environnement virtuel. La visualisation en 3D et la possibilité d'évoluer dans une reproduction du réel sont conçues comme des aides à la navigation dans cet Helsinki en modèle réduit. Comme la technologie VRML[20] est très consommatrice de bande passante, des connections rapides ATM chez l'usager sont prévues, certes pour l'abonné à un coût supérieur à un accès de type numéris[21], qui sera offert en service de base.

Tampere, située au nord-ouest de la capitale, a fait, avec les

20. Virtual Reality Mark-up Language, voir p. 286.
21. Voir p. 269.

villes de sa région, le choix des technologies désormais classiques de l'Internet et de l'Intranet, en misant plutôt sur l'innovation sociale[22]. L'Autoroute de l'information de Tampere et le projet Pipa du district de Pirkanmaa concernent au total 26 municipalités désireuses d'utiliser les nouvelles technologies pour promouvoir l'égalité des chances et l'accès à la culture, tout en rapprochant l'administration du citoyen. Les bibliothèques seront accessibles à distance pour vérifier la disponibilité d'un titre, prolonger un prêt ou faire une réservation d'ouvrage[23].

En ce qui concerne les services sociaux et les services de santé, tous présents sur le réseau, les halte-garderies cherchent à simplifier la vie des parents en offrant l'inscription en ligne. Enfin, la démocratie électronique locale est entrée dans les mœurs avec l'accès aux agendas des conseils et des groupes de travail municipaux, la possibilité de transmettre son opinion aux édiles et la lecture in extenso du compte rendu des débats. Enfin les visiteurs étrangers ne sont pas oubliés, les informations touristiques sont disponibles en anglais, français, allemand et suédois.

Transposer le modèle finlandais ?

La Finlande, société idéale, grâce aux vertus des technologies de l'information ? Il serait certainement excessif de le prétendre, car l'outil en soi ne saurait corriger les dysfonctionnements d'une société[24]. En revanche, une utilisation concertée des capacités d'éducation et d'apprentissage offertes par les nouvelles technologies, dans le cadre d'un projet global, avec un souci d'égalité d'accès, peut contribuer à renforcer le tissu social, sans pour autant détourner la population de l'écrit traditionnel.

La Finlande est l'un des pays au monde où la diffusion de la presse écrite est la plus élevée par rapport à la population. De même, l'édition finlandaise côtoie celles du Danemark, de l'Islande et de la Suisse, qui publient le plus grand nombre de titres comparativement au nombre d'habitants. Enfin, la quasi-totalité des

---

22. L'université de Tampere dispose d'un centre de recherches sur la société de l'information.
23. À Tampere, le service fonctionne déjà.
24. Le taux de chômage finlandais (12,6 % en août 1997) est comparable à celui de la France et supérieur à la moyenne de l'Union européenne (10,6 %).

foyers finlandais ont accès à la télévision (dont 42 % par le câble), mais la consommation télévisuelle y est plutôt inférieure à la moyenne des pays industrialisés.

Dans ce contexte, rien n'indique que la fréquentation du multimédia se fasse au détriment des modes d'information et de culture préexistants, bien au contraire. La presse écrite est très présente on line pour attirer de nouveaux lecteurs[25]. Quant à l'édition, très soutenue par une fréquentation assidue des bibliothèques (là encore la Finlande est l'un des pays où les prêts d'ouvrage seraient les plus nombreux), elle ne peut qu'être encouragée par le rôle dévolu au réseau dans l'accès aux ressources des collections publiques.

L'expérience finlandaise, aussi intéressante soit-elle, ne saurait être transposée telle quelle. Chaque pays a ses propres composantes socioculturelles, qui le rendent plus ou moins perméable à l'innovation technologique. Sur ce plan, les Finlandais sont les Européens qui redoutent le moins ces évolutions[26]. L'introduction de ce changement, conduit au plus près des habitants, constitue cependant un bon exemple. En même temps, les données propres à la Finlande semblent démentir les craintes de ceux qui tendraient à opposer l'écrit et l'écran.

3. Les projets du G7

Le G7, sommet des sept principaux pays industriels (États-Unis, Canada, Japon, Royaume-Uni, France, Allemagne, Italie), auquel participe la Commission européenne comme observateur, a lancé, dans sa réunion tenue à Bruxelles en février 1995, un véritable programme international des autoroutes de l'information. Il s'agit d'abord de réaliser un inventaire global des projets d'autoroutes de l'information par pays et par secteur. L'interconnexion des futures liaisons à haut débit doit faire l'objet de tests entre opérateurs. Sur un plan culturel, l'éducation et la formation multilingues, ainsi que les musées et les galeries électroniques, sont directement concernées

---

25. Voir p. 125.
26. Sondage Eurobarometer, mars 1995.

par la coopération prévue. Le sont également des sujets aussi
sensibles que la diffusion de l'information sur l'environnement
et les ressources naturelles, la gestion des catastrophes sur un
plan mondial, de même que les systèmes d'information
maritimes. Les applications de santé globales figurent dans cette
panoplie, avec un programme particulièrement ambitieux. Les
administrations en ligne et la place de marché électronique pour
les PME complètent le dispositif.

Qui fait quoi ?

L'inventaire global des initiatives en matière d'autoroutes de
l'information est coordonné par la Commission européenne et le
Japon. Il doit donner lieu à la création d'une base de données en
ligne concernant l'ensemble des projets et des études. Vaste programme, incluant une évaluation des facteurs sociaux, économiques et culturels ayant un impact sur la société de l'information.
L'interopérabilité des réseaux à large bande, projet dirigé par le
Canada, l'Allemagne et le Japon, doit permettre d'établir des liaisons expérimentales entre l'Amérique du Nord, l'Europe et le
Japon. Les grands opérateurs de télécommunication et les réseaux
de recherche scientifique, comme Renater pour la France, contribuent directement à ce projet. Ces réseaux supporteront des applications de télémédecine et de vidéoéducation en particulier.

L'enseignement et la formation multilingues, les bibliothèques
électroniques, les musées et les galeries électroniques - trois projets
à dimension culturelle - sont menés par la France (ministère de la
Culture et de la Communication), avec comme partenaire l'Allemagne pour le premier, le Japon pour le deuxième et l'Italie pour
le troisième.

Parmi les buts poursuivis figurent l'enseignement linguistique
interactif, avec l'identification des ressources et la mise au point
d'approches novatrices. Pour ce qui est des institutions culturelles,
il est prévu la mise en réseau des grandes bibliothèques et la numérisation des collections, ainsi que celles des musées, les ressources
devant être rendues disponibles tant pour le grand public que pour
les chercheurs.

Pour l'environnement et les ressources naturelles, ce sont les États-Unis qui sont leaders, l'objectif poursuivi étant la mise en réseau et l'accessibilité des différentes bases de données mondiales. En matière de prévention des risques naturels, c'est le Canada qui est en première ligne, avec comme objectif la « mise en pool » de ces informations, afin de permettre une meilleure réactivité face aux catastrophes naturelles. Les systèmes d'information maritimes, coordonnés par la Commission européenne et le Canada, concernent aussi bien la sécurité que la logistique, par le biais de réseaux de satellites en particulier. L'administration en ligne, placée sous la responsabilité du Royaume-Uni et du Canada, vise surtout un échange d'expériences, concernant notamment les formalités administratives électroniques comme l'état civil et la délivrance de documents tels que les permis de conduire. La « place de marché électronique » pour les PME est suivie par la Commission européenne, le Japon et les États-Unis. Il est à noter que l'Union européenne a lancé un important volet d'action en faveur des PME, tandis que le Japon et les États-Unis sont les deux pays qui ont les plus importants projets en matière de commerce électronique.

La santé, projet majeur

S'agissant du secteur de la santé, ce sont la Commission européenne, la France, l'Allemagne et l'Italie qui ont l'autorité conjointe sur ce projet majeur, comprenant plusieurs niveaux de préoccupations.

Tout d'abord, la mise à l'étude d'un futur réseau mondial d'information sur la santé a été décidée, afin de partager plus facilement les grandes données sanitaires, notamment de caractère épidémiologique. De même, des projets spécifiques ont été lancés dans le domaine du traitement du cancer, avec la mise en place d'une base de données multimédia consultable comme aide à la décision de soins. Pour ce qui est des maladies cardio-vasculaires, il est prévu d'organiser des téléconsultations entre spécialistes.

Un programme médical multilingue de surveillance et d'assistance fonctionnant vingt-quatre heures sur vingt-quatre est également à l'étude. Il a pour but de faire bénéficier de consultations de télémédecine en cas d'urgence les voyageurs ou les travailleurs isolés, comme ceux qui sont affectés à des plates-formes de forage en mer ou ceux en poste dans des régions à l'infrastructure médicale réduite.

Enfin, le G7 prévoit de procéder à une évaluation des techniques et des systèmes les plus performants pour l'établissement de réseaux de santé selon des codes et des standards reconnus sur un plan international, tout en recherchant l'harmonisation internationale des cartes électroniques de santé, comme le système Sésam-Vitale pour la France.

Qu'en attendre ?

Concrètement, c'est tout le champ des autoroutes de l'information qui est couvert par ce chantier, dont les résultats ne pourront se faire sentir avant plusieurs années. Évidemment, pendant ce temps, les pays leaders continueront de progresser et les autres, notamment les pays en développement, se verront de plus en plus distancés en termes d'impact économique direct du secteur, car il serait illusoire de croire que des pôles de développement multimédia performants pourront s'implanter partout. Cependant, certains pays asiatiques et désormais le Mexique, le Brésil ou l'Argentine, démontrent qu'il n'y pas en matière de technologies de l'information de places réservées. Par ailleurs, les retombées indirectes des autoroutes de l'information pour les pays du tiers-monde, en termes d'accès aux connaissances pour les universités et les centres de recherche, et d'insertion dans l'économie globale pour les entreprises, sont potentiellement considérables[27]. C'est bien pour cela qu'aucun pays aujourd'hui ne se tient à l'écart de cette évolution.

Le programme du G7 sur la société de l'information offre à cet égard une intéressante possibilité d'accéder directement aux projets en cours, afin de prendre la mesure du changement et de son impact. Il s'agit là d'une illustration supplémentaire de la

---

27. Voir p. 214.

transparence introduite par l'ère des réseaux. Pour la première fois dans l'histoire de l'humanité, tous les pays, sans aucune exception, qu'ils soient sur ce plan en avance ou en retard, ont plus à gagner du partage de leurs connaissances et de leur savoir-faire que par le secret !

5. *Les voies du futur*

Le XXIe siècle sera numérique. Et le numérique entraîne une accélération vertigineuse : puissance des microprocesseurs multipliée par deux tous les dix-huit mois, doublement annuel du nombre d'utilisateurs sur le Web, innovation continue dans les applications. Mais le réseau pourra-t-il suivre ? Déjà passablement encombré, il ne pourra croître sans une série de mesures techniques et financières dont l'élaboration s'avère délicate. Concernant le droit de l'Internet, qui conditionne le développement harmonieux de la diffusion de l'information, de la communication et du commerce virtuel, les idées ne manquent pas ! En revanche, l'établissement d'un consensus international sur les règles de fonctionnement du réseau ne fait que commencer. La France y fera d'autant plus sentir son influence qu'elle sera capable de rattraper son retard.

Réseaux et applications

L'Internet tiendra-t-il ses promesses ? Son succès est tel que la saturation du Web à certaines heures entraîne déjà des délais de connexion, voire l'interruption momentanée de celle-ci. Chronique d'un effondrement redouté ou promesse de capacités illimitées, les scenarii les plus extrêmes sont formulés. Quant au développement fantastique de l'audience de l'Internet, il suscite bien des convoitises du côté des publicitaires, même si le marché demeure encore assez restreint. Pour leur part, fournisseurs d'équipement et concepteurs de logiciels font le pari du virtuel et de la connectivité. Terminaux de plus en plus conviviaux, applications intelligentes et disponibilité en tous lieux de ces services et de ces machines communicantes, voilà l'avenir numérique.

1. La capacité des réseaux

Avec plus d'un million de nouveaux utilisateurs par mois et le rallongement de la durée de connexion, l'engorgement de l'Internet est désormais réel. Certains prévoient un effondrement temporaire d'un réseau qui n'a pas été conçu pour supporter un tel trafic. Les instances chargées des standards du Web veillent pourtant aux évolutions nécessaires, et diverses solutions techniques sont déjà mises en œuvre pour pallier ces lenteurs. Parallèlement, le monde de la recherche prépare un Internet II à haute vitesse qui lui serait réservé, laissant le réseau actuel disponible pour les applications grand public et commerciales. Au-delà se dessine la voie royale du ciel : d'ambitieux projets de satellites multimédias doivent permettre de répondre à l'accroissement nécessaire de capacité du réseau.

L'Internet victime de son succès

Les pannes de réseau aux États-Unis ne sont pas si fréquentes, mais elles n'en sont pas moins spectaculaires. En 1996, deux interruptions majeures se sont produites à quelques semaines d'intervalle. Au début de l'été, les 400 000 abonnés du fournisseur d'accès Netcom ont été privés d'Internet pendant treize heures et, au début du mois d'août, les 8 millions d'abonnés d'AOL, premier service en ligne américain, n'ont pu se connecter pendant une période de près de vingt-quatre heures ! Ne pouvant servir plus de 280 000 abonnés simultanément, AOL payait cher les conséquences d'une politique commerciale agressive, qui lui avait permis de recruter de nouveaux internautes en masse. L'entreprise s'est engagée, depuis, à mettre en place rapidement de nouvelles infrastructures d'accès. Enfin, en juillet 1997, 35 % des pages du Web ont été inaccessibles pendant quatre heures et des dizaines de millions de messages de courrier électronique ont été retournés à leurs expéditeurs. Le dysfonctionnement provenait apparemment de l'erreur d'un technicien de l'entreprise Network Solutions.

De telles pannes autorisent certains à redouter un accident majeur : une interruption de service prolongée sur une bonne partie du réseau, voire un *blackout* (« coupure ») complet. Pour Paul Virilio, il est inévitable que le monde virtuel ait ses accidents, comme les réseaux de transport dans le monde réel. Bob Metcalfe, inventeur du protocole de réseau Ethernet et fondateur de la société 3 Com, annonçait de son côté fin 1995[1] l'effondrement de l'Internet dans l'année. C'était, sans doute, plus pour attirer l'attention sur les problèmes à résoudre que par conviction profonde qu'il tenait ces propos. En revanche, tout en soulignant les problèmes de délai de connexion à certaines heures, il prédisait les pannes et interruptions partielles de service qui se produisent périodiquement. Celles-ci se mesurent en « kilolapsus » ou « megalapsus », le « gigalapsus » correspondant au scénario apparemment désormais écarté de l'effondrement complet[2]. Ces dysfonctionnements comportent un certain nombre de remèdes dont la mise en œuvre est liée notamment à l'évolution du mode de gestion de l'Internet, évoquée plus loin.

---

1. *Infoworld*, 4 décembre 1995.
2. Mega- et gigalapsus : néologismes forgés par Bob Metcalfe, établissant la mesure d'une panne en termes de quantité d'information non acheminée pendant une durée déterminée vers un certain nombre d'utilisateurs, permettant ainsi de mesurer le manque à gagner pour les différents acteurs (opérateurs, fournisseurs d'accès, serveurs inaccessibles). Lire aussi *Le Monde informatique*, 20 décembre 1996.

L'Internet est victime de son succès : une telle saturation s'explique aisément par des facteurs à la fois techniques et financiers. Tout d'abord, les connexions Internet sont en moyenne beaucoup plus longues que les communications téléphoniques : 10 à 20 minutes, et souvent davantage. Aux États-Unis, de nombreux utilisateurs restent ainsi connectés une bonne partie de la journée, profitant des tarifs réduits, voire gratuits, des communications locales. Cela constitue un manque à gagner pour les Baby Bells et favorise la multiplication des applications gourmandes en bande passante : 15 secondes de vidéo de haute qualité en consomment autant qu'un livre de 700 pages !

Face à l'accroissement du trafic, les investissements dans le réseau n'ont pas pu suivre le rythme depuis que la National Science Foundation (NSF), qui n'avait plus les crédits nécessaires, s'est dégagée du financement de l'Internet au début de la décennie. De toute manière, l'Internet devenant avec le Web un réseau ouvert au grand public et au secteur privé, il n'était plus dans la logique américaine de continuer à le subventionner. Certes, les gros opérateurs de télécommunication ont en partie pris le relais en renforçant leurs *backbones*[3], mais les embouteillages se produisent surtout sur certains modems d'accès au réseau sous-dimensionnés, ou sur les « nœuds », que les fournisseurs d'accès (ils sont 2 000 aux États-Unis) n'ont pas toujours les moyens d'entretenir. De là à dire que certains jouent le pourrissement de la situation pour provoquer un changement radical dans le modèle économique de l'Internet, il n'y a qu'un pas à franchir. En effet, contrairement aux réseaux qui l'ont précédé, ce système coopératif ne repose pas sur la facturation au coût réel du service rendu entre opérateurs et au client. L'établissement d'un comptage pour la transmission de données aurait été trop complexe et coûteux, le troc (échange de trafic) s'avérant bien adapté. Mais voilà, faire payer au même prix la transmission de textes, d'images et de sons contribue à l'engorgement, sans permettre d'établir de priorités de trafic.

À terme, une différenciation tarifaire fondée sur l'usage de

---

3. Littéralement « colonnes vertébrales », c'est-à-dire liaisons à haut débit qui assurent les plus gros volumes de trafic.

bande passante paraît inévitable, ne serait-ce que pour financer de nouveaux investissements. Dans les faits, une telle pratique se développe déjà : les fournisseurs d'accès qui pratiquent les tarifs les plus élevés ont en général des modems plus puissants pour la connexion au réseau, tandis que de grands opérateurs comme Global One ou Concert mettent à la disposition des entreprises des liaisons TCP-IP de qualité, facturées en conséquence. En attendant, la croissance du trafic sur le Net et la lenteur du débit le rendent de plus en plus difficilement utilisable pour des projets de recherche ou des applications scientifiques et médicales sophistiquées. Internet II, avec la bénédiction du gouvernement américain, qui apporte 200 millions de dollars, s'apprête à prendre le relais, laissant le réseau actuel aux usages grand public et commerciaux. Les principales entreprises d'équipement et de logiciels et les grands opérateurs participent également à ce projet, qui mobilise près d'une centaine d'universités. Le réseau, reliant en fibre optique les principaux centres de recherche américains, pourrait commencer à fonctionner courant 1998, en attendant une ouverture à d'autres pays. La vitesse sera d'au moins cent fois supérieure à celle de l'Internet d'aujourd'hui !

Prévoir et gérer

Mais qui décidera de l'évolution technique, des investissements et de la répartition de leur charge entre les différents acteurs ? L'Internet, qui s'est peu à peu doté de structures coopératives, n'a ni P-DG ni conseil d'administration, à la différence d'une entreprise. Le processus décisionnel, résultant de la pression d'intérêts divers, sinon divergents, est partagé entre plusieurs organismes et comités qui doivent se coordonner et travaillent essentiellement par consensus. Pour l'évolution du réseau, il s'agit de l'Internet Society (Isoc), qui a pris en 1990 le relais de la National Science Foundation (NSF), en liaison avec le World Wide Web Consortium (W3C), créé en 1994 pour accompagner les développements multimédias après le désengagement du Centre européen de recherche nucléaire (CERN). Tout ce qui touche aux principes d'appellation des serveurs, c'est-à-dire les noms de domaine figurant à la fin des adresses Internet (.com, .edu, .org, etc.) relève de l'Internet Assigned

Numbers Authority (Iana). Enfin, l'Internet architecture board (IAB) joue à la fois un rôle de conseiller technique auprès de l'Isoc et d'instance d'appel en cas de différend entre organismes ou entre groupes de travail. D'une manière générale, l'évolution des différentes structures traduit une perte de pouvoir des universitaires et des ingénieurs au profit des entreprises d'équipement et de logiciels, dont le sort est de plus en plus lié à l'Internet.

L'Isoc suit le développement des standards de l'Internet, en liaison avec l'Internet Engineering Steering Group (IESG). Ce dernier organise les travaux, portant en particulier sur les protocoles IP et HTTP[4], réalisés par l'Internet Engineering Task Force (IETF). Comme toutes les structures de l'Internet, l'IETF comprend une majorité de membres américains (les deux tiers). Ces travaux sont menés en étroite coordination avec le W3C, notamment pour ce qui est du format de document HTML[5].

Le consortium, régi conjointement par l'Institut national de recherche en informatique et automatique (Inria), le Massachusetts Institute of Technology (MIT) et l'université de Keio (près de Tokyo) est actuellement présidé par le Français Jean-François Abramatic, directeur du développement et des relations industrielles à l'Inria. Il dispose d'un budget de 3,5 millions de dollars, grâce aux cotisations de ses membres (plus de 150), parmi lesquels figurent de nombreux industriels de l'informatique. Mais d'autres sociétés (par exemple Aérospatiale, EDF et Michelin, pour la France) en font également partie. Dans le domaine du commerce électronique enfin, c'est Commercenet[6] qui établit les critères pour la standardisation, en liaison avec les organismes précédents.

L'Internet Society, en collaboration avec les différents comités compétents, coordonne la préparation des futurs protocoles, avec le souci d'une meilleure gestion technique du réseau. HTTP-NG (Next Generation) devrait contribuer à corriger la lenteur des connexions et la consommation superflue de bande passante. En matière d'« adressage » (identifiants pour la transmission de

---

4. HTTP : HyperText Transfer Protocol.
5. HTML : HyperText Mark-up Language.
6. Voir p. 227.

paquets), le nouveau protocole IPV6, avec un codage sur 16 octets au lieu de 4 actuellement, devrait permettre de résoudre la pénurie d'adresses qui se profilerait à l'horizon 2010. Surtout, il ouvre la possibilité d'une différenciation tarifaire grâce à une identification de la nature du trafic. Avec RSVP *(resource reservation protocol)*, actuellement testé par l'IETF, la logique de priorité est poussée à son terme, car il s'agit tout simplement de réserver à l'avance un chemin prioritaire afin de garantir un délai minimal, facturé en conséquence.

L'Iana est l'organisme auquel l'Isoc et le Federal Networking Council (FNC) ont confié la responsabilité des noms de domaine, identifiant par grandes catégories les serveurs sur le Net. L'Iana délègue la mise en œuvre des principes qu'elle définit sur ce plan à trois organismes régionaux : l'APNIC pour l'Asie-Pacifique, RIPE pour l'Europe et l'Internic pour l'Amérique et les autres régions. Au 1ᵉʳ septembre 1997, il existait 193 noms de domaine nationaux du type .fr (France), .be (Belgique), .fi (Finlande), l'appellation .int, réservée aux organisations internationales, étant gérée par l'Union internationale des télécommunications (UIT). La majorité des noms déposés se situent aux États-Unis, qui disposent, comme les autres pays, d'un domaine national (.us), utilisé par les collectivités territoriales et les établissements publics, mais aussi de six appellations génériques : il s'agit de .com (entreprises), .org (organisations), .net (organismes dont l'activité principale est sur le réseau), .edu (éducation), .mil (militaire) et .gov (gouvernement). Les trois premières, attribuées sans condition de nationalité, représentent plus des deux tiers des domaines enregistrés, soit deux fois plus que les domaines nationaux. Les adresses .com représentent à elles seules plus de la moitié du total : 764 000 sur les 1 300 000 noms de domaine déposés dans le monde à la mi-1997. Cela s'explique par le fait qu'elles sont très recherchées par les multinationales mais aussi par d'autres entreprises, parce qu'elles ne sont pas marquées géographiquement.

Par contrat avec l'Internic, la société NSI jouit d'un monopole sur l'enregistrement des adresses dans les trois catégories ouvertes, et ce sans contrôle particulier sur l'identité des déposants, qu'ils soient américains ou étrangers. Ce qui a provoqué comme conséquence le dépôt de noms de marque par d'autres que leur propriétaire, avec de nombreuses actions de justice à la clé. L'AFNIC (Association française de nommage de l'Internet en coopération), responsable de l'attribution des adresses .fr, observe des critères plus restrictifs : obligation de produire l'extrait Kbis justifiant des droits sur le nom déposé, demande présentée par le seul fournisseur d'accès. Il a en outre défini plusieurs sous-ensembles : asso.fr (associations), presse.fr, cci.fr (chambres de commerce et d'industrie), etc.

L'Internic a décidé, début 1997, de mettre fin à la rente de situation de NSI[7], le contrat venant à échéance en mars 1998. Dans le même temps, une réforme du système était mise à l'étude. La difficulté de parvenir à un consensus dans le cadre de l'Iana a décidé cette dernière, en accord avec l'Internet Society, à créer un groupe de travail spécifique, l'IAHC (Internet Ad Hoc Committee), composé principalement de membres américains. Un débat public a cependant été organisé en ligne : l'Isoc France et l'Aftel[8] ont pu y contribuer. La procédure a abouti en février 1997 à la définition de sept nouveaux domaines : il s'agit de firm (entreprise), store (magasin), arts (culture), rec (loisirs), info (information), web (activités directement liées au Net) et nom (adresses individuelles). L'accord élaboré par l'IAHC, entériné à Genève en mai 1997 par les représentants des grands fournisseurs mondiaux d'accès à l'Internet, réunis dans le cadre de l'UIT, prévoyait l'arbitrage de l'Organisation mondiale de la propriété intellectuelle (OMPI) en cas de conflit. Le gouvernement de Washington, redoutant un rôle excessif des organisations internationales dans le nouveau dispositif, au détriment du secteur privé, n'a finalement pas agréé le texte. Il a préféré consulter au préalable les différentes parties prenantes (industrie, utilisateurs grand public et professionnels). Cette concertation revêt la forme d'un « appel à commentaires », lancé par le Département du commerce, afin de parvenir à un consensus national sur un sujet apparemment ésotérique, mais recouvrant des enjeux non négligeables comme le droit des marques et le commerce électronique.

---

7. NSI perçoit un droit d'enregistrement annuel de 50 dollars par dépôt, dont elle conserve les deux tiers.
8. Association française de la télématique multimédia.

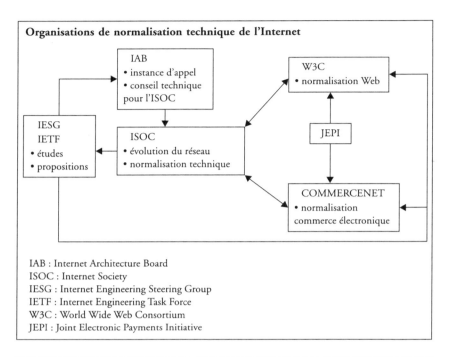

Organisations de normalisation technique de l'Internet

IAB
• instance d'appel
• conseil technique
pour l'ISOC

W3C
• normalisation Web

JEPI

IESG
IETF
• études
• propositions

ISOC
• évolution du réseau
• normalisation technique

COMMERCENET
• normalisation
commerce électronique

IAB : Internet Architecture Board
ISOC : Internet Society
IESG : Internet Engineering Steering Group
IETF : Internet Engineering Task Force
W3C : World Wide Web Consortium
JEPI : Joint Electronic Payments Initiative

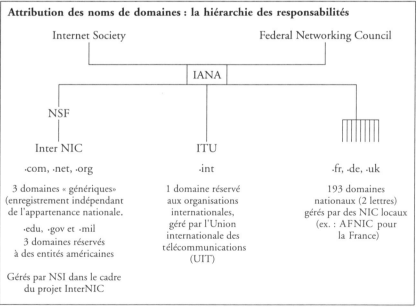

Attribution des noms de domaines : la hiérarchie des responsabilités

Internet Society   Federal Networking Council

IANA

NSF

Inter NIC   ITU   .fr, .de, .uk

.com, .net, .org   .int

3 domaines « génériques»   1 domaine réservé   193 domaines
(enregistrement indépendant   aux organisations   nationaux (2 lettres)
de l'appartenance nationale.   internationales,   gérés par des NIC locaux
                                    géré par l'Union   (ex. : AFNIC pour
.edu, .gov et .mil   internationale des   la France)
3 domaines réservés   télécommunications
à des entités américaines   (UIT)

Gérés par NSI dans le cadre
du projet InterNIC

Source : La Réforme des noms de domaines « génériques », analyse pour l'AFTEL et l'Isoc France. Olivier Iteanu et Daniel Kaplan.

La course au débit

Accroître le débit des réseaux d'accès à l'Internet et la vitesse de transmission des informations sur le Web est une préoccupation partagée par tous les opérateurs. Même si les évolutions des protocoles devraient contribuer à améliorer la situation, l'élargissement de la bande passante et les techniques de communication ultrarapide offrent les plus grandes possibilités.

*De Numéris à l'*ATM *en passant par le relais de trames.* - Lancé il y a dix ans, le réseau Numéris à 64 Kbps, utilisé avant tout par les entreprises, a reçu une nouvelle jeunesse avec l'Internet. Plus rapide que le réseau téléphonique commuté, il est mieux adapté aux contraintes d'accès du Web. France Télécom a lancé dans ce domaine une offensive vers les PME en 1996, par une baisse des tarifs et une simplification des formules proposées. En Allemagne, ce type de réseau, dit RNIS (Réseau numérique à intégration de services), représente 25 % des accès. Aux États-Unis, connue sous le nom d'ISDN *(Integrated services data network)*, cette solution intéresse non seulement les entreprises, mais aussi certains particuliers exigeants, les tarifs pratiqués étant tout à fait abordables pour un usage personnel.

Le relais de trames *(frame relay)* constitue une autre solution intéressante pour les entreprises, puisqu'elle autorise des débits supérieurs à 2 Mbps et une gestion dynamique de la bande passante, c'est-à-dire l'adaptation permanente pour un usager donné du dimensionnement de la liaison à ses besoins réels. Ce type de technologie permet aussi de réaliser l'interconnexion des réseaux locaux d'une entreprise de manière optimale. Avec l'ATM *(Asynchronous transfer mode)*, développé par les laboratoires du Centre commun d'études des télécommunications et de la télédiffusion (CCETT) à Rennes, et en cours de standardisation sur un plan international, on entre dans le domaine des très hauts débits. Cette technologie autorise en effet des transmissions pouvant aller jusqu'à 2,4 Gbps ! L'ATM Forum, basé en Californie et comptant plus de 550 membres parmi les industriels et fournisseurs de services du monde entier, met la dernière main aux spécifications d'interopérabilité de l'ATM, qui pourrait bien constituer la clé des futures autoroutes de l'information. De tels débits sont en effet de nature à répondre aux besoins des applications multimédias les plus sophistiquées, comme la téléconférence ou la vidéo à la demande. Dans l'immédiat, un nombre croissant d'opérateurs ont adopté cette technologie pour améliorer les performances de leur réseau. France Télécom a par exemple multiplié par cinq la capacité de son *backbone* Internet, grâce à la mise en place de 60 commutateurs ATM fin 1997.

Le grand public. - L'utilisateur individuel peut, grâce au câble, bénéficier d'un accès particulièrement rapide, en attendant la généralisation de la technologie ADSL[9], permettant par le simple réseau téléphonique de disposer d'avantages comparables. Dans le cadre de leur offre numérique, les câblo-opérateurs, en France comme à l'étranger, proposent désormais un accès Internet, ce qui permet de conjuguer télévision et multimédia, sans pour autant bloquer la ligne de téléphone. Quant à la vitesse de connexion aux serveurs du Net, elle est instantanée si un « site miroir », qui télécharge en temps réel les pages des sites les plus visités, est installé en tête de réseau.

L'ADSL pourrait bien donner sa revanche au vieux fil de cuivre téléphonique, qui semblait avoir été battu en brèche par la fibre optique. Développé par Alcatel sur la base d'une technologie mise au point par Bellcore en 1989, il permet de multiplier le débit des lignes classiques par un facteur 200 sur de courtes distances. Cette promesse est réalisée grâce à un système d'analyse du spectre de fréquences susceptible de transmettre l'information numérique, ce qui autorise une optimisation du débit. Par ailleurs, la transmission de données n'interdit pas l'utilisation simultanée de la ligne pour le téléphone. Cependant, pour faire face au développement rapide de l'Internet, il ne suffit pas d'améliorer l'accès des abonnés. La capacité d'ensemble doit être accrue et, à cet égard, les satellites paraissent bien adaptés à tous les usages.

Les « autoroutes du ciel ». - D'ambitieux projets d'« autoroutes du ciel », entièrement voués aux nouvelles applications grand public et professionnelles du numérique, représentant des investissements colossaux, verront le jour à l'horizon 2000. Le premier

---

9. Asymetrical Digital Subscriber Line.

projet annoncé est Teledesic, que Bill Gates compte lancer avec Craig Mc Caw, ancien P-DG du principal réseau de radiotéléphonie cellulaire américain, en association avec Boeing. D'un coût de 9 milliards de dollars, il comprendrait 840 satellites en orbite basse[10] et offrirait un accès au Web soixante fois plus rapide qu'actuellement. Motorola, de son côté, a dévoilé deux projets : M-STAR, représentant un investissement de 6,1 milliards de dollars, avec 72 satellites en orbite basse, serait destiné aux entreprises ; Celestri, pour 12,9 milliards de dollars (c'est le système le plus coûteux) associerait, quant à lui, une soixantaine de satellites à la fois en orbite basse et géostationnaire[11], pour desservir également le grand public. Alcatel prépare le lancement de Skybridge, doté de 64 satellites en orbite basse pour une dépense de 3,5 milliards de dollars, afin d'offrir des services interactifs en temps réel à près de 60 Megabits par seconde. L'américain Loral mettra en œuvre Cyberstar, qui représente un investissement de 1,6 milliard de dollars pour un système géostationnaire. Ces deux dernières sociétés présenteront conjointement leur offre commerciale pour toucher les différentes catégories de clientèle et pour offrir, comme leurs principaux concurrents, une couverture mondiale.

Matra Marconi Space, avec un seul satellite géostationnaire, projette d'offrir ce type de service à l'Europe, à l'Afrique et au Moyen-Orient, en investissant 1 milliard de dollars. Quant à la Société européenne de satellites, basée à Luxembourg, c'est depuis la fin de 1997 qu'elle offre, grâce à ses satellites de télévision Astra, dans un premier temps aux entreprises, un service de transmission de données multimédias, en attendant l'opérateur Eutelsat à partir de 1998. En Europe, le grand public disposera aussi d'un accès rapide de ce type avec l'Internet in the Sky, annoncé en juillet 1997 par un groupement d'industriels européens dont Nokia, Philips, Sagem et l'opérateur satellitaire Orion, la stratégie étant

---

10. Situés à un millier de kilomètres d'altitude, ils ne requièrent pas, en raison de la proximité de la terre, de systèmes de transmission puissants. Leur couverture est cependant réduite et leur durée de vie plus brève que celle des satellites géostationnaires.
11. Situés en orbite équatoriale à 36 000 kilomètres au-dessus de la terre, ils requièrent des systèmes de communication puissants, mais ils couvrent une zone très vaste et leur durée de vie est beaucoup plus longue.

fondée sur l'utilisation des quelque 35 millions d'antennes de réception directe recensées, mais aussi des réseaux câblés. Avec ce genre de solution, le terminal visé est le téléviseur[12].

2. La publicité en ligne

Le développement rapide du Net commence à faire rêver les publicitaires du monde entier. Mais l'internaute est imprévisible. D'un clic de la souris, il zappe de serveur en serveur. En outre, malgré le nombre croissant de sites, seuls les plus visités sont intéressants d'après les règles classiques de l'audience. Cependant, l'interactivité du Web ouvre des perspectives marketing prometteuses. La publicité n'est plus alors dans une logique de média de masse, mais dans ce que les Américains appellent le *narrowcasting* ou mieux encore le marketing *one to one*. La publicité vient vers l'utilisateur, en fonction de ses goûts et de ses centres d'intérêt, donnant à terme la possibilité de déclencher des achats en ligne. Si le montant des recettes publicitaires sur le Net demeure encore modeste, l'accroissement très rapide du nombre d'internautes et la personnalisation du message laissent augurer un « eldorado publicitaire ».

Le marché publicitaire en ligne

La progression des dépenses publicitaires multimédias est spectaculaire, mais son niveau actuel ne représente encore que des chiffres modestes par rapport aux autres supports. Ainsi aux États-Unis, la publicité en ligne devrait dépasser 300 millions de dollars en 1997, alors que la télévision représente 36 milliards. En France, le marché en 1997 était de 25 millions de francs, contre 5 à 10 millions en 1996, face aux 52 milliards de recettes publicitaires des grands médias dans l'Hexagone. Ces chiffres ne sont guère étonnants, la plupart des annonceurs ayant attendu que l'Internet connaisse un développement suffisant pour s'engager, d'autant que la mesure d'audience sur un média aussi éloigné des schémas

---

12. Voir p. 281.

existants doit faire ses preuves. En revanche, les prévisions pour l'an 2000 se situent entre 2 et 5 milliards de dollars dans le monde, selon Jupiter Communications.

Pour l'instant, la publicité en ligne concerne moins de 1 000 sites Web. Elle est évidemment concentrée sur les serveurs les plus visités. Les dix premiers représentent ainsi 60 % du chiffre d'affaires publicitaire. Il s'agit avant tout de Netscape et des principaux guides de recherche (Yahoo, Infoseek, Lycos, Excite). Les sites médias touchent, quant à eux, 27 % des recettes. Du côté des annonceurs, il y a encore une forte prédominance des entreprises dont l'activité est directement concernée par le Net : Microsoft, IBM, ATT, MCI, Internet Shopping Network. La part de ce secteur, environ la moitié des dépenses, tend toutefois à diminuer et des entreprises diverses développent leur présence : Toyota, Ford et Procter & Gamble figurent parmi les 25 premiers annonceurs.

En France, environ 150 sites affichent des messages publicitaires, les premiers remontant au milieu de l'année 1995. Les sites les plus porteurs sont les moteurs de recherche et les services en ligne[13]. Parmi les annonceurs, les sociétés d'équipement et de logiciels arrivent sans surprise en tête, mais des marques comme Levi's ou Opel sont également présentes. L'un des avantages de la publicité en ligne est son prix relativement bon marché par rapport à son audience : alors qu'il en coûte environ 300 à 400 francs pour 1 000 pages vues dans la presse généraliste, le tarif moyen sur l'Internet est de 150 à 350 francs. À partir de 25 000 francs pour 100 000 pages vues, une campagne est considérée comme intéressante. La publicité en ligne peut aussi constituer un moyen d'attirer des internautes sur le site d'une entreprise : en cliquant sur le bandeau publicitaire, un lien hypertexte renvoie vers le serveur correspondant, qui décline des informations détaillées.

La mesure d'audience représente bien sûr un élément essentiel de développement du marché publicitaire sur le Web. Aux États-Unis, des entreprises comme A.C. Nielsen et, en France, la Sofres, Médiamétrie et BVA ont créé des panels, mais il reste encore à

---

13. Classement des sites les plus consultés au premier semestre 1997 : Yahoo France, Wanadoo, MSN, Nomade, Mygale, AOL France et Altavista. Source : Carat.

établir une mesure indépendante reconnue par l'ensemble du marché, ce qui ne devrait pas tarder. Une autre approche consiste à analyser le trafic des grands sites supports avec des logiciels appropriés. Nielsen a mis au point la méthode avec I-Pro, utilisée en France également. Le moyen le plus direct pour mesurer l'audience réelle d'une publicité est enfin le « taux de clics », c'est-à-dire la mesure du nombre effectif de personnes ayant cliqué sur une bande-annonce pour obtenir des informations sur des produits. Certains systèmes permettent même de distinguer entre les visiteurs accédant une fois et l'internaute consultant plusieurs fois !

Critères de mesures d'audience
Les méthodes de mesure d'audience ne sont pas encore stabilisées. Les critères les plus souvent utilisés sont les suivants :

Hit
Nombre de fichiers constituant une page, c'est-à-dire un fichier HTML, un ou plusieurs fichiers textes, un ou plusieurs fichiers images, un ou plusieurs fichiers son ou vidéo.

Pages vues
Nombre de fois où une page est totalement téléchargée et comptabilisée sur le serveur principal (site).

Visite
Ensemble de pages vues sur un site au cours d'une même session.

Nombre de clics constatés
Nombre de fois où un ou plusieurs visiteurs auront cliqué sur un bandeau ou un objet publicitaire.

Nombre de pages avec publicité constatées
Nombre de pages avec publicité vues sur le site pendant une période donnée, pour un annonceur donné.

Taux de clics
Rapport entre le nombre de clics constatés et le nombre de pages avec publicité constatées.

Information, service et publicité

Les annonceurs ont rapidement saisi l'intérêt de démarches publicitaires moins directes pour faire connaître leurs produits ou fidéliser une clientèle. Ainsi, des laboratoires pharmaceutiques jouent la carte du conseil pour attirer sur leur site, à partir de guides de recherche, des visiteurs intéressés par certaines catégories d'informations. D'autres n'hésitent pas à sponsoriser des serveurs consacrés à la santé, à la beauté et à la forme. Quant à 800 Flowers (livraison de fleurs), c'est l'un des sites qui a mis au point des services destinés aux internautes qui auront bien voulu laisser un minimum de renseignements lors de la première visite. Il envoie un E-mail pour rappeler à temps les anniversaires indiqués au départ, suggérant ainsi un nouvel achat.

Les services en ligne et l'Internet permettent une vraie personnalisation du message, en fonction du profil de l'utilisateur. Diverses techniques, relevant ou non selon les cas d'une démarche volontaire de celui qui est « ciblé », autorisent en effet ce que les Américains appellent le marketing *one to one*. Finis les messages publicitaires à portée générale, dont l'audience réelle est difficile à saisir. Place aux messages spécifiquement adaptés au profil socioéconomique de chacun ! La publicité dite classique sur l'Internet (bandeaux) a certes de beaux jours devant elle sur les sites les plus fréquentés, mais elle constituera de plus en plus un moyen de connaître les visiteurs : il suffit de laisser ses coordonnées électroniques et d'indiquer ses préférences pour être tenu informé de la sortie de nouveaux produits... De la publicité au marketing direct, il n'y a qu'un pas.

La technique la plus controversée, parce que souvent effectuée à son insu, pour établir le profil d'un internaute, est celle des *cookies*. Il s'agit de logiciels utilisés par des éditeurs du Web pour conserver des informations sur les visiteurs. Grâce à ceux-ci, il est possible de savoir s'il s'agit ou non de la première consultation et, le cas échéant, de personnaliser l'accueil les fois suivantes. Le *cookie* sert ainsi d'« agent de renseignement », en s'implantant automatiquement sur le disque dur lors de la première connexion. Il sera identifié par la machine hôte les fois suivantes. En principe, il ne peut pirater le nom ou l'adresse électronique s'ils n'ont pas été communiqués. Dans le cas contraire, chaque visite peut être analysée (pages et rubriques consultées, fréquence, etc.). L'information ainsi collectée est utilisée par l'entreprise qui s'affiche sur le site à ses propres fins, mais elle peut aussi être revendue à des publicitaires ou à des sociétés de marketing ! Certains fichiers qui valent de l'or ont été constitués de cette manière. Pour éviter ces pratiques dérobées, il y a des parades : les *browsers* de Netscape et Microsoft, par exemple, peuvent être paramétrés pour avertir l'internaute qu'un site Web désire implanter un *cookie* sur son disque dur et, dans ce cas, la manœuvre ne s'accomplira qu'avec l'accord de l'utilisateur. En outre, il est toujours possible d'effacer les *cookies* du disque dur.

Le courrier électronique est le moyen le plus simple pour adresser directement un message publicitaire personnalisé à un internaute, à condition de s'être procuré au préalable son profil. Aux États-Unis, cette pratique courante a donné lieu à des abus, certains recevant un déluge de courrier plus ou moins intéressant. Cela a été notamment le cas des abonnés de Compuserve et AOL, jusqu'à ce que ces services en ligne n'en bloquent la transmission. La justice américaine leur a donné raison. Pour l'Internet, Netscape et Microsoft envisagent des filtres de courrier, permettant de conserver seulement les messages en conformité avec le profil de l'utilisateur.

Le secteur tend cependant à se professionnaliser. Certains fournisseurs proposent un abonnement gratuit pour recevoir des informations commerciales ciblées, ainsi que des flashs d'information générale, les cours de la Bourse et la météo. C'est en tout cas un moyen plus économique et efficace pour toucher une clientèle potentielle qu'un mailing classique. Un envoi postal coûterait un peu moins de 2 dollars par lettre et 3 % des destinataires au mieux les ouvriraient, ce qui établit le prix moyen par lecteur à environ 60 dollars. C'est à peu de chose près le coût pour 1 000 lecteurs réels de courrier électronique pratiqué par les *direct-marketers* du cyberespace !

Ciblage et consultation réelle du message : voilà la recette de la publicité en ligne. Pourquoi ne pas payer les internautes pour qu'ils regardent une publicité ? C'est en tout cas l'idée originale de Cybergold, un site qui permet de gagner un demi-dollar pour chaque message consulté pendant un minimum de trois minutes ! Au préalable, il convient de remplir un formulaire électronique. Un logiciel spécifique choisit les publicités en adéquation avec les renseignements donnés. La formule a séduit bien des annonceurs, car elle permet de connaître avec précision le nombre de consultations et d'établir des profils statistiques. Les informations personnelles ne sont toutefois communiquées qu'avec l'accord des intéressés, moyennant un supplément tarifaire ! Quant aux internautes « payés » pour leur attention [14], ils perçoivent leur rémunération sous forme de chèque ou de bon d'achat électronique. Ils sont suffisamment nombreux à se prêter à ce jeu très sérieux pour que Cybergold se rémunère sur la même base : un demi-dollar également versé par l'annonceur pour chaque lecture de message.

Le cybermonde, c'est aussi le « troc électronique ». Le moteur de recherche The Angle va chercher les informations dans les domaines choisis au départ, en fonction du profil décliné. En contrepartie, ce service donne accès à des sites comportant des publicités censées retenir, par définition, l'attention de l'utilisateur ciblé. Broadvision vend la licence et se rémunère sur un pourcentage des revenus publicitaires des sites consultés. Enfin, Grolier Interactive, avec Club Internet, permet à chaque abonné de recevoir un « média personnel » avec revue de presse adaptée. Cela constitue une mine d'informations susceptibles d'intéresser les annonceurs : en partenariat avec Interdeco, la régie publicitaire de Hachette, ceux-ci pourront disposer de cibles précises pour des messages publicitaires individualisés.

L'Internet sans surfer

La publicité et le marketing *one to one* n'ont comme limites que l'imagination de ceux qui proposent des solutions novatrices pour faire venir ou aller chercher le client potentiel dans le cybermonde. Mais voilà qu'une technologie simple et fiable permet d'« industrialiser » la démarche en combinant - rêve de publicitaire - les caractéristiques de l'Internet avec celles de la télévision !

---

14. *To pay attention* signifie « prêter attention ».

Personnalisation, bien sûr, mais aussi diffusion en continu de l'information vers l'utilisateur, tel est l'aspect hybride de la technologie *push*. À l'instar de l'audiovisuel, l'information est « poussée » vers le consommateur au lieu d'être tirée *(pull)*, comme c'était uniquement le cas jusqu'ici. Finie l'attente, terminées les recherches sur différents moteurs, mais la facilité est acquise au détriment du frisson d'aventure dans le réseau planétaire. L'Internet pour tous ? Probablement. De surcroît, la technologie *push* est la seule qui permette d'atteindre une personne, tant à domicile que sur son lieu de travail. Ici, comme dans le domaine du télétravail, les frontières entre la vie privée et l'activité salariée tendent à s'estomper !

La technologie mise au point par Pointcast, qui a fait depuis de nombreux émules, est particulièrement séduisante. En fonction du profil qu'il a soumis au départ, l'utilisateur va recevoir, à partir d'un pool de canaux et de sites Web, des actualités en continu (politique, sport, Bourse, météo, etc.). Pour les informations plus spécialisées, en revanche, il faut repartir sur le Net en surfant. À chaque fois que le micro-ordinateur est remis en route, les données sont actualisées. Si le terminal reste connecté en permanence, la mise à jour se fait en temps réel. La consultation des canaux et des sites se fait de la manière la plus rapide, puisque l'information est préalablement stockée sur le disque dur. Il suffit de cliquer sur l'un des boutons de l'écran personnalisé pour accéder aussitôt à l'information recherchée. C'est cet écran permanent qui sert d'« économiseur », à la place des éternels poissons et autres effets psychédéliques. Il comporte bien sûr des bandeaux publicitaires régulièrement renouvelés ! À cette publicité de « premier niveau » s'ajoute celle sur les programmes consultés et, d'une manière générale, le marketing direct qu'autorise une telle base de données utilisateurs. Lancé au printemps 1996, le *webcasting* a atteint près de deux millions de personnes un an plus tard. Elles bénéficient gratuitement d'un service financé par la publicité et dont le logiciel est aisément téléchargeable. Cette technologie est tellement bien adaptée au temps réel et à l'audience de masse que les principaux quotidiens américains, mais aussi CNN et des chaînes de télévision, disposent de leur canal diffusé. Il faut dire qu'avec 30 à 50 millions d'heures/spectateur par mois, Pointcast représente un potentiel équivalent à celui d'un réseau moyen de télévision !

Sur le lieu de travail, dès lors qu'il existe un Intranet, les informations propres de la société (magazine interne, messages divers) peuvent s'ajouter à celles choisies par les salariés... censés les consulter périodiquement. Parallèlement, les coûts de télécommunication sont réduits, puisque l'information extérieure est stockée sur la base de données de l'Intranet pour y être consultée individuellement, au lieu que chaque terminal n'acquitte le coût de ses propres connexions.

Le succès de la technologie push, qui pourrait drainer en l'an 2000 au moins un tiers des recettes publicitaires en ligne, a suscité la création d'autres systèmes, basés sur le même principe mais avec des approches sensiblement différentes. Alors que Poincast gère pour ses clients les canaux diffusés et partage avec eux les revenus publicitaires, Backweb octroie une licence d'exploitation aux entreprises, moyennant une redevance, et celles-ci l'utilisent à leur guise. Plus d'une cinquantaine de sociétés possédaient leur propre canal Backweb début 1997, notamment le *Wall Street Journal* (service sur abonnement). Intermind propose son Communicator, qui se superpose aux *browsers* existants et permet de fidéliser les utilisateurs grâce à l'abonnement dont ils peuvent bénéficier. Le service est gratuit pour les associations et les particuliers, alors que les entreprises s'acquittent d'une redevance et reversent une partie de leurs recettes publicitaires. Arrive, le service de la société Ifusion, est surtout tourné vers le loisir et utilise pour cela des environnements graphiques sophistiqués. Il compte parmi ses clients CNN, le quotidien USA *Today* et Sony Music. Air Media Live offre la particularité de diffuser les canaux sur les fréquences hertziennes, comme la télévision, ce qui constitue la solution la plus intéressante pour ceux qui désireraient rester connectés en permanence.

Castanet, système développé par la jeune société Marimba, créée par des transfuges de Sun, est le plus original de tous. Il peut s'analyser en une petite station de diffusion (transmetteur) capable d'héberger un grand nombre de canaux et gérée par ses acquéreurs en fonction de leurs objectifs. Cela permet d'organiser la diversité avec des canaux thématiques : informations, radio en direct, téléchargement de logiciels (applets Java) et de jeux, automatiquement renouvelés dès la sortie d'une nouvelle version. Castanet a séduit les plus créatifs avec sa grande palette de possibilités. Il a aussi été remarqué par Netscape, dont le logiciel Constellation, permettant de faire de l'Internet diffusé se superposant au *browser* Navigator, reprend sa technologie. Microsoft prépare de son côté une version de Windows donnant accès à la technologie diffusée avec Active Desktop. Nouvelle bataille en perspective entre les deux rivaux, dont l'un cherche à lancer un système indépendant du système d'exploitation, tandis que l'autre le conçoit comme une extension de celui-ci...

3. Intelligence et ubiquité

L'accélération de l'innovation est telle qu'il est difficile de prévoir quels seront exactement les produits et les services de demain. En revanche, le raz de marée du multimédia communicant et son ouverture à tous va se traduire par la disponibilité de terminaux multifonctionnels de plus en plus conviviaux et des applications de plus en plus intelligentes. Les services seront accessibles en tout lieu (espaces publics, voiture, domicile, etc.) avec un « confort électronique » sans égal. Nomadisme ou « cocooning » ? Ce sera à chacun de choisir.

Terminaux et services conviviaux

Les possibilités ouvertes par l'Internet vont contribuer à effacer les distinctions entre les différents types de terminaux et les modes de communication. De plus en plus d'équipements différents, fixes ou mobiles, seront connectés au réseau pour des usages distincts mais non cloisonnés. La plupart rempliront plusieurs fonctions ou seront capables de dialoguer avec des appareils très divers, les évolutions en ce sens étant déjà amorcées. Un téléviseur équipé d'un décodeur Internet permet bien sûr d'envoyer un courrier électronique à un PC et inversement, tandis que le micro offre la possibilité de téléphoner à un correspondant qui n'en est pas équipé.

Et pourquoi pas finalement le « tout-téléphone » sur l'Internet, au prix d'une communication locale, même s'il s'agit d'un appel international ? Quant aux interfaces avec la machine, rien ne dit que le clavier sera toujours aussi omniprésent dans vingt ans : la reconnaissance de la voix et de l'écriture pourraient recevoir les perfectionnements nécessaires pour s'imposer.

Le terminal du futur. - L'Internet, né de la micro-informatique, va-t-il devenir accessible à un très large public grâce à un ordinateur simple et bon marché que les Américains appellent le NC (Network Computer), ou par le biais du téléviseur grâce à un décodeur ? Les industriels de l'informatique et de l'audiovisuel présentent leurs solutions, chacun s'engageant sur le marché de l'autre, mais, en dernier ressort, c'est le consommateur, par son mode d'utilisation, qui apportera la réponse.

Si le grand public devait se convertir massivement à la micro-informatique, il faudrait que le prix du terminal passe en dessous de la barre des 5 000 francs et que l'installation et l'utilisation des principaux logiciels soient très simplifiées. C'est ce que prétend réaliser le NC, dont le concept a été lancé par Oracle, qui a regroupé à cette fin une trentaine d'industriels[15]. L'idée en est simple : pour abaisser le prix, il faut limiter la mémoire du terminal et ne faire appel aux logiciels nécessaires qu'au coup par coup, en utilisant les applications disponibles sur un serveur offrant également l'accès à l'Internet[16]. Le NC n'aura ainsi ni disque dur ni lecteur de disquettes ou de CD-ROM, une mémoire flash[17] permettant tout juste de stocker quelques documents. La diminution du prix n'intéresserait pas seulement les particuliers, mais aussi les entreprises, d'autant que s'y développent les Intranets permettant de centraliser certaines fonctions logicielles au lieu de devoir acquérir et entretenir un parc important de micro-ordinateurs. Le schéma du NC suppose toutefois que le réseau puisse faire face à un accroissement important du trafic grand public. En outre, l'internaute, très

---

15. Voir p. 55.
16. En mai 1997, Microsoft a annoncé l'acquisition des technologies de deux *start-up*, Citrix aux États-Unis et Prologue en France, permettant d'exploiter les logiciels Windows à partir d'un serveur distant, selon des principes comparables.
17. La mémoire flash permet de stocker des données, même en l'absence de courant électrique.

individualiste, acceptera-t-il de s'en remettre à un tiers pour utiliser et maîtriser des applications de plus en plus riches, personnalisées et variées ?

L'utilisateur moyen se contentera peut-être d'une solution faisant l'impasse sur les applications informatiques, offrant simplement l'accès à l'Internet, avec la possibilité d'envoyer et de recevoir des E-mail. Un « Minitel-net » ou un téléviseur peut alors très bien faire l'affaire et la solution peut être plus économique. En attendant l'adaptation du Minitel, c'est le pari fait par une *start-up* française comme Netgem, qui a mis au point sa Netbox, fonctionnant avec un clavier à infrarouges ou une simple télécommande. C'est aussi l'un des éléments de la stratégie de Microsoft, qui a acquis la société Web TV pour 425 millions de dollars. D'autres constructeurs s'y sont également mis, qu'il s'agisse de RCA, filiale de Thomson Multimédia aux États-Unis, ou encore de Sony ou Philips. Ce marché pourrait déjà représenter plus de 16 % du public Internet en 2002, selon Jupiter Communications. L'évolution possible sur ce plan n'est pas neutre car la fréquentation de l'Internet devient alors une affaire familiale. L'accès au Web serait un peu comme un programme de télévision de plus, en compétition avec les autres pour les ressources publicitaires, avec des mesures d'audience de plus en plus pointues[18]. Bref, consulter l'Internet chez soi sur un terminal dédié, situé dans une pièce qui sert de bureau, n'a pas la même signification sociologique que « regarder » l'Internet à la télé. En termes économiques, le choix n'est pas non plus indifférent : le téléviseur pourrait accroître la part de marché publicitaire de l'Internet, mais selon un concept de mass media qui n'a pas grand-chose à voir avec le ciblage *one to one* qu'autorise le réseau[19].

Téléphone ou courrier électronique. - La téléphonie vocale sur le Net a été introduite en 1995 par des sociétés comme Vocaltec[20]

---

18. Une technologie mise au point par NCI (Network Computer Inc.), filiale d'Oracle, autorisant l'affichage simultané de l'image TV et de l'écran Internet, permettra peut-être de dépasser cette contradiction. Le procédé est commercialisé par RCA depuis fin 1997.
19. Les bouquets numériques de télévision proposent déja l'accès Internet dans les abonnements, de même que certains réseaux câblés.
20. Vocaltec est une société israélienne dont Deutsche Telekom a acquis 21 % du capital à

et Quarterdeck. La solution est peu coûteuse, à condition de disposer d'un microphone et de haut-parleurs sur son PC. Au départ, celle-ci n'était toutefois pas sans inconvénients : nécessité de disposer du même logiciel et d'être connectés simultanément au préalable, grâce à un rendez-vous pris par E-mail, moindre qualité du son, surtout en périodes de pointe de trafic. Malgré tout cela, le marché a paru suffisamment porteur à Intel pour que l'entreprise mette au point Internetphone, fonctionnant aussi bien sous Microsoft Explorer que sous Netscape Navigator, dont elle a le projet de faire un standard. De nouvelles entreprises se sont lancées dans l'aventure, au point d'inquiéter les opérateurs traditionnels. La société Net2phone, par exemple, propose un système permettant d'appeler un correspondant depuis son micro, que celui-ci soit ou non également équipé. Cette solution hybride ouvre considérablement le marché, et les tarifs demeurent attractifs. Pour appeler New York depuis Paris, il n'en coûte que 0,82 franc la minute au maximum, connexion locale en sus. Même à l'intérieur de l'Europe, cela reste valable : 1 franc la minute avec le Royaume-Uni. Si ce dernier tarif est paradoxalement plus élevé qu'un appel transatlantique, c'est que la communication transite dans tous les cas par le New Jersey, où se trouve le serveur.

USA Global Link a lancé en mai 1997 un service encore plus ambitieux, puisqu'il autorise la communication via l'Internet de téléphone à téléphone, l'économie sur les appels internationaux pouvant atteindre 80 à 90 % ! Reste évidemment à vérifier si de telles initiatives ne vont pas se heurter à des obstacles réglementaires, ou encore si la qualité du son sera suffisante pour attirer les clients. Quoi qu'il en soit, le succès éventuel ne ferait qu'ajouter un casse-tête de plus aux problèmes de capacité du Net, surtout si la visiophonie se développait en parallèle. En supposant que ces questions trouvent une réponse satisfaisante, le téléphone sur le Web va être dans une certaine mesure en concurrence avec le courrier électronique.

Le courrier électronique, sans offrir la même convivialité que

la fin de 1997. Les firmes innovantes, liées aux technologies de l'Internet, connaissent en Israël un développement rapide.

le téléphone, présente de grands avantages : coût très réduit (l'envoi d'un message de plusieurs milliers de caractères ne revient qu'à quelques dizaines de centimes) et caractère asynchrone, très pratique si le destinataire n'est pas facilement joignable. Nicholas Negroponte, dans son livre *L'Homme digital*, n'hésite pas à affirmer que l'E-mail sera un média interpersonnel majeur au siècle prochain, approchant et risquant même de dépasser la téléphonie vocale au cours des quinze prochaines années !

En attendant, le courrier électronique s'enrichit de nouvelles fonctionnalités. Il est désormais possible d'y accéder en étant en déplacement, même sans portable. L'appel à un serveur permet de consulter sa boîte aux lettres, grâce à un système de synthèse vocale, qui transforme l'information écrite en messages sonores. Des réponses types, écrites, peuvent être retournées de la même manière. Ce service est capable d'offrir l'option inverse : expédition d'un message vocal depuis un téléphone, sous forme d'un fichier sonore Real-audio ou de texte écrit, après conversion par le serveur. La sophistication des services ira croissant : des « passerelles électroniques » permettront de mettre en réseau différents systèmes de communication pour optimiser leur utilisation. Ainsi l'arrivée d'un E-mail déclenchera la messagerie *(beeper)* et, si le destinataire n'est pas à proximité d'un micro-ordinateur mais d'un fax, le texte pourra être redirigé vers ce dernier appareil. Enfin, si le courrier électronique de base ne paraît pas assez personnalisé à certains, le *rich-mail* permet déjà à ceux qui le souhaitent d'expédier des courriers contenant aussi des images et du son, de même que des animations et de petites applications Java.

Les interfaces homme-machine. - Même si la « culture du clavier » se répand, il y aura toujours des réfractaires. Quant à ses adeptes, qui sait s'ils ne seront pas séduits, le moment venu, par d'autres types d'interfaces ? L'intelligence de la machine est aujourd'hui à l'intérieur, pour la mise en œuvre des applications, mais son intelligence cognitive est inexistante. Un ordinateur ne peut reconnaître son utilisateur habituel ! Pourtant, c'est sans doute la voie de l'avenir. Une reconnaissance vocale totalement fiable permettrait de se dispenser de mots de passe et d'offrir une alternative conviviale au clavier. Il existe déjà des systèmes qui travaillent à 125/140 mots par minute, moyennant l'enregistrement préalable de l'empreinte vocale. N'obtenir aucun défaut dans la transcription, à condition que la prononciation soit parfaite, est envisageable. Bien plus, rien n'interdit de penser qu'un ordre vocal, donné par l'utilisateur autorisé et reconnu, permettra de lancer une application sans recours au clavier et à la souris.

Concernant la reconnaissance de l'écriture, elle est déjà utilisée dans certains « communicateurs personnels » ou par les palettes graphiques. Là encore, la fiabilité n'est pas totale et aucun système bureautique n'a pour l'instant tenté l'essai. Rank-Xerox, dont les célèbres laboratoires de Palo Alto sont à l'origine de la souris et des icones, fait des recherches dans cette direction. L'écran serait disposé à l'horizontale sur le bureau, afin de devenir une simple « feuille électronique », support d'une écriture manuelle numérique.

Des applications intelligentes

L'exploitation des immenses ressources du Net et l'ouverture vers de nouvelles dimensions d'usage vont reposer de plus en plus sur des applications « intelligentes ». Les agents électroniques rechercheront des informations précises ou le meilleur prix d'un produit. Des réalisations graphiques 3D ouvriront de nouvelles perspectives créatives et scientifiques. Enfin, de nombreuses tâches de surveillance ou de contrôle d'équipements et d'appareils à usage professionnel ou domestique s'accompliront à distance.

Les agents intelligents. - L'agent électronique est le logiciel qui permet d'effectuer une recherche et de trouver ainsi l'information attendue, voire de se conformer à des instructions plus complexes. Parmi les applications, on peut citer l'obtention d'un certain type de données, mais aussi la préparation ou l'engagement d'une transaction, ou encore l'organisation automatique du courrier électronique. Les missions confiées à l'agent électronique peuvent être explicites (trouver un article de presse paru à une date déterminée) ou implicites (produire une typologie d'informations correspondant au profil et aux goûts de l'utilisateur). Sur ce dernier plan, il existe déjà des logiciels pouvant accomplir ce genre de tâche. Ils sont capables de confectionner une revue de presse quotidienne ou d'établir une sélection d'informations en provenance de divers sites, quitte à modifier les critères et les instructions de temps en temps.

L'intelligence artificielle la plus sophistiquée est celle qui ne se cantonne pas dans des tâches d'exécution, mais interprète des informations en fonction du profil de l'usager et les restitue. Ainsi, la création d'un site Web sur un certain thème sera signalée automatiquement. De même, à l'occasion de la visite de l'agent dans une librairie virtuelle, les nouveautés correspondant à ses goûts littéraires seront directement communiquées. Des recherches du Groupe des agents autonomes du MIT sont ainsi nées des applications comme Firefly, capables de faire des suggestions concernant de nouveaux titres musicaux chez des disquaires en ligne.

On le voit, les applications dans le domaine du commerce électronique paraissent les plus prometteuses. Bargain Finder (« Petit Fouineur »), mis au point par Andersen Consulting, compare les prix de CD audio dans différents magasins électroniques et indique la meilleure affaire. Selon les mêmes principes, des agents intelligents seront capables de fournir des informations sur des tarifs de voyage ou de séjour sur une destination, afin de choisir la solution la plus économique ou celle offrant le meilleur rapport qualité/prix. Kasbah est un projet du MIT sur la négociation commerciale à partir d'une petite annonce (par exemple pour acheter une voiture d'occasion), sur la base d'une règle du jeu définie par l'utilisateur (caractéristiques, prix plancher, etc.). Alter Ego, enfin, est un produit d'IBM qui permet de gérer son courrier électronique à l'arrivée, selon des critères de priorité prédéfinis. Ainsi, les messages provenant de telle personne ou traitant de tel sujet pourront être affichés en premier ou, au contraire, être « mis sous le coude ». L'agent intelligent devient ici une sécrétaire de direction discrète et efficace.

La réalité virtuelle et le 3D. - La réalité virtuelle permet, avec le langage VRML *(virtual reality modeling language)*, de reconstituer de manière artificielle des environnements dans lesquels on peut évoluer comme dans la réalité. Elle n'est pas qu'une invitation à un « voyage du troisième type ». Ce peut être aussi une façon de communiquer une expérience avant de pouvoir la vivre dans la réalité, ou encore de présenter le résultat de certaines recherches. Ainsi le serveur Internet du site préhistorique de Stonehenge au Royaume-Uni convie le visiteur à une visite en 3D d'un réalisme d'autant plus saisissant qu'il est possible de choisir le moment du jour, avec lumière solaire adaptée en conséquence. Dans ce cas précis, la découverte réelle d'un lieu très fréquenté pourrait ne pas avoir le même charme ! Concernant des grottes préhistoriques qui ne peuvent être ouvertes au public (Lascaux ou Cosquer), c'est là une manière particulièrement attrayante de valoriser un patrimoine, au lieu de se limiter à une simple présentation d'images fixes. En architecture aussi les applications sont considérables.

Enfin, dans le domaine du jeu off line, le 3D occupe déjà une place très importante et part maintenant à la conquête des jeux en réseau Alphaworlds et le Deuxième Monde, avec leurs avatars virtuels. La puissance sans cesse croissante des microprocesseurs (Pentium MMX...) autorise en effet de plus en plus l'accès en ligne à des environnements élaborés, même s'ils s'appuient également sur des CD-ROMs « communicants », pour éviter des délais de chargement excessifs.

L'Internet caché. - La révolution « visible » introduite par le Net a été amplement présentée jusqu'ici. Derrière elle s'annonce une révolution « invisible », avec la connexion de toutes sortes d'appareils de faible puissance à des fins de mesure, de contrôle et de sécurité. Certes, ce seront des opérations déjà accomplies par le biais du réseau téléphonique, mais son coût n'autorise guère la généralisation de systèmes qui devraient être connectés fréquemment, sinon en permanence.

L'Internet pourrait offrir toute la souplesse nécessaire. De quoi s'agirait-il ? De très nombreux secteurs sont potentiellement concernés. Les exemples qui suivent ne représentent que quelques cas dans le champ du possible, grâce à une « connectivité généralisée » effectuée avec des microprocesseurs/navigateurs Internet intégrés dans les équipements reliés. Des imprimantes pourraient ainsi faire l'objet de diagnostics automatiques à distance en cas de pannes, voire de télémaintenance. Les compteurs (eau, électricité, gaz) pourraient être lus automatiquement, s'ils étaient dotés de tels systèmes. Les dispositifs de protection et de surveillance électronique (habitations, entreprises) pourraient être connectés de cette manière à des centraux. Dans tous les cas, cela permettrait de réaliser de substantielles économies. Il ne s'agit pas là de science-fiction, mais de développements actuellement étudiés aux États-Unis par une société comme ISI (Integrated Systems), l'un des fournisseurs de microprocesseurs destinés aux marchés industriel et grand public (hors informatique et multimédia).

AAA

Anywhere, Anytime, Anyone (« Partout, tout le temps, pour tous »), ainsi pourrait être définie l'accessibilité au multimédia en réseau, bien avant le milieu du siècle prochain. Il ne sera pas toujours nécessaire d'être chez soi ou avec son portable pour bénéficier de tous les services du Supernet.

Partout. - La technologie Intranet permettra de constituer des réseaux en milieu urbain et dans les lieux publics, accessibles depuis des bornes interactives. Ainsi, un système Intranet municipal déclinerait pour les habitants et les visiteurs toute l'information nécessaire sur les services (transports, tourisme, hôtels, mairie, hôpitaux), avec à la clef la cartographie et la possibilité d'obtenir un itinéraire personnalisé. Dans les lieux publics comme les gares et les aéroports, l'Intranet pourrait fournir en temps réel l'information sur les horaires et les tarifs et même les disponibilités en réservation, pour ceux qui n'auraient pas encore acheté un titre de transport électronique depuis chez eux. Dans les grands magasins, le réseau permettrait, outre la présentation des produits en vente avec un accent particulier sur les promotions, d'indiquer l'état du stock et de diriger l'acheteur intéressé vers le rayon où se trouve l'article recherché. En voiture, différents systèmes de radioguidage faisant appel au GPS *(global positioning system)* ou « positionnement par satellite », sont désormais disponibles, mais à un coût encore trop élevé pour en permettre la généralisation. Avec l'Internet sans fil, cartographie, itinéraires et informations de proximité (tourisme, hébergement) pourraient être accessibles de partout.

Chez soi. - Dans ce monde connecté, les habitations seront des havres accueillants où l'électronique invisible assurera, en fonction des préférences de chacun, toute une série de services discrets et appréciés. Le « badge électronique » personnalisé permettra de réguler automatiquement les fonctions de base de l'environnement : chauffage, éclairage, musique, voire films et programmes de télévision. Bien sûr, des capteurs d'intensité lumineuse extérieure déclencheront l'ouverture ou la fermeture des rideaux et des volets. Ces régulations automatiques généreront des économies d'énergie, les pièces temporairement inoccupées étant maintenues à un niveau de chauffage ou de climatisation minimal.

Le choix. - De la « maison intelligente » au refuge permanent, il n'y a qu'un pas, d'autant plus facile à franchir que tout pourra s'accomplir depuis le domicile, virtuellement ouvert sur le monde extérieur. Qu'il s'agisse de s'éduquer, de se former, de se distraire ou de faire ses achats, plus besoin de quitter le « temple électronique » que sera devenu le foyer. Même la convivialité pourra se maintenir à distance, avec des systèmes comme Cu-See-Me, qui mettent déjà une forme de visioconférence à la portée du plus grand nombre.

Paradoxe du repli sur soi à l'ère de la communication planétaire ? Certainement : les adeptes du cocooning intégral pourront créer leurs propres paradis artificiels. Mais les vrais aventuriers du cyberespace profiteront des mille et un accès au savoir et des services leur permettant de bien gérer leur temps, pour mieux vivre au dehors, en allant au-devant des autres habitants du « village global ».

Le cyberespace juridique

Le développement de l'usage des réseaux soulève de multiples questions sur le plan juridique. Pourtant, contrairement à certaines idées reçues, les nouvelles technologies de l'information ne révèlent pas de vide particulier. Certes, il est nécessaire d'adapter le cadre légal et réglementaire, mais les principes en vigueur, du moins en Europe, sont adéquats. Aujourd'hui, les dispositions qui protègent les droits des particuliers et des entreprises peuvent s'appliquer à l'Internet. Encore faudrait-il qu'une coopération internationale permette effectivement leur respect. En effet, comment faire respecter les droits de la personne sans limiter la liberté d'expression ou freiner le développement du Net ? En Europe et aux États-Unis, différentes approches sont tentées.

1. Une problématique complexe

La communication transfrontière des réseaux et de l'Internet en particulier est source d'ambiguïtés juridiques. Les questions posées par l'Internet sont certes analogues à celles qui concernent toutes les transactions internationales. Cependant, deux interrogations majeures subsistent : dans quelle mesure le droit français s'applique-t-il à des services en ligne accessibles en France, dont le fournisseur est établi sur le territoire d'un autre pays ? Et, surtout, comment faire respecter ce droit ? Car il faut à la fois être capable d'identifier les auteurs de manquements éventuels et de prendre des mesures susceptibles d'y mettre fin. Le tout en sachant que les services accessibles par l'Internet ne sont connus le plus souvent que par leur adresse IP et que l'exécution à l'étranger d'une décision judiciaire rendue en France nécessite l'intervention d'un juge local.

Une nécessaire harmonisation internationale

La solution passe incontestablement par une harmonisation, à l'échelon international, des règles existantes. À ce titre, deux démarches peuvent être envisagées. Soit les États engagent une réflexion pour bâtir des règles communes, soit les internautes tentent de promouvoir l'émergence d'un cadre juridique cohérent pour définir les responsabilités de chacun.

Dans un cas comme dans l'autre, la démarche sera longue et difficile, mais il semble aujourd'hui qu'on s'oriente plutôt vers la seconde hypothèse.

Après avoir tenté de légiférer chacun de leur côté, les principaux gouvernements occidentaux paraissent avoir opté pour ce que Pierre Trudel, professeur de droit à l'université de Montréal, appelle une « démarche anationale ». En clair, quand les systèmes de droit des différents États se bornent à énoncer des valeurs fondamentales, une communauté d'utilisateurs peut édicter ses propres règles, applicables dans les environnements électroniques. « Dès lors que la possibilité légale ou pratique existe de se soustraire à l'application des dispositions des droits nationaux, il est possible d'envisager l'émergence d'un corpus de règles "anationales" qui régiraient la responsabilité découlant des informations dans l'Internet », souligne cet expert.

Selon lui, ces règles pourraient prendre la forme d'usages manifestés par des clauses qui se répandraient dans les pratiques contractuelles, qui pourraient elles-mêmes être codifiées par différents organismes internationaux. « On verrait ainsi l'émergence d'un droit anational de la communication électronique, composé des divers usages et coutumes de la communauté des usagers de l'Internet. » Une référence au projet de création, au sein de l'Isoc (l'Internet Society), d'une Internet Law Task Force (ILTF) dont l'objectif serait de définir un cadre juridique permettant d'apporter des réponses aux problèmes légaux soulevés par les réseaux.

Ce choix en faveur d'une autorégulation organisée par les internautes s'explique aussi par le poids de la tradition américaine, très attachée à la liberté d'expression et aux libertés individuelles. Aujourd'hui, deux conceptions très différentes s'opposent : la vision anglo-saxonne privilégie le libéralisme avant tout, quitte à prévoir des sanctions très fortes pour tout manquement à la règle, tandis que l'approche européenne préfère la réglementation plutôt qu'une sanction a posteriori.

Le droit d'auteur

Parmi les secteurs juridiques directement concernés par l'émergence des services multimédias et le développement de l'Internet, le droit d'auteur paraît sans doute le moins adapté. La facilité de copie des œuvres avec les médias électroniques remet en effet en cause les dispositions existantes. C'est pour résoudre ces difficultés qu'a eu lieu, en décembre 1996 à Genève, une conférence mondiale, qui a réuni des experts de 160 pays sous l'égide de l'Organisation mondiale de la propriété intellectuelle (OMPI). Les débats, qui tendaient à réconcilier des artistes inquiets pour la protection de leurs œuvres et des internautes jaloux de leur liberté, ont finalement abouti au vote de plusieurs textes qui pourraient faire date.

Le premier a été consacré à l'adaptation de la Convention de Berne sur les droits littéraires et artistiques. Rédigé en 1889, ce texte, qui n'avait plus été amendé depuis 1971, reconnaît la toute-puissance de l'ordinateur. Désormais, les « transmissions et distributions numérisées » des œuvres littéraires et artistiques seront protégées. Le stockage d'une œuvre sous forme numérique (autrement dit sur un disque dur d'ordinateur) constituera officiellement une « reproduction ». Si celle-ci est conservée pour un usage strictement privé, cela ne pose pas de problème. En revanche, si elle est diffusée sur l'Internet, l'émetteur est tenu au respect du droit d'auteur. Dans ces conditions, il doit soit disposer de l'autorisation de l'auteur, soit payer les droits.

Les délégués ont également procédé à une révision de la convention de Rome établie en 1961, afin d'accorder le même type de protection aux œuvres de cinéma, de théâtre et de musique. En revanche, les articles concernant les droits des interprètes et des exécutants des œuvres n'ont pas été adoptés. Les différentes parties en présence n'ont pas davantage pu se mettre d'accord sur l'extension du droit d'auteur aux copies électroniques temporaires réalisées sur l'Internet, c'est-à-dire les copies qui résident dans la mémoire vive d'un ordinateur quand son utilisateur consulte une page Web. L'OMPI souhaitait que celles-ci soient considérées comme relevant du droit d'auteur, même si ces reproductions sont de caractère « éphémère ou accessoire ». Opposés à ce projet, les fournisseurs d'accès ont brandi la menace de la paralysie du réseau si une telle mesure était adoptée. Pour eux, il est hors de question que la réglementation les rende responsables de la protection d'un contenu original qu'ils n'ont aucun moyen de vérifier. Il faut dire qu'ils transmettent plus de 500 millions de messages par jour. Si chacun d'entre eux doit être considéré comme une « reproduction », la gestion des droits d'auteur deviendra un véritable casse-tête.

La Commission européenne s'est également penchée sur la question, en publiant en 1996 un livre vert sur le droit d'auteur et les droits voisins dans la société de l'information. Ce texte concerne à la fois les œuvres imprimées, les films, les œuvres d'art graphiques ou plastiques, les produits électroniques (comme les programmes d'ordinateur), les émissions transmises par câble ou satellite, les disques, les représentations théâtrales ou musicales, les expositions ou les ventes aux enchères d'œuvres d'art, sans oublier les « produits créés par la société de l'information », c'est-à-dire les œuvres électroniques, les services à la demande et les prestations électroniques à distance, accessibles via le réseau sur requête individuelle du consommateur. Tout cela représente une véritable industrie pesant 5 à 7 % du produit national brut des quinze pays membres !

Constatant d'« importantes disparités » de protection entre les législations nationales, les auteurs du livre vert sont favorables à une harmonisation à l'échelon européen, même si la mise en œuvre des dispositions relève des États. Pour en arriver là, il faudra adapter le cadre juridique de certains d'entre eux. Par ce biais, la Commission espère « maintenir, voire développer davantage à l'échelle européenne le niveau élevé de protection par le droit d'auteur, qui caractérise, de longue date, le droit des pays européens ». Elle précise aussi que ces mesures ne doivent pas entraîner de modifications radicales du cadre réglementaire existant. C'est l'environnement dans lequel les œuvres seront créées ou protégées qui doit changer.

La jurisprudence se met en place

L'idée que les législations nationales seraient obsolètes dans le domaine multimédia n'est pas complètement fondée. À ce titre, la France est même, selon les juristes, l'un des rares pays à disposer d'un arsenal de lois aussi complet, notamment pour la sûreté informatique. Votée en 1985, puis modifiée en 1994, la loi God-frain prévoit ainsi toute une batterie de sanctions en cas d'« atteintes aux systèmes de traitement automatisé des données ». L'article 323-1 précise notamment que « le fait d'accéder ou de se maintenir frauduleusement dans tout ou partie d'un système de traitement automatisé de données est puni d'un an d'emprisonnement et de 100 000 francs d'amende ».

Par ailleurs, la Commission nationale de l'informatique et des libertés (Cnil) estime que la réglementation appliquée en Europe depuis deux décennies est dans l'ensemble adaptée à la nouvelle vague technologique. Le tribunal de commerce de Paris a ainsi pu juger, en mars 1997, une affaire de contrefaçon sur l'Internet. Le litige opposait le concepteur d'un logiciel éducatif d'apprentissage du clavier et une société qui le diffusait gratuitement sur son site Web. Pour apporter la preuve de ces agissements, un membre assermenté de l'Agence pour la protection des programmes (APP), auprès de laquelle le logiciel avait été déposé, s'est connecté sur le site incriminé et a pu dresser le constat. La contrefaçon étant ainsi établie, le tribunal a ordonné en référé au serveur d'arrêter la distribution du logiciel piraté, sous astreinte provisoire de 10 000 francs par jour de retard. Parallèlement, le juge a imaginé une solution pédagogique complètement adaptée à la philosophie et aux possibilités techniques de l'Internet, en ordonnant à la société condamnée de diffuser pendant six mois sur la première page de son serveur le texte de l'ordonnance. Le tribunal a aussi exigé que la première page de ce même site présente un lien hypertexte extérieur pointant vers le site de l'APP dédié à la lutte contre le piratage d'œuvres numériques.

Au-delà du jugement proprement dit, cette affaire apporte une réponse en matière de territorialité, du moins sur un plan national. Le tribunal de commerce de Paris s'est en effet estimé compétent pour traiter un dossier qui ne relevait pas forcément de sa juridiction, puisque le serveur incriminé était implanté à Villeurbanne. Mais c'est dans la capitale que l'infraction a été constatée par l'Agence pour la protection des programmes. Si l'on pousse le raisonnement plus loin, un serveur à l'étranger qui distribue des logiciels pirates peut être attaqué devant un tribunal français si l'infraction est constatée en France. Bien sûr, il faudra ensuite faire respecter le jugement à l'encontre d'une personne ou d'une entreprise basée hors de France, mais cet exemple montre bien que l'administration de la preuve est possible sur l'Internet. Cela est loin d'être négligeable, car l'article 1341 du code civil exclut du débat judiciaire toute preuve d'un contrat qui ne consiste pas en un écrit, signé et original, dès lors que l'enjeu de l'affaire dépasse 5 000 francs. À partir du moment où une alternative à l'expertise judiciaire peut résider dans les constatations d'agents assermentés[1], la preuve des événements devient plus simple. Il est ainsi possible de lutter plus efficacement contre la contrefaçon, la concurrence déloyale ou la diffamation.

2. Droit de la personne et liberté d'expression

Dans le cyberespace, la première responsabilité des États est d'assurer à la fois le respect du droit des personnes, la liberté d'expression et la liberté d'information. Pour parvenir à cet objectif, ils disposent déjà, notamment en France, d'un ensemble de dispositions législatives et réglementaires, dont la Déclaration des droits de l'homme, mais la spécificité des réseaux en exige de nouvelles. Il faut aussi qu'ils répondent à quelques interrogations de fond. Ainsi, peut-on faire cohabiter, sur l'Internet, la correspondance privée avec la communication publique ? Où et comment faut-il mettre en place, pour le commerce électronique d'un côté et la lutte contre la criminalité de l'autre, des procédures de cryptage ? Aux États-Unis, le président Bill Clinton, après avoir tenté de légiférer avec le Communications Decency Act, s'est finalement décidé pour l'adoption d'un système d'autorégulation.

Le respect du droit de la personne

Le développement de l'Internet met en lumière deux principales interrogations en ce qui concerne le respect du droit de la personne : la protection des mineurs et la protection des données

---

1. Ceux de l'Agence pour la protection des programmes dans le cas d'une contrefaçon.

personnelles à travers une exploitation non maîtrisée des fichiers.
Dans le premier cas, il s'agit bien sûr de limiter le développement
des réseaux pédophiles sur le Net. L'actualité démontre que cette
préoccupation concerne tous les pays, notamment les États-Unis
et l'Europe[2]. Le congrès de Stockholm, organisé fin 1996 sur le
thème de la protection des enfants, a ainsi consacré une large partie
de ses débats aux « activités déviantes via l'Internet ».

Si cette préoccupation est majeure, elle devrait pouvoir être
résolue, tant la plupart des acteurs concernés sont d'accord pour
trouver une solution. En revanche, la limitation de l'accès par des
enfants à des sites pour adultes suscite un débat beaucoup plus
houleux entre les partisans d'un contrôle renforcé de chaque site,
qui préconisent des systèmes de cryptage et de filtrage draconiens,
et les apôtres de l'autorégulation qui estiment que cette tâche relève
du rôle des parents et des éducateurs. Aujourd'hui, la question
n'est pas encore tranchée. Les initiatives menées par la communauté des internautes, notamment avec la mise au point de Pics,
une plate-forme capable d'assurer une sélection du contenu d'Internet[3], méritent d'être encouragées. Quant aux gouvernements, ils
n'ont pas adopté des mesures drastiques de censure, comme de
nombreux groupes de pression le leur demandent, surtout aux
États-Unis.

Le respect du droit des personnes passe également par une
meilleure maîtrise de l'exploitation des fichiers, appelée à se développer avec le commerce électronique[4]. Aux États-Unis, le président Bill Clinton en a tenu compte, en rendant public en juillet
1997 un rapport intitulé *Un cadre pour le commerce électronique
global*. En France, c'est la Commission nationale informatique et
libertés (Cnil), créée en 1978, qui assure la protection des données
nominatives. Pourtant, l'émergence des réseaux pourrait lui
compliquer la tâche. Dans son rapport annuel portant sur l'année
1996, la commission s'inquiète ouvertement de la menace que fait

2. Le FBI a démantelé, fin 1995, un réseau qui utilisait le service en ligne America On Line
pour échanger adresses et images. Compuserve a été obligé, à la demande de la justice alle-
mande, de fermer l'accès à deux cents newsgroups.
3. Voir p. 100.
4. Voir p. 140.

peser l'Internet sur la protection de la vie privée : « Les multiples procédures de collecte d'informations qui se développent sur l'Internet sont inquiétantes. » Aussi suggère-t-elle trois solutions pour y remédier : développer l'information des internautes sur les règles de protection des données personnelles, interdire la capture d'informations nominatives à des fins d'enrichissement de bases de données commerciales ou publicitaires, et accorder aux internautes un droit d'opposition à la diffusion de leurs données sur le réseau.

Reste à savoir si elle sera entendue et si elle disposera de moyens renforcés pour faire respecter de telles règles, notamment au niveau international. La Cnil dispose certes de réels moyens de sanction des contrevenants, puisque la loi du 6 janvier 1978 prévoit qu'en cas de manquement à leurs obligations, elle adresse aux intéressés des avertissements et dénonce au parquet les infractions dont elle a connaissance. Mais ces pouvoirs, qu'elle utilise d'ailleurs peu, risquent d'être limités dans un contexte international, d'autant plus que le nombre de dossiers qui lui sont présentés ne cesse d'augmenter avec le développement des nouvelles technologies. Pour la seule année 1996, le nombre de dossiers soumis (80 000) a augmenté de 30 %, après une hausse de 50 % en 1995.

Liberté d'expression : le cas américain

De la même façon, le développement de l'Internet soulève la question du respect de la liberté d'expression. S'il est primordial que celle-ci soit assurée, certains États peuvent être tentés d'exercer un contrôle. Tel a été, à un moment donné, le cas des États-Unis. Malgré ses réalisations incontestables dans le domaine des autoroutes de l'information, le président Clinton a été moins heureux quand il a souhaité établir certaines règles déontologiques sur le Net. Il avait d'abord été contraint d'abandonner l'idée du *clipper chip*, puce électronique qui devait être placée dans les appareils de communication (téléphones mobiles, portables, etc.) afin de permettre la levée du secret sur la demande des autorités fédérales, grâce à un système de clés. Cette forme d'écoute sophistiquée et contrôlée était bien sûr destinée à lutter contre la grande criminalité ou le terrorisme, mais les risques perçus concernant la liberté d'expression étaient tels dans l'opinion de ses adversaires (des associations de défense des droits civiques et industriels) que le projet fut enterré.

Le *CDA (Communications Decency Act)*, une initiative remontant au début de 1996, dont l'objet était de protéger les enfants de contenus « indécents » ou pornographiques sur le Web, n'a pas eu davantage de succès. La loi votée par le Congrès a été déclarée inconstitutionnelle par un tribunal fédéral, au motif qu'elle violait le premier amendement à la Constitution sur la liberté d'expression. Dans leur décision, les juges ont estimé que la protection de l'enfance relevait des parents et des éducateurs et non du gouvernement. Au contraire, les risques d'atteinte à la liberté d'expression, face au flou inévitable entourant la notion de contenu indécent, leur paraissaient trop grands pour être acceptés, quel que soit le but poursuivi.

Cette position a été confirmée un an plus tard par la Cour suprême dans sa décision historique Reno versus ACLU[5], rendue le 26 juin 1997 par sept voix contre deux, à l'issue d'une procédure qui a vu s'affronter les partisans de la censure, recrutés parmi les couches conservatrices de la société[6] et les tenants de la liberté d'expression[7]. Selon le juge John Paul Stevens, « l'intérêt d'encourager la liberté d'expression dans une société démocratique dépasse de loin tout bénéfice théorique mais non prouvé de la censure ». Cela ne crée pas pour autant un espace de non-droit sur l'Internet, puisque l'interdiction de matériel obscène et de la diffusion de pornographie enfantine, qui s'applique à l'ensemble des médias, demeure en vigueur. Certes, dans le cas du cyberespace, la mise en œuvre de ces dispositions pourrait s'avérer singulièrement difficile. Aussi le gouvernement a-t-il choisi la seule autre voie possible : la responsabilité des parents et des éducateurs, appuyée sur l'utilisation de logiciels de filtrage[8].

---

5. American Civil Liberties Union.
6. L'association Enough Is Enough.
7. L'ACLU, l'Electronic Frontier Foundation, l'Electronic Information Privacy Center et l'American Library Association.
8. Voir p. 99.

Une chaîne de responsabilités à clarifier

Fervents défenseurs de la liberté sous toutes ses formes, de nombreux internautes revendiquent en effet que les réseaux demeurent le royaume du libre-arbitre individuel. Cette conception de l'Internet s'explique avant tout par ses origines : au départ, le réseau n'avait pas d'autre but que de permettre la communication entre des chercheurs du monde entier, afin que ceux-ci puissent échanger des fichiers informatiques et partager les capacités de traitement des grands ordinateurs. Malheureusement, si ce raisonnement et cet état d'esprit pouvaient prévaloir et fonctionner parfaitement dans le cadre d'un milieu universitaire policé, ce n'est plus le cas à partir du moment où le Web est accessible au plus grand nombre. Comment imaginer, en effet, qu'un ensemble de règles tacites soient respectées par des millions de personnes dont la majorité, d'ailleurs, n'en connaissent même pas l'existence.

Les propos racistes ou antisémites relèvent de la même logique, même s'il existe des textes susceptibles d'éviter tout débordement. En mars 1996, l'Union des étudiants juifs de France (UEJF) a ainsi demandé au juge des référés d'ordonner à un certain nombre de fournisseurs d'accès d'empêcher toute connexion par leur intermédiaire à des services diffusés sur l'Internet qui méconnaissaient ostensiblement les dispositions de la loi du 29 juillet 1881 sur la liberté de la presse, modernisée par la loi Gayssot de 1972, sur la provocation à la discrimination, à la haine ou à la violence raciale ou religieuse. Cette affaire s'est finalement achevée sur un accord entre les deux parties, au terme duquel le fournisseur d'accès s'est engagé à exercer une surveillance sur les messages diffusés, sans pour autant endosser la responsabilité sur les contenus. Un an plus tard, l'UEJF a une nouvelle fois intenté une action en justice pour obliger un artiste et son fournisseur Internet à supprimer d'un site Web des textes que l'association juge racistes.

Au-delà de ces affaires qui existent dans de nombreux pays, le débat porte sur la chaîne de responsabilités qu'Internet peut entraîner. Pour les services télématiques, l'Aftel rappelle que la jurisprudence admet la responsabilité du fournisseur du service sur les messages accessibles au public. En revanche, le centre serveur n'est pas jugé responsable, car on ne peut pas lui imposer le contrôle de tous les services qu'il héberge. Quant à l'opérateur du réseau, il n'est pas considéré comme complice. Avec l'apparition de nouveaux intervenants, la situation devient plus complexe. Il faut en effet rappeler que les services en ligne sont commercialisés sous des formes diverses par des exploitants de plates-formes d'intermédiation qui offrent l'accès à un ensemble de services. Si l'utilisateur a traité avec l'exploitant d'une plate-forme, celui-ci sera responsable des services fournis. Mais si ce dernier offre un accès ou un « reroutage » vers des services que l'utilisateur rémunère directement, aucune action ne peut être intentée contre lui. Dans le cas d'un fournisseur d'accès, en écartant les services qu'il commercialise directement, sa prestation s'apparente plutôt à un opérateur de télécommunications, lui évitant la qualification de coauteur ou de complice.

3. Les premières solutions

Confrontés à la nécessité d'adapter leur cadre juridique au développement des réseaux, tous les gouvernements ont commencé à prendre certaines mesures sur un plan national, tout en lançant des initiatives au niveau international. La France s'est attaquée dès 1996 à l'élaboration d'un cadre juridique pour les activités multimédias. L'Allemagne a voté en juin 1997 une loi rendant passibles de poursuites pénales les fournisseurs d'accès offrant la connexion à des sites dont ils connaîtraient le contenu répréhensible. De leur côté, les États-Unis, après avoir cherché à légiférer, ont opté pour des solutions d'autorégulation. La Commission européenne, enfin, envisage de lancer un plan d'action pour renforcer les moyens de traquer les serveurs jugés incorrects.

Réflexions françaises et coopération internationale

C'est à partir de 1996 que le gouvernement français s'est sérieusement préoccupé de bâtir un cadre juridique cohérent pour les réseaux. Dans un premier temps, il a confié des missions prospectives à plusieurs élus ou experts : Isabelle Falque-Pierrotin, maître des requêtes au Conseil d'État, Patrice Martin-Lalande, alors président du sous-groupe de l'Assemblée nationale sur les autoroutes de l'information, et Antoine Beaussant, président du Groupement des éditeurs de services télématiques, pour n'en citer que quelques-uns. Parallèlement, conscient de la nécessité de ne pas limiter sa réflexion au seul territoire français, le gouvernement a voulu étendre son action. Il a ainsi présenté, fin 1996, à l'Organisation de coopération et de développement économiques (OCDE), un projet de charte de coopération internationale visant à favoriser le développement de l'Internet. Cette proposition n'avait pas pour but d'imposer des mesures contraignantes ni de mettre en place un quelconque dispositif de censure. Il s'agissait seulement d'« appliquer sur l'Internet les règles que doivent observer tous les professionnels de la communication publique, pour éviter que ce réseau ne soit remis en cause ». En d'autres termes, ce code de bonne conduite devait d'abord définir précisément les acteurs et leurs responsabilités. En signant ce texte, les pays s'engageraient à en faire respecter les principes, à échanger toute information juridique pertinente sur les réseaux et à prévoir une coopération policière et judiciaire.

Pour certains, l'adoption d'un simple code de bonne conduite n'est pourtant pas suffisant, il faut également prévoir des solutions techniques susceptibles de contrôler efficacement tout dérapage. C'est dans ce cadre que s'inscrivent notamment l'adoption par la Commission européenne de directives sur le cryptage, les bases de données ou la vente à distance, le développement des logiciels de filtrage, ou la réflexion de l'OCDE sur le cryptage de la communication sur l'Internet. Début 1997, l'organisation internationale a en effet adopté les lignes directrices d'une politique de cryptographie dont les pays membres peuvent s'inspirer pour élaborer leur propre législation. L'OCDE a édicté huit grands principes pour trouver le juste équilibre entre la protection de la vie privée, le respect des lois, la sécurité nationale, le développement technologique et le commerce. L'organisation souligne que les méthodes cryptographiques doivent d'abord susciter la confiance des utilisateurs, que les politiques nationales peuvent autoriser l'accès légal au texte en clair et aux clés de données chiffrées, et que les gouvernements doivent lever les obstacles injustifiés aux échanges ou éviter d'en créer de nouveaux au nom d'une politique de cryptographie.

Pour d'autres, il conviendrait même d'aller plus loin en recourant à des instruments juridiques internationaux plus contraignants. Certains évoquent notamment la mise en place d'une convention internationale s'inspirant des dispositifs nationaux et régionaux déjà existants et prévoyant des procédures de coopération. Ils suggèrent aussi d'obtenir, auprès des fournisseurs de logiciels et de services, « l'intégration de fonctions techniques permettant l'exercice des droits des personnes reconnus dans le domaine de la protection des données, comme celui d'être informé, en ligne, du devenir des informations des données collectées, ou celui de s'opposer aux exploitations des données sans rapport avec la prestation fournie ».

L'Allemagne, quant à elle, a déjà tranché le débat en votant, mi-1997, une loi sur les médias et les réseaux, afin de se donner les moyens de « lutter contre la diffusion de la pornographie, de la propagande néonazie et de la violence sur les services télématiques et l'Internet ». Celle-ci garantit notamment la sécurité des échanges économiques sur les réseaux par la signature numérique. Elle réglemente aussi la responsabilité du fournisseur : désormais, les « webmestres » sont responsables du contenu de leur site. En revanche, quand le fournisseur d'accès ne fournit que la connexion, il n'est pas responsable des contenus glanés par ses abonnés sur le Web. Les fournisseurs d'hébergement, eux, sont déchargés de toute responsabilité relative aux contenus qu'ils mettent à la disposition des internautes, sauf s'ils ont eu connaissance de contenus contrevenant à la loi et qu'ils ont assuré leur diffusion alors qu'ils avaient les moyens techniques de l'empêcher.

Les choix américains

Les États-Unis ont adopté une autre voie quelques jours après la décision de la Cour suprême déclarant inconstitutionnel le *Communications Decency Act*. Le 1er juillet 1997, le président Clinton a annoncé sa stratégie en matière de commerce électronique grand public, détaillée dans le rapport *Un cadre pour le commerce électronique global*[9]. Cette vision d'inspiration très libérale n'est rien moins qu'une politique de l'Internet, dans la mesure où nombre de considérations touchent à l'ensemble de la problématique du réseau, notamment sur un plan juridique.

Les orientations présentées partent du constat que « l'Internet a le potentiel de devenir le véhicule commercial le plus actif des États-Unis au cours de la prochaine décennie, tout en créant des millions d'emplois qualifiés ». Pour cela, le président affirme clairement que le secteur privé doit être leader, ce qui exclut la réglementation, à laquelle est préférée l'autorégulation[10]. Pour ne pas limiter l'accès au marché, les règles régissant les télécommunications, la radio et la télévision (notamment en matière de contenus) ne sont pas davantage considérées comme étant applicables à l'Internet. Organisées autour de ces principes, les dispositions juridiques évoquées dans le rapport peuvent être qualifiées de minimalistes, qu'il s'agisse de la liberté d'expression, de la protection de la vie privée ou de la fiscalité. Quant au cryptage, les positions américaines ne sont pas très différentes de celles des autres pays.

En ce qui concerne la réglementation en matière de contenus, après l'échec du *Communications Decency Act*, les États-Unis s'en remettent aux systèmes de notation de sites, volontaires ou non, ainsi qu'aux logiciels de filtrage afin de protéger les enfants, sous la responsabilité des parents et des éducateurs. Ils s'attendent à ce que les autres pays en fassent autant et pourraient considérer comme une mesure discriminatoire toute réglementation en matière de contenus, comme celle qui a été adoptée en Allemagne.

En matière de protection de la vie privée, les positions américaines sur l'utilisation et l'accès à des données personnelles nominatives sont tout à fait différentes des principes en vigueur dans les pays européens, où il existe, sur la base d'une directive de 1995, des dispositions très protectrices des droits de la personne. Aux

---

9. L'auteur du rapport est Ira Magaziner, conseiller spécial de Bill Clinton pour les PME et l'innovation technologique.
10. Lors d'une conférence organisée à Bonn par l'Union européenne le 8 juillet 1997, la déclaration adoptée attribue également un rôle clé au secteur privé dans le développement du commerce électronique, mais souligne le « rôle actif » du secteur public, les gouvernements devant « élaborer le cadre de travail » et « stimuler les nouveaux services ».

États-Unis, il n'y a pas un tel arsenal juridique et les pouvoirs publics lui préfèrent l'autorégulation des professionnels, laissant les abus les plus criants donner lieu à des actions en justice si nécessaire. Malgré les dérapages constatés, la politique préconisée repose sur la confiance à l'égard des entreprises de marketing direct qui ont intérêt à éliminer certaines pratiques et ont d'ailleurs élaboré une charte de déontologie dénommée E-Trust, dont le logo, affiché sur la page d'accueil d'un site, constitue un signe de reconnaissance pour le consommateur. Il n'en reste pas moins vrai que cette différence importante peut constituer une pierre d'achoppement entre Américains et Européens, dans la mesure où la directive européenne prévoit que la communication des données personnelles nominatives ne pourra plus s'effectuer, à partir d'octobre 1998, qu'avec les pays ayant adopté des dispositions similaires.

Pour ce qui est de la fiscalité, les États-Unis proposent à leurs partenaires commerciaux que l'Internet soit déclaré « zone de libre-échange », c'est-à-dire sans droits de douane pour les services immatériels achetés et livrés sur le réseau (logiciels, films, livres électroniques), d'où qu'ils proviennent. Le bonheur des internautes avides de bonnes affaires et une puissante incitation au cybercommerce ! Quant aux biens matériels ou aux autres services, ils resteraient soumis au régime qui est déjà le leur, par exemple en matière de perception de TVA[11], sans droits de douane supplémentaires. C'est sur ces bases qu'un accord-cadre entre les États-Unis et l'Union européenne a été conclu dès décembre 1997, ouvrant ainsi la voie à une convention internationale. Dans cette perspective, l'Oncle Sam soutient l'idée d'un code commercial unique pour le commerce électronique, comportant un modèle de contrat électronique, une signature électronique, des procédures d'authentification et des règles uniformes en matière de responsabilité, qui pourraient s'inspirer de travaux déjà engagés par une commission spécialisée des Nations unies, l'UNCITRAL[12].

Concernant la sécurité des transactions électroniques, qui repose sur des systèmes de cryptage suffisamment puissants pour

---

11. Dans la pratique, les modalités de mise en œuvre restent à déterminer.
12. Commission de l'ONU sur le droit du commerce international.

déjouer la fraude, les États-Unis soutiennent le principe de services de certification, à l'instar des « tiers de confiance » qui sont prévus en France, autant dans l'intérêt du consommateur que dans celui du vendeur. En revanche, s'agissant des technologies les plus performantes, telles que PGP (Pretty Good Privacy), qui reposent sur des algorithmes à clés de 128 bits, les États-Unis en ont longtemps interdit l'exportation, pour des raisons de sécurité militaire. Le revers de la médaille était que ce marché restait fermé aux entreprises américaines et que cela pouvait bien sûr freiner le développement du commerce électronique. C'est pour cette raison qu'une levée partielle de ces limitations a commencé à être mise en œuvre, conformément à ce qui est indiqué dans le document rendu public le 1er juillet. Outre PGP, Netscape et Microsoft ont été les premiers bénéficiaires des nouvelles mesures. Une fois de plus, l'Internet administre la preuve que son caractère transnational est difficilement compatible avec certaines visions restrictives.

« **Il n'y a pas de vide juridique.** »
Christiane Feral-Schuhl*

La législation française vous paraît-elle adaptée ?
Oui. La législation française offre un arsenal très complet de textes pour appréhender les différents types d'infractions ou comportement fautifs sur Internet. La véritable difficulté réside plutôt dans l'efficacité de l'application de ces règles. En effet, la mise en œuvre de notre droit se heurte à divers obstacles. Comment perquisitionner et intercepter les informations ? Comment établir la preuve d'un acte criminel sur le réseau ? Comment éviter la disparition de preuves ? Ou bien encore : comment identifier et, par conséquent, sanctionner l'auteur d'un délit alors qu'Internet permet d'émettre des messages sous une fausse identité ou de se cacher derrière l'anonymat ?

Comment détermine-t-on la loi applicable à une infraction ?
Deux théories s'opposent. Selon la théorie de l'émission, ce serait la loi du pays d'où provient le message incriminé qui devrait s'appliquer, c'est-à-dire la loi du pays où est situé le centre serveur. Pour ma part, je pencherais plutôt en faveur de la deuxième solution qui consisterait considérer que la loi applicable est celle du pays de réception du message délictueux. Mais on mesure assez rapidement la difficulté lorsqu'il y a divergence entre les législations. C'est le cas du négationnisme qui fait l'objet de sanctions pénales en France, alors qu'il n'est pas illicite aux États-Unis dans le cadre du 1er amendement de la Constitution sur la liberté d'expression.

La coopération internationale est-elle possible ou est-ce une utopie ?
On constate depuis quelques années des initiatives de plus en plus nombreuses en faveur de la coopération internationale afin de rendre effective l'application du droit sur l'Internet. Dès 1995, le Conseil de l'Europe a émis une recommandation pour favoriser les enquêtes, perquisitions et saisies transfrontalières. Le rapport Falque-Pierrotin, remis au gouvernement français en 1996, fait de la coopération internationale l'une des voies pour encadrer judiriquement le réseau. En mai dernier, le directeur général de l'OMPI (Organisation mondiale de la propriété intellectuelle) a annoncé que le Centre d'arbitrage et de médiation de l'OMPI pourrait administrer des procédures on line de règlement des litiges se rapportant aux noms de domaine[13]. La coopération internationale se traduit

---

13. Voir p. 266.

également par un effort d'harmonisation des législations qui ne peut cependant se faire que sur le plus petit dénominateur commun entre des législations parfois très divergentes. À l'échelon européen, cela pourrait se concrétiser par l'adoption d'une directive sur les services en ligne. L'harmonisation au niveau international semble plus difficile à mettre en œuvre et pourrait, dans un premier temps, se limiter à l'adoption de chartes déontologiques.

Comment est-il possible de concilier liberté d'expression, respect du droit de la personne et développement du Net ?
La liberté d'expression est inscrite dans la Constitution de la plupart des pays, elle est le pilier fondateur de toute société démocratique. Elle ne doit pas pour autant porter atteinte au respect de la personne d'autrui, à la dignité humaine et à la vie privée. Or l'on constate que l'équilibre trouvé entre ces deux pôles est différent selon les pays. Ainsi, aux États-Unis, les thèses révisionnistes et négationnistes s'abritent derrière le 1er amendement de la Constitution alors que leurs auteurs s'exposeraient à de lourdes sanctions en application du droit français. Cette même liberté d'expression a été invoquée à l'appui des recours en inconstitutionnalité dont le Communication Decency Act a fait l'objet. En France, cet équilibre passe notamment par l'application d'un double régime juridique à l'Internet. Le régime de la correspondance privée applicable aux messageries induit la libre circulation des informations et par conséquent une liberté d'expression totale, en matière de communications téléphoniques ou de correspondances par voie postale. Le filtrage pourrait même constituer une violation du secret de la correspondance. Sur les autres services d'Internet, soumis au régime de la communication audiovisuelle, la liberté d'expression trouve ses limites dans le respect de l'État et des droits fondamentaux des personnes. En pratique, la frontière entre les deux régimes n'est pas toujours aisée à établir. Par exemple, les mailings, qui relèvent en principe de la correspondance privée, ne devraient-ils pas, sur le Net, se transformer en communication publique ?

Concernant le commerce électronique, quelles mesures vous paraissent nécessaires ?
Le commerce électronique constitue une voie d'avenir pour les entreprises auxquelles il fallait cependant donner les moyens d'une sécurisation des transactions. La loi sur les télécommunications du 26 juillet 1996 apporte une importante contribution à ce développement en libéralisant le recours aux moyens de cryptologie. Ainsi les entreprises pourront-elles utiliser les clés de cryptage déposées auprès de tiers de confiance. Il ne faut cependant pas oublier que le commerce sur l'Internet est soumis au droit de la

consommation et il est recommandé aux professionnels de prendre en compte dès maintenant les dispositions de la directive communautaire du 20 mai 1997 relative à la protection des consommateurs sur les contrats à distance, qui insiste notamment sur l'information à fournir avant toute transaction.

La protection des mineurs doit-elle être renforcée ? Faut-il plutôt mettre en place une réglementation plus rigoureuse ou sensibiliser davantage les parents ?
La France dispose déjà d'un très bon dispositif de protection des mineurs. Il n'y a donc aucune raison de le renforcer. Je suis plutôt favorable à une sensibilisation des parents et à un recours à des logiciels de filtrage pour les utilisateurs. La loi du 26 juillet 1996 prévoit l'obligation, pour les fournisseurs d'accès, de mettre à disposition de tels logiciels, même si le texte ne prévoit aucune sanction en cas de non-respect de cette disposition. Il s'agit de responsabiliser les différents acteurs du réseau, utilisateurs mais également professionnels, qui travaillent à l'élaboration de règles déontologiques garantissant le respect des droits de la personne et des consommateurs. Cet autocontrôle des acteurs du Net pourrait utilement être relayé par une autorité administrative de régulation comme le rapport Falque-Pierrotin l'a proposé.

* Christiane Feral-Schuhl est avocate au barreau de Paris, spécialisée dans le domaine de l'informatique et des nouvelles technologies.

Les choix

Les nouvelles technologies de l'information et de la communication ont un impact global. Leurs effets se font sentir tant sur un plan national que local, dans le public comme dans le privé, dans la sphère professionnelle comme dans la vie personnelle. Le retard français dans le multimédia n'est pas qu'une affaire de taux d'équipement, il s'exprime aussi dans l'inconscient collectif en termes de rigidités. Il se traduit également en termes macroéconomiques par un certain nombre de freins qui s'opposent à une pleine valorisation des atouts de notre pays.

1. La situation perçue

L'introduction du multimédia dans la société française remet en cause des modes de fonctionnement et des références culturelles profondément ancrés dans la mentalité collective, qu'il s'agisse du rôle traditionnellement dévolu à l'État et aux hiérarchies ou des fondements de l'identité nationale. Entrer dans l'ère de l'Internet sans « vendre son âme au diable », voilà le défi.

Le saut dans l'inconnu

L'arrivée des nouvelles technologies dérange par son caractère inattendu. Contrairement à d'autres changements majeurs, comme la construction européenne ou la dérégulation économique, celui-ci n'a pas pu être mesuré et préparé à l'avance. Dans une économie en voie de globalisation, avec les mutations profondes qui ont touché de nombreux secteurs et la persistance d'un chômage quasi structurel, le multimédia apparaît comme un risque de plus. Alors que la France avait su conduire la reconstruction de l'immédiat après-guerre, engager le processus d'unification européenne et s'adapter au choc de la crise pétrolière dans les années 70, des interrogations fondamentales subsistent encore sur la manière d'aborder ce nouveau tournant. Il s'agit en quelque sorte de gérer l'imprévisible : la rapidité du progrès technologique, le caractère spontané sinon chaotique de certains développements s'accommodent mal de l'esprit cartésien et d'un sens de l'organisation centralisé. Qu'il s'agisse des conditions d'intervention de l'État ou des procédures de prise de décision dans les entreprises, la nouvelle donne informationnelle, faite de transparence et de recherche de consensus plus que d'autorité naturelle, prend de court les uns et les autres. Le modèle de l'Internet apparaît sur ce plan comme étranger au mode de fonctionnement français. L'exemple du Minitel illustre bien ce propos : sa réussite a été en effet largement fondée sur la fourniture gratuite du terminal au départ, permettant ainsi le développement des services nécessaires. Un tel interventionnisme ne serait guère concevable aujourd'hui, d'autant qu'il n'y a plus de monopole des télécommunications.

C'est ce qu'exprime d'une autre manière Denis Payre, l'un des partenaires de la société Business Objects, fondée à Paris en 1990, sur le créneau des logiciels de gestion professionnelle[1] : « Quand je regarde la France aujourd'hui, nos grands penseurs conceptuels et nos piètres réalisateurs, nos brillants ingénieurs et nos mauvais marketers, notre culture allergique au risque, qui fait que quand on a raté une fois, tout est fini, je me demande simplement si on n'est pas en train de rater l'avenir. » La mutation en cours ne répond pas au modèle traditionnel d'intervention des élites : le changement ne pourra venir à terme que d'une nouvelle conception de leur rôle, mais aussi de leur renouvellement.

Les idées reçues

En attendant, un grand désarroi s'exprime face à la mondialisation et à la crise de l'emploi, car les Français attendent encore beaucoup de l'État providence. Là où les Américains se sont détournés de l'État, faisant davantage confiance à la société civile, aux mécanismes de marché et à la recherche systématique de

---

1. Interview au *New York Times*, 11 février 1997.

l'innovation, nombreux sont les Français qui pensent encore que le salut viendra du système de protection sociale. Bien sûr la fameuse « flexibilité à l'américaine » se traduit par l'existence d'un nombre élevé d'emplois précaires. Mais en même temps, si la crise traduit ce que Viviane Forrester, dans *L'Horreur économique*, appelle la « fin du travail », le système montre bien ses limites. L'ère du plein emploi serait révolue à jamais. C'est en favorisant le télétravail, le temps partiel, l'intérim et la mobilité que la réactivité nécessaire pourra être recherchée. La culture technologique rapide d'aujourd'hui nécessite une adaptation permanente des salariés et des entreprises.

Si les nouvelles technologies bousculent les idées reçues sur le plan de l'emploi et des modes d'organisation, elles obligent également à aller au-delà des apparences, s'agissant du vécu identitaire. Il est clair que le multimédia et l'Internet sont une manifestation de la toute-puissance américaine. La langue de l'Internet est l'anglais, mais sa prééminence sur le réseau diminue à mesure que d'autres pays et d'autres cultures y affirment leur présence. Les États-Unis représentaient 56 % des ordinateurs raccordés à l'Internet en juillet 1997, mais cette part ne cesse en effet de diminuer[2]. La défense de la francophonie et de ses valeurs passe aujourd'hui non seulement par la présence de nombreux serveurs en français sur le Net, mais elle suppose aussi le bilinguisme et si possible le multilinguisme. Défendre seulement la langue ne saurait plus être une fin en soi, car cela ne permet pas plus de faire découvrir la France et son patrimoine à tous que d'assurer une réelle ouverture vers d'autres marchés.

Cependant, cette vision nouvelle n'est pas incompatible avec une quête d'identité qui s'inscrit désormais dans un contexte dynamique et partagé. Être français aujourd'hui, c'est aussi être européen et francophone, dans le cadre d'un ensemble de pays avec lesquels les échanges culturels et économiques pourraient prendre une dimension inédite. À côté de la coopération institutionnelle se développe déjà tout un réseau d'échanges informels sur la Toile, donnant vie à la notion de communauté élargie. Aucun pays

---

2. *Network Wizards*, septembre 1997.

européen, où qu'il se trouve, aucun pays francophone au-delà des mers n'est inaccessible pour un internaute.

Des raisons d'espérer

Malgré ces incertitudes, les évolutions les plus récentes vont dans le sens d'une plus grande ouverture au changement. Et, paradoxe apparent, face aux contraintes économiques, elles s'inscrivent dans le cadre d'un retour à des valeurs plus traditionnelles, qu'il s'agisse de la démocratie de proximité ou des modes de vie. L'attitude à l'égard des nouvelles technologies a certes évolué. En 1996, près de la moitié des Français se montraient indifférents ou dépassés par l'Internet, deux tiers des personnes interrogées estimant que cela ne concernait qu'une petite minorité de gens. Fin 1997, près de 80 % considèrent que l'Internet est une priorité importante tant pour l'économie que pour la place de la France dans le monde, mais ils restent moins de la moitié à estimer que le Net est une priorité pour leur vie personnelle ou professionnelle[3]. Il y a donc du chemin à faire quant à l'appropriation individuelle. Elle pourrait peut-être se fonder en partie sur de nouvelles aspirations et sur la nécessité de s'adapter à un environnement mouvant.

En effet, à l'heure du « village global » annoncé par Marshall McLuhan[4], la quête d'une démocratie de proximité n'a jamais été aussi vivace. Sans doute est-ce précisément pour se situer, se définir et agir, compensant ainsi un sentiment d'impuissance face au « spectacle du monde » assené quotidiennement par les médias. Partout où des élus locaux ont engagé des projets novateurs, en milieu rural ou péri-urbain, ils ont pu fonder leur action sur une volonté participative de la population. Même si le degré d'adhésion est variable, aucune initiative ne s'est heurtée à l'indifférence ou à une opposition marquée. Toutes font appel à une participation accrue du citoyen à la gestion des affaires locales, assurant par ce biais une appropriation progressive des technologies. Cela est bien

---

3. Sur le premier point, sondage CSA-*Le Parisien*, 28 mai 1996. Sur le second, enquête Ifop-*Événement du jeudi*, 4 septembre 1997.
4. Marshall McLuhan (1911-1980), sociologue des médias, professeur à l'université de Toronto et auteur de nombreux ouvrages sur la mondialisation de l'information et de la communication, dont *La Galaxie Gutenberg* et *D'œil à oreille*.

conforme au potentiel décelé : les outils multimédias peuvent favoriser l'initiative, par un accès direct de la base aux centres de décision[5].

L'évolution des modes de vie va dans le même sens. Caractérisée par une recherche de qualité de vie, de moindre stress et d'un « retour aux sources », elle se traduit par une autre vision du rapport au temps et à l'espace.

Le travail est désacralisé et on accepte plus facilement la mobilité géographique pour jouir d'un cadre de vie plus harmonieux. Comment expliquer autrement qu'un nombre croissant de cadres et de « cols blancs » décident de vivre à distance des grandes villes, quitte à accomplir des trajets quotidiens relativement longs ? Au-delà, il y a ceux qui franchissent le pas et deviennent des travailleurs pendulaires ou des télétravailleurs à domicile, défiant les risques de déroulement de carrière dans le premier cas et d'échec ou d'isolement dans le second. Dans sa quête, caractérisée par la fuite du monde moderne et un retour mythique à la terre, la vague des années 70 était archaïque. Celle à laquelle on assiste aujourd'hui est ancrée dans le monde contemporain : pour ceux qui se sont engagés dans cette voie, il s'agit avant tout de réaliser un projet, inconcevable dans le cadre de vie et de travail traditionnel, mais que la technologie apprivoisée rend possible.

La recherche d'autres styles de vie et de pratiques professionnelles différentes traduit à la fois de nouvelles aspirations et une forme d'adaptation à des contraintes caractéristiques de l'époque actuelle. L'ampleur du chômage interdit toute vision idyllique d'un monde où les nouvelles technologies permettraient de résoudre le problème, même s'il est établi que c'est devenu le secteur le plus fortement créateur d'emplois dans certains pays. Dans l'univers qui se dessine, il ne semble pas que les notions de plein emploi et de stabilité professionnelle puissent trouver leur place. Le travailleur du XXIe siècle sera nomade, indique Jacques Attali[6]. C'est un fait que la précarité tendra à se développer et qu'il faudra être prêt en permanence à changer d'activité. Quand la Commission

---

5. Ce que les Américains traduisent tout simplement par *bottom-up*, en opposition à *top-down*.
6. Cf. *Chemins de sagesse. Traité du labyrinthe*, Fayard, 1996.

européenne cherche à encourager l'apprentissage tout au long de la vie, elle est dans la droite ligne de ces évolutions. Challenge permanent, mais aussi nouvelles opportunités ! L'économie qui s'annonce sera mutante, déroutante, mobile, flexible, créative. Comment préparer son avènement inéluctable sans renoncer à certains acquis codifiés dans des statuts ou conventions, voilà le grand dilemme dont chacun devra résoudre les termes contradictoires.

2. La situation réelle

Bien qu'il y ait des pesanteurs à vaincre pour entrer de plain-pied dans la société de l'information, la France possède des atouts réels, afin d'être un acteur majeur, non seulement en termes d'usage mais également d'innovation technologique et de capacités industrielles. Elle dispose en effet d'un secteur de recherche reconnu sur un plan international, de grandes entreprises d'équipement et de logiciels, ainsi que de nouvelles PME performantes. Toutefois, pour favoriser l'émergence de ces industries du troisième millénaire, il lui faudra mettre en place d'autres mécanismes financiers. Elle pourrait aussi observer de près le mode de fonctionnement de la Silicon Valley, afin d'en tirer certains enseignements.

Les atouts

Il est difficile d'imaginer comment la France, quatrième exportateur mondial, pourrait rester en marge de la « numérisation de la planète », à laquelle l'économie et les emplois de l'avenir sont directement liés. Elle dispose, face à ce défi, de centres de recherche renommés et de positions industrielles non négligeables, et parfois en pointe sur certains créneaux. Des laboratoires, comme le Centre national d'études des télécommunications ou le Centre commun d'études des télécommunications et de la télédiffusion, rattachés au groupe France Télécom, sont liés depuis les origines à des technologies comme le GSM ou l'ATM. S'agissant de l'Inria, sa contribution au World Wide Web Consortium est significative.

Quant aux positions industrielles, outre les grands groupes de communication[7], elles sont bien réparties entre l'équipement informatique, audiovisuel et multimédia, les cartes à mémoire et les SSII. Sur le premier point, le groupe Bull, après avoir été fortement déficitaire pendant plusieurs années, a renoué avec les profits en 1995. Désormais privatisée, l'entreprise, avec un chiffre d'affaires de 16,5 milliards de francs en 1996, compte comme actionnaires notamment Motorola et NEC. Son activité est surtout tournée vers les grands systèmes et la bureautique. Dans le domaine de l'équipement audiovisuel et multimédia, Thomson Multimédia, qui reste dans le secteur public, représente un pôle important, avec un chiffre d'affaires de 36,5 milliards de francs. C'est le seul constructeur européen de taille significative avec le néerlandais Philips, l'un et l'autre étant confrontés à de difficiles restructurations pour retrouver le chemin des bénéfices. Leader technologique, en particulier outre-Atlantique où il contrôle le groupe RCA, Thomson Multimédia est le fournisseur de décodeurs numériques pour DirecTV[8]. Il s'est également associé à Oracle pour concevoir un décodeur Internet et à Compaq pour un projet de PC/TV à grand écran[9].

En ce qui concerne les cartes à mémoire - invention française - des entreprises comme Gemplus et Schlumberger sont en tête sur le marché[10]. Quant aux microprocesseurs eux-mêmes, Thomson SGS, en cours de privatisation, avec un chiffre d'affaires de 20 milliards de francs en 1996, est l'un des dix premiers constructeurs mondiaux. Pour le service informatique, quelques grandes entreprises se détachent, dans un secteur qui compte 80 % de sociétés de moins de dix salariés. Cap Gemini est numéro un avec près de 15 milliards en 1996, suivi par le Sema Group et Atos, avec moins de 10 milliards, pour ne mentionner que les principaux. L'activité, assez fortement touchée par la crise, semble redémarrer avec les trois moteurs de l'Intranet, de l'ingénierie informatique, requise par le passage à l'an 2000, et de l'euro[11]

---

7. Voir p. 52.
8. Voir p. 53.
9. Voir p. 282.
10. Voir p. 145.
11. Pour l'Intranet, voir p. 56. *An 2000* : le changement de millénaire nécessite la modification

S'agissant des *start-up*, quelques PME nouvelles sont à l'avant-garde de la technologie dans leur secteur. C'est le cas de Pixtech pour les écrans plats, Globe ID Software pour les systèmes de paiement sécurisés en ligne et de Netgem pour les décodeurs TV/Internet.

Sur un créneau aussi hi-tech que les écrans plats, Pixtech ne craint pas de défier les géants japonais, qui sont pratiquement en situation de monopole. La société, basée à Montpellier et créée en 1992 par Jean-Luc Grandclément, industrialise la technologie des « micropointes[12] ». Celle-ci offre une qualité d'image comparable aux tubes cathodiques pour une épaisseur réduite. Face aux cristaux liquides et au plasma, cette technique, également faible consommatrice d'énergie, nécessite des coûts de fabrication moins élevés. Pixtech, introduite au Nasdaq puis à l'Easdaq[13], est contrôlée en partie par des fonds de capital-risque français et anglo-saxons, Motorola et le taïwanais UMC étant également actionnaires. L'entreprise emploie plus de 150 personnes, pour un chiffre d'affaires dépassant 60 MF. Elle a conclu des accords de licence avec Motorola et le japonais Futaba, tout en assurant une partie de la production elle-même.

Globe ID Software s'appuie sur la technologie originelle de GC Tech, une société créée en 1995 par Gérard Dahan et Paul-André Pays, et sur une équipe d'ingénieurs développement issus pour l'essentiel de l'Inria. Renforcée par l'entrée du groupe Bull dans son capital fin 1997, elle offre aux opérateurs internationaux du commerce électronique une solution garantissant la sécurité des transactions et des paiements. La technologie Globe ID Payment autorise l'utilisation d'une palette de moyens de règlement tels que porte-monnaie électronique et carte à puce. Elle supporte les

---

des applications avec dates à six chiffres, du type 31/12/99, afin d'éviter que l'entrée dans le nouveau siècle ne soit interprétée comme le retour à 1900... Cela représente une dépense estimée à 25 milliards de dollars pour les administrations et les entreprises dans le monde. *Euro* : le coût informatique de mise en place de la monnaie unique est évalué à 3,7 milliards de francs pour la France et à 25 milliards pour l'Europe.

12. Technologie développée au laboratoire Leti du Commissariat à l'énergie atomique, à Grenoble.

13. Nasdaq : National Association of Securities Dealers Automatic Quotation. Easdaq : European Association of Securities Dealers Automatic Quotation.

principaux protocoles sécurisés. Globe ID Payment a été retenu par Kleline, filiale de la Compagnie bancaire et de LVMH, dans le cadre de son offre de commerce électronique. Globe Online, première galerie marchande virtuelle française, lancée fin 1996 par Dafsa, Victoire télématique et Euro RSCG, est fondée sur le partenariat technologique Globe ID Software/Kleline[14].

Netgem a été créée en avril 1996 par Joseph Haddad, dont l'ambition est d'introduire le Net dans tous les foyers via le téléviseur. Son objectif est de toucher les réfractaires à l'informatique mais, aussi, les foyers ne pouvant envisager d'investir dans un micro-ordinateur. Pari audacieux d'un homme qui a déjà un beau succès derrière lui : la technologie Impress utilisée par le célèbre tableur Lotus 1-2-3. Le « décodeur Internet pour téléviseur » sera-t-il le Minitel du multimédia ? Vendu à moins de 2 000 francs depuis octobre 1997, telle est son ambition. Mais la Netbox comporte aussi un lecteur de cartes à puce, permettant facilement une transaction totalement sécurisée. Netgem est encore sans concurrent en France. Toutefois, Sony et Philips commercialisent déjà aux États-Unis des téléviseurs à décodeur intégré[15].

Le capital-risque

Le capital-risque ou *venture capital* est étroitement associé aux États-Unis aux extraordinaires *success stories* des *start-up*. Les grands d'aujourd'hui comme Sun, 3 Com, Silicon Graphics, de même que les sociétés issues directement de la vague Internet, qu'il s'agisse de Netscape, Yahoo ou Pointcast, ont toutes fait appel à ces fonds, sans lesquels rien n'aurait été possible[16]. Ils fournissent une partie des sommes nécessaires au démarrage d'une activité, en entrant au capital de la société nouvelle et en réunissant les tours de table indispensables pour compléter les besoins de financement. Contrairement au système bancaire, qui recherche la sécurité de l'investissement, le capital-risque fait un pari, certes raisonné, sur une idée, un concept, une technique nouvelle. Il ne s'agit pas

---

14. Voir p. 144.
15. Voir p. 282.
16. Voir p. 221.

seulement de développement technologique : l'analyse et la décision reposent aussi sur la stratégie et le projet marketing de la nouvelle société. La période d'« incubation » est longue, mais le retour attendu sur investissement est élevé. Si le projet réussit, l'investisseur revend sa part le moment venu, pour s'engager dans de nouvelles start-ups. Entre-temps, il aura souvent facilité l'introduction de son « protégé » au Nasdaq, à l'Easdaq ou au Nouveau Marché[17].

En France, comme ailleurs, le capital-risque s'est beaucoup développé depuis quelques années, par l'apport de capitaux publics et privés, avec des sociétés comme Sofinnova, Finovelec (Institut de développement industriel), CDC Innovation (Caisse des Dépôts), Partech, Eurolink/Siparex, Atlas Venture ou Cat Innovacom (France Télécom). Pour tous les secteurs, le volume en capital investi par ces sociétés[18] demeure toutefois sans comparaison avec les montants engagés par les capital-risqueurs américains. Dans le domaine des technologies de l'information, 800 millions de francs d'investissement de capital-risque ont été effectués en 1996 par les entreprises françaises[19] tandis que leurs homologues outre-Atlantique engageaient 38 milliards de francs dans les mêmes activités !

Certes, le terrain est moins propice, car la création de sociétés nouvelles est moins aisée en France, en raison du poids des charges sociales ou fiscales. Sur ce dernier point, le régime de taxation des *stock-options*, qui a été aggravé en France fin 1996[20], crée des conditions nettement moins favorables que celles prévalant à l'étranger. « La formation scientifique est excellente en France, il y a un capital

---

17. Nouveau Marché : segment du marché de la Bourse de valeurs de Paris concernant les entreprises de petite taille. L'admission est simplifiée et la réglementation de la cotation réduite.
18. Les sociétés de capital-risque investissent en France et à l'étranger.
19. S'y ajoutent les aides de l'Anvar (Agence nationale de valorisation de la recherche), organisme public, qui accorde des prêts sans intérêts et des soutiens à l'embauche de chercheurs, tout en facilitant la mobilisation de crédits européens comme ceux des programmes Esprit ou Euréka. L'Anvar a aussi lancé en 1996 une opération « autoroutes de l'information », dotée d'un fonds de 100 MF.
20. Les *stock-options*, actions acquises à titre préférentiel par les salariés de la société au moment du démarrage, étaient auparavant imposables au titre des plus-values. Désormais considérées comme un accessoire de salaire, elles sont soumises aux cotisations sociales et à l'impôt sur le revenu en cas de vente avant cinq ans.

intellectuel de très grande valeur, mais pas les mécanismes finan-ciers correspondants pour l'exploiter », déplore Bernard Lacroute, associé de la société de capital-risque californienne KPCB[21].

Le modèle de la Silicon Valley

Le capital-risque a irrigué l'innovation en technologies de l'information aux États-Unis, dont le terreau fertile est situé dans la Silicon Valley, qui prend aujourd'hui valeur de mythe. C'est là, autour de l'université de Stanford et à partir de Palo Alto, qu'a commencé à se développer il y a une quarantaine d'années un ensemble unique, qui a réussi la symbiose de la recherche, de l'esprit d'aventure et du capital. 300 000 personnes y travaillent aujourd'hui et 20 % des cent plus grandes entreprises de logiciel et de matériel informatique y ont leur siège et leurs laboratoires. La pérennité de sa croissance peut être attribuée à une culture spécifique par rapport à des modes de fonctionnement plus tradi-tionnels. Dans la vallée, de nombreuses entreprises de petite dimen-sion travaillent en réseaux, à côté de celles qui ont grandi, sur le mode des équipes collaboratives. Le foisonnement d'idées et de projets peut être comparé à la biodiversité des forêts tropicales[22]. À l'inverse, d'autres modèles qui ont également fait leurs preuves comme Boston, avec Cambridge et le MIT, à proximité de la route 128, ressembleraient à des plantations où il n'y aurait de place que pour les espèces programmées. Plusieurs milliers de Français se sont établis dans la Silicon Valley[23], y trouvant les conditions néces-saires à la réalisation de leurs rêves : environnement créatif et capi-taux. Parmi eux, Éric Benhamou, P-DG de 3Com[24], et Jean-Louis Gassée, ancien numéro deux d'Apple, aujourd'hui P-DG de Be Inc.

La France dispose également de centres prestigieux, concentra-tion de matière grise, de moyens techniques et d'investissements capitalistiques, qu'il s'agisse de Sophia Antipolis - cité de la science et de la technique, située près de Nice - ou des technopoles de

---

21. *Le Monde*, 10 septembre 1997.
22. Comparaison établie par Anna Lee Saxenian à la conférence Technopolis, tenue à Ottawa en septembre 1997 *(La Chronique de Cybérie)*.
23. *Le Monde*, 10 septembre 1997.
24. Voir p. 207.

Metz, Rennes ou Montpellier, où sont implantées de grandes entreprises du secteur. Si leur réussite est incontestable et leur impact sur l'économie locale notable, aucune n'a pu devenir ce fantastique levier d'entraînement qu'est la Silicon Valley sur la machine économique américaine. Sans doute faut-il la conjonction de plusieurs facteurs : un centre universitaire prestigieux, de renommée internationale, des échanges approfondis entre recherche publique et industrie privée, des mécanismes et financements appropriés pour la création d'entreprises. En Europe, Cambridge, qui compte dans son environnement plus de 300 firmes spécialisées dans les nouvelles technologies, pourrait prétendre au titre de Silicon Valley européenne. Microsoft a d'ailleurs décidé d'y implanter son second centre de recherche.

3. Le décollage

L'accélération du progrès technologique, en termes de capacité de traitement et d'applications nouvelles d'une part, de multiplication quasi exponentielle du nombre d'utilisateurs et de serveurs d'autre part, donne un autre sens au temps linéaire. Cette vitesse est déroutante : est-il possible d'intégrer un changement dont le visage n'est jamais le même ? En août 1997, les grands axes d'une politique en matière de société de l'information ont été esquissés par le premier ministre. Le débat est bien ouvert et il concerne tous les citoyens. Dans le mouvement qui s'amorce, les élites elles-mêmes doivent faire un nouvel apprentissage. « Aucun philosophe, sociologue, politicien ou autre intellectuel ne peut comprendre notre société et son évolution, s'il n'intègre pas une dimension technologique dans sa réflexion », estime Philippe Ulrich[25].

L'entrée dans la société de l'information

Les premiers rapports officiels sur le télétravail, les téléservices et les inforoutes remontent à 1993[26]. Le mouvement s'est accéléré

---

25. Fondateur et directeur artistique de Cryo Interactive. Cf. *Libération multimédia*, 19 septembre 1997.
26. Voir p. 41.

depuis 1996, puisqu'on ne compte pas moins d'une douzaine de missions achevées ou en cours à la fin de 1997 sur les différents aspects de la société de l'information[27]. Parmi celles-ci, c'est le sénateur Pierre Laffitte[28], élu des Alpes-Maritimes et fondateur de Sophia Antipolis qui, le premier, au titre d'une mission menée dans le cadre de l'Office parlementaire d'évaluation des choix scientifiques et technologiques, a souligné début 1997 l'urgence d'une prise de conscience et de mesures à tous les niveaux. Son rapport présente une analyse approfondie des enjeux, assortie de pistes de réflexion et d'action. Le titre du document, *La France et la société de l'information, un cri d'alarme et une croisade nécessaire*, donne bien le ton. Le député Patrice Martin-Lalande, quant à lui[29], a reçu une mission du premier ministre en novembre 1996 sur les mesures qui pourraient être prises pour favoriser le développement de l'utilisation des technologies, ainsi que sur le régime juridique et fiscal des nouveaux services. Le résultat, publié en juin 1997, ne présente pas moins de 134 propositions détaillées et argumentées, recouvrant l'ensemble du champ de la problématique, qu'il s'agisse de l'éducation, de la culture, du télétravail, de l'administration ou du commerce électronique, mais également de l'équipement des entreprises et des ménages. Vaste programme, qui a le mérite de souligner les actions nécessaires dans tous les secteurs, mais dont la réalisation dépend d'efforts conjugués des pouvoirs publics, des collectivités locales et du monde économique[30].

Le terrain avait donc été largement défriché[31] lorsque les principales orientations en la matière ont été annoncées par Lionel Jospin, en août 1997, à l'occasion de l'université d'été de la Communication, qui se tient traditionnellement chaque année à Hourtin en Gironde. C'est la première évocation d'une véritable

27. Les analyses et les propositions contenues dans ces rapports ont été présentées dans l'ouvrage au titre des différents thèmes traités.
28. Rapport de février 1997. Voir p. 184.
29. Voir p. 117 et 301 sur son activité à l'Assemblée en matière de nouvelles technologies.
30. La meilleure illustration de cette approche multipartenariale est l'opération Netdays, concernant l'équipement informatique des écoles (octobre 1997). Voir p. 92.
31. Avant les élections législatives anticipées de mai 1997, quatre associations avaient lancé une Initiative française pour l'Internet. Il s'agit d'Admiroutes, du Club de l'arche (l'un des premiers cercles de réflexion sur la société de l'information), de l'Association des villes numériques (AVN) et du chapitre français de l'Internet Society (Isoc).

politique dans le domaine de la société de l'information, qui constitue, selon les termes du Premier ministre lui-même, un « enjeu
décisif pour l'avenir », dans la mesure où « la compétition internationale du siècle prochain sera une bataille de l'intelligence ».
Quant au retard en matière de technologies de l'information, la
volonté de le combler est clairement affirmée, sans quoi « il pourrait avoir de graves conséquences en termes de compétitivité et
d'emploi ». La vision politique exprimée est celle d'une « société
solidaire », afin d'éviter que le fossé ne s'accroisse entre ceux qui
maîtrisent ces outils et le reste de la population. Annonce d'un
programme qui résultera à la fois de travaux à poursuivre et d'un
débat public, mais aussi légitimation politique de la société de
l'information. Rappelant que les solutions ne peuvent être impo-
sées d'en haut, Lionel Jospin a souligné les priorités : l'école, la
culture, le commerce électronique, le développement technologique et l'administration en ligne, sans omettre les aspects juridiques.

Sur le premier point - responsabilité partagée avec les collectivités territoriales -, les trois volets concernent l'équipement, la formation des enseignants et l'appui à la création de contenus
pédagogiques. Pour la culture, la Bibliothèque nationale de France
est invitée à développer l'accès en ligne gratuit à certains de ses
fonds. Le commerce électronique, quant à lui, « doit être développé grâce à l'initiative privée », conformément aux positions
adoptées à Bonn par les pays européens en juin 1997[32]. Pour le
développement technologique, une action volontariste a été annoncée avec un soutien actif à la recherche et un appui aux PME innovantes[33]. Dans le domaine de l'administration, où l'État peut
donner l'exemple, des mesures concrètes ont été indiquées : mise
en ligne de formulaires administratifs, allègement des formalités

---

32. Voir p. 303.
33. Les premières mesures ont été indiquées à l'automne 1997 par le ministre de l'Économie,
des Finances et de l'Industrie, Dominique Strauss-Kahn, notamment : création d'un « fonds
d'appui » aux sociétés de capital-risque existantes (600 millions de francs) et lancement d'un
« fonds d'amorçage » (150 millions de francs) destiné aux très petites entreprises cherchant à
valoriser les travaux des laboratoires publics et des universités. Les sommes proviennent de
l'ouverture du capital de France-Télécom. Certaines dispositions spécifiques ont aussi été votées
avec le budget 1998 : bons de souscription de parts de créateurs d'entreprise, réinvestissement
dans une autre entreprise en démarrage exonéré de plus-value.

par les téléprocédures (déclaration d'impôt, renouvellement de carte grise), mise en ligne du *Journal officiel*. En toute logique avec l'orientation concernant une société de l'information solidaire, l'équipement en terminaux des lieux publics (bureaux de poste, agences locales pour l'emploi) est également prévu. Le dernier point abordé concerne les problèmes juridiques : le premier ministre se montre favorable à une « régulation préventive du réseau ». Il a d'ailleurs confié une mission à un conseiller d'État sur la protection des données nominatives personnelles[34]. Pour le reste, les observateurs retiendront la désacralisation du Minitel « limité technologiquement et qui risque de constituer progressivement un frein au développement des applications nouvelles et prometteuses », France Télécom étant incité à favoriser la migration des services vers l'Internet.

Technologie, usages et culture

Pour rattraper le retard, le « colbertisme technologique » utilisé dans les années 70 pour l'infrastructure téléphonique n'est plus de mise, mais le simple appel au marché, comme pour le téléphone mobile[35], n'est pas davantage envisageable. La diffusion des nouvelles technologies passe aujourd'hui à la fois par des synergies fortes entre l'innovation technique et sociale et par un accès plus aisé du grand public à cette nouvelle culture.

L'innovation technologique représente un élément décisif, non seulement pour maintenir et développer une présence dans un secteur donné, mais encore pour ouvrir de nouveaux marchés et mettre en œuvre de nouvelles applications. Les retombées se mesurent en termes d'emplois créés et de commerce extérieur. C'est pourquoi la Recherche et développement a valeur stratégique et que les efforts, tant publics que privés, sont importants. En outre, comme la créativité et l'invention de nouveaux produits et services sont souvent favorisées par la flexibilité et l'esprit d'équipe des petites structures, le développement du capital-risque paraît

---

34. Guy Braibant, sur la transposition d'une directive communautaire de 1995.
35. En juillet 1997, la France comptait au total près de 4 millions d'abonnés au téléphone mobile.

essentiel. Au-delà, l'innovation technologique, qu'elle soit issue des grands laboratoires ou des PME les plus performantes, a pour effet de stimuler l'environnement et les usages, préparant ainsi l'avènement d'une véritable culture technologique. L'effet sur tout le corps social est alors diffus, mais il est d'autant plus grand que la proximité joue. Aux États-Unis, le renouvellement technique permanent a suscité des formes originales d'expression et d'utilisation des contenus, le degré d'intégration étant d'autant plus rapide que les applications sorties du laboratoire pouvaient être aussitôt essayées sur le terrain. La Silicon Valley est aussi la Smart Valley[36], la première à tester les derniers produits et services avant de les adopter. C'est pourquoi favoriser le rapprochement des centres de recherche des laboratoires sociaux que sont Parthenay, Marly-le-Roi, certaines communes ardéchoises ou celles du plateau du Vercors, pourrait créer, en France, des conditions propices à une appropriation des outils par l'ensemble de la population concernée. La technologie précède en général les usages, qui sont parfois imprévus, aussi une telle ouverture pourrait-elle favoriser en amont une meilleure prise en compte des besoins et de la demande.

En même temps, il faut constater que l'une des difficultés majeures de la révolution en cours réside dans son immatérialité, qui la rend difficilement saisissable par une partie non négligeable de la population qui n'en voit pas toujours l'utilité. La multiplication des lieux d'information et d'apprentissage peut jouer à cet égard un rôle très important. Les centres ou espaces numériques créés dans les collectivités qui ont engagé des expériences constituent un dispositif essentiel dans les projets. Les points d'accès dans des lieux publics peuvent concourir au même résultat, tout comme les centres multimédias et les cybercafés. Lieux de convivialité, ils permettent de s'affranchir de la barrière générationnelle, tout en favorisant l'appropriation individuelle et collective. En y regardant de près, la soif du grand public pour une meilleure connaissance de la technologie est grande. Comment expliquer autrement le succès considérable du Futuroscope de Poitiers, entièrement dédié à l'image, ou de la Cité des sciences et de l'industrie

---

36. « Vallée intelligente ».

de La Villette[37] ? Autant d'indices qui laissent à penser que la population dans sa majorité n'est pas technophobe. Tous les efforts qui seraient faits pour favoriser la diffusion de la culture technique méritent réflexion autour de ce constat. Une fois que les conditions pour s'embarquer dans le cyberespace sont réunies, l'initiative du départ n'en demeure pas moins une affaire de choix personnel.

Décider

À l'aube du troisième millénaire, l'ère numérique et son corollaire, la société de l'information, s'ouvrent au champ exploratoire de chacun. Les plus attentifs à l'évolution de la société et des modes de vie - même si leur culture ne les a pas préparés à un tel bouleversement - ne manqueront pas de relever que la révolution informationnelle va toucher à l'ensemble des sphères d'activité, personnelles et professionnelles, et qu'elle est au cœur de l'économie de demain. Alors, rejoindre ou non les utilisateurs de micro-informatique, s'initier aux joies et aux frustrations du netsurfing ? Libre à chacun de décider. Pour les entreprises comme pour les individus, l'alternative est similaire. Pour les premières, il s'agit de passer de l'informatique de gestion à l'informatique communicante, pour valoriser les synergies avec les partenaires et observer la concurrence. Rester à l'écart de l'économie des réseaux pourrait être synonyme de désinvestissement : l'information se range désormais aux côtés du travail et du capital comme facteur de production. Pour les seconds, refuser l'informatique aujourd'hui serait aussi absurde que d'avoir récusé l'apprentissage de l'alphabet, si le choix leur en avait été donné. Et reconnaître le potentiel de l'outil, c'est comprendre que sa véritable valeur réside dans sa connectivité, qui ouvre à chacun un vaste monde de connaissance et de communication.

Faire le choix de l'avenir pour soi-même et ses enfants reste aussi une décision libre et responsable, dont chacun peut déterminer les termes en fonction de ses objectifs et de ses moyens. Cela vaut tant pour les modalités d'accès que pour l'activité déployée dans le cybermonde. L'accès par la télévision est pour l'instant le

---

37. La Cité des sciences et de l'industrie organise jusqu'à la fin 1998 une exposition intitulée *Nouvelle image, nouveaux réseaux.*

moins coûteux, mais il ne permet, par définition, aucune application informatique, ni aucun stockage ou impression des pages lues. Le futur minitel-internet ne devrait pas être très éloigné de ces caractéristiques. Quant au Network Computer, il sera ouvert à d'autres applications, mais il n'est pas certain qu'il puisse offrir la même richesse graphique et en programmes qu'un micro-ordinateur multimédia. Le choix du terminal étant fait, l'utilisation de l'outil peut conduire chacun, en fonction de ses goûts et de ses passions, sur des routes très différentes. Chemins du savoir et de l'échange, galeries commerciales, lieux de plaisir virtuels, contrées violentes, le cyberespace n'est que le reflet du monde réel. Ouverture à d'autres dans le cadre de communautés culturelles et d'intérêts partagés, ou isolation et « technolâtrie » du cyberdrogué ? Là encore, l'utilisateur est libre de s'approprier l'outil aux fins qu'il définit lui-même. La machine en elle-même ne peut en effet, partant du virtuel, produire du réel que par une véritable interaction. Au-delà du « fameux » dialogue homme-machine, c'est l'ouverture potentielle à tous les utilisateurs du réseau qui est ici visée.

Enfin, entrer sans états d'âme dans ce monde nouveau suppose une capacité d'attention, d'ouverture et de remise en cause. Si les relations sociales et professionnelles peuvent être affectées par la nouvelle communication, il en est de même à l'intérieur du cercle familial. Le mythe du parent tout-puissant, passablement remis en cause depuis une trentaine d'années, est définitivement atteint, si c'est l'enfant qui lui apprend comment utiliser l'ordinateur. En même temps, cela permet d'établir la relation sur un autre plan, à la fois plus complice et plus vraie. À partir des cercles concentriques de la vie familiale, scolaire, professionnelle et sociale émergent ainsi de nouvelles formes d'intelligence. Entre l'intelligence individuelle, que les systèmes éducatifs et de formation ont toujours cherché à développer, et une intelligence collective en devenir, se situe une « intelligence connective[38] », pratique d'échange et d'attention à autrui, décuplant les capacités de chacun.

---

38. L'expression est de Derrick de Kerckhove, directeur du programme McLuhan à l'université de Toronto. Il organise avec ses élèves des « ateliers d'intelligence connective », au sein desquels existe un esprit de coopération et de compétition.

« Nous ne sommes jamais tout à fait contemporains de notre présent, note Régis Debray. L'histoire s'avance masquée : elle entre en scène avec le masque de la scène précédente et nous ne reconnaissons plus rien à la pièce[39]. » La difficulté de l'homme du XXIe siècle sera non seulement d'être pleinement contemporain de son présent mais d'inventer l'avenir en même temps. Tout comme le cyberespace nous entraîne vers un nouveau continent, le voyage esquisse un devenir souvent inattendu. Rester émerveillé comme un enfant, mais créer en permanence son futur, telle pourrait être la conscience de cette nouvelle dimension. Et elle est tout à fait nécessaire pour ne pas céder au vertige, car la réduction du temps et de l'espace à l'infiniment petit ouvre à l'homme une puissance insoupçonnée, inédite, dont les ondes de choc n'ont pas fini de se faire sentir. Quête de nouvelles sensations ou d'un autre savoir, spectre réducteur ou chaos créatif, le monde ne sera plus le même. Gageons que l'humanité saura transcender la dualité du réel et du virtuel.

Paris, janvier 1998

---

39. Cf. *La Révolution dans la révolution*, Maspéro, 1969. Cité par le sénateur Franck Sérusclat dans le rapport sur *Les Techniques et Apprentissages essentiels pour une bonne insertion dans la société de l'information.*

Postface

Patrice A. Carré

Comparaison n'est jamais raison et l'exercice qui consiste à mettre en parallèle des époques distantes, comporte, outre une part d'immense incertitude, une bonne dose d'impertinence. Risque d'anachronisme - dont on sait qu'il est l'un des péchés capitaux de l'historien - mais également élaboration artificielle et construction purement intellectuelle guettent qui s'aventure sur ce terrain peu sûr.

Or, les profondes mutations évoquées par ce livre donnent le vertige. Elles suscitent - qu'on y soit engagé ou qu'on en reste (mais cela est-il possible ?) simple spectateur - l'intérêt et le désir de les mieux comprendre. Ces changements ne surgissent pas ex nihilo. On en saisira mieux l'originalité si l'on en admet l'ancrage dans la durée et si on les resitue sur l'axe d'un temps long, celui de l'histoire des sensibilités et de l'histoire de la communication contemporaine, née il y a un siècle et demi de l'électricité, puis bouleversée par les technologies issues de l'électronique et la numérisation. Qu'est-ce que l'histoire de la communication - et certains auteurs l'ont dit avec talent[1] - sinon une succession de « révolutions » de plus ou moins grande ampleur ?

---

1. Sur ce thème, voir notamment Pascal Griset, *Les Révolutions de la communication*, Paris, Hachette, 1991 ; Patrice Flichy, *Une histoire de la communication moderne*, Paris, La Découverte, 1991 ; ainsi qu'Armand Mattelart, *L'Invention de la communication*, Paris, La Découverte, 1994.

Tout commence dans la seconde moitié du XIXᵉ siècle avec les voies ferrées, l'électricité et l'internationalisation du télégraphe. Le tournant majeur se situe à l'horizon des années 1860 quand, d'une part, les lignes télégraphiques franchissent les océans et que, d'autre part, les chemins de fer prennent leur véritable essor. En 1861, c'est-à-dire huit ans avant la construction du premier chemin de fer transcontinental, une ligne télégraphique reliait la Californie à la côte Est des États-Unis ! Dès 1866, un câble sous-marin assurait la liaison entre la vieille Europe et le nouveau monde. La deuxième étape se situe aux alentours des années 1880-1890. L'Exposition internationale d'électricité de 1881 en fut l'un des moments forts. En quelques années, une nouvelle civilisation matérielle allait se mettre en place. Le téléphone fut inventé en 1876. Aux États-Unis, sa diffusion fut rapide, en Europe plus lente, dramatiquement engourdie en France. Vingt ans plus tard, en 1896, Marconi déposait un brevet qui donnait naissance à la télégraphie sans fil. L'année précédente avait vu à la fois la parution de la *Psychologie des foules* de Gustave Le Bon et, avec la première projection payante dans un café parisien des grands boulevards - lieu de passage et lieu de foule - la naissance du cinéma, véritable médium de masse qui allait accompagner et amortir les chocs d'une modernisation permanente en stimulant le rêve[2]. C'est également au cours de cette période que la presse moderne prit son véritable essor. La lecture du journal se répandit. Elle touchait des milieux qui jusque-là n'y avaient pas accès. L'apparition du journal à 5 centimes, permis, entre autres, par un renouvellement des techniques d'imprimerie, marquait également un nouvel âge de l'information. Mais ce temps fut aussi celui des premières automobiles et des premiers « plus lourds que l'air »... Au cours des années 25-30, la communication devait connaître d'importantes innovations. Un peu partout s'était imposée la commutation électromécanique. Peu à peu, les « demoiselles du téléphone » chères à Proust disparurent et laissèrent la place à d'énormes automates qui régulaient un trafic encore peu dense. La radiodiffusion inaugurait de nouvelles conceptions, de

---

2. S. Sand, 1895, « Les images, les foules et le cinéma », in *Le Mouvement social* nº 172, juillet-septembre 1995, p. 7 à 19.

nouveaux styles de communication, un nouveau langage. Le cinéma était désormais parlant et les premières émissions de ce qu'on n'appellait pas encore télévision furent expérimentées.

Pour ce qui touche à l'essentiel de ce livre, c'est certainement la « révolution » de la fin des années 40 qui jouera le plus grand rôle. En effet, à l'origine des changements analysés dans cet ouvrage, il y a les recherches fondamentales menées au cours de cette période. En résumant, on peut revenir sur trois des événements qui ont été les vecteurs d'une mutation considérable conduisant à ce qu'on a parfois appelé les nouvelles technologies de l'information et de la communication. Après-guerre, Von Neumann énonçait les principes de base des ordinateurs à programme enregistré. Ensuite, Shannon publiait dans le *Bell System Technical Journal* un article fondateur issu de sa thèse, *« A mathematical theory of communication »*. La théorie de l'information y était définie. Enfin, le 30 juin 1948, une équipe des Bell Laboratories composée de Bardeen, Brattain et William Schockley présentait le premier « transistor à pointe ». Comme l'écrit Louis-Joseph Libois[3], s'ouvrait alors une nouvelle ère technologique : celle des semi-conducteurs. Ces travaux allaient avoir une influence considérable. Si, avec le transistor, une ère nouvelle s'était ouverte, cette mutation technologique s'est considérablement amplifiée avec l'apparition, au cours des années 60, des premiers circuits intégrés et surtout, à l'orée des années 70, des premiers microprocesseurs. En 1971 apparaissait le premier microprocesseur à 4 bits.

À partir de cette époque, le monde des télécommunications, de l'électronique, de l'informatique et, plus globalement, celui de l'information et de la communication, s'est emballé. Les anciens repères, les vieilles structures ont volé en éclats. Et ce qui se passe aujourd'hui, à l'aube du XXIe siècle, avec Internet et le déferlement du multimédia, est tout à fait révélateur. Ce qui se déroule sous nos yeux semble pourtant de l'ordre de l'inédit : explosion des modes de communiquer, naissance d'une société que l'on a vite fait de baptiser « société de l'information ». Communication

---

3. Louis-Joseph Libois, *Les Télécommunications, technologies, réseaux, services*, Paris, Eyrolles, Cnet/Enst, 1994.

mondiale, globale, universelle... les adjectifs se bousculent et les substantifs se parent de sens nouveaux. Il semble, en fait, que l'on assiste à la mise en place d'un nouveau régime de sensibilités. Imperceptiblement - et peut-être sommes-nous trop proches de ce qui nous arrive pour en mesurer l'exacte ampleur - nos manières de dire, de voir et de sentir se transforment comme, à l'horizon des années 1860, se transformèrent lentement les sensibilités à la distance et au temps. Commencèrent alors à poindre les manifestations concrètes de ce que l'on a pris coutume d'appeler - et quand bien même l'expression dans sa radicalité pourrait être remise en question - la révolution industrielle et son corollaire, la consommation de masse. Elles furent multiples et elles touchèrent quasiment tous les secteurs de la vie quotidienne, qu'elles contribuèrent, rapidement dans certains cas, plus lentement dans d'autres, à modifier considérablement.

Parmi ces innovations, celles qui touchèrent à la communication eurent une importance toute particulière. Communication des personnes, des biens et des marchandises tout d'abord avec la « révolution des transports », dont François Caron a souligné toute l'importance[4], mais aussi celle d'une première révolution de l'information portée par le télégraphe et la « découverte » de la vitesse[5]. Le territoire changeait d'échelle. Pendant des siècles, les voyages restèrent lents et longs. Balzac souligne qu'il fallait beaucoup plus d'une semaine au Lucien des *Illusions perdues* (1837) pour aller de Paris à Poitiers. Dans la première moitié du XIXe siècle, la nouvelle, l'information était encore souvent transmise par le voyageur ou le colporteur. Marchés et foires restaient des lieux privilégiés de l'échange. Dans ses *Mémoires d'un touriste* (1838), Stendhal en porte témoignage pour la foire de Beaucaire, à la veille des transformations décisives du grand commerce : « Dans toutes les rues, sur le pré, sur la rive du Rhône, la foule est continuelle... des colporteurs s'égosillent à crier le sommaire des dépêches télégraphiques arrivant d'Espagne[6]... »

---

4. François Caron, *Histoire des chemins de fer en France*, Paris, Fayard, 1997.
5. Christophe Studeny, *L'Invention de la vitesse*, Paris, Gallimard, 1995.
6. Cité par Daniel Roche, *Histoire des choses banales*, Paris, Fayard, 1997. Cf. p. 61.

Dans *Bouvard et Pécuchet*, paru en 1881, mais commencé bien avant, Flaubert nous rappelle l'importance, dans la société traditionnelle, du colportage de l'information. C'est ainsi, nous dit-il, que dans la matinée du 25 février 1848, « on apprit à Chavignoles, par un individu venant de Falaise, que Paris était couvert de barricades, et le lendemain, la proclamation de la République fut affichée sur la mairie ». En 1859, encore, les sous-préfets du Tarn et de l'Ariège apprirent comment se déroulaient les guerres en Italie par les courriers, souvent précédés par des voyageurs ordinaires qui, lors de longues veillées ou de rencontres sur les places des marchés, racontaient ce qu'ils avaient vu[7].

L'espace et le temps ont donc pesé d'un poids très lourd. Nombreuses et nombreux étaient celles et ceux qui n'avaient jamais dépassé les limites de leur village ou de leur canton. Pourtant, au cours de la première moitié du XIXe siècle, la viabilité et la qualité des routes s'étaient améliorées. À l'évidence, les Français se mirent à voyager. François Caron note qu'en 1869 le nombre annuel de voyages par habitant est proche de trois (2,89), en 1882 il avoisine les cinq (4,84). Lente montée du désir de voyage, qui s'accompagne d'un désir de nouveaux paysages, d'un « désir de rivages », comme le dit Alain Corbin[8]. L'échange de lettres[9], les voyages, la profusion des cartes postales qui, non seulement donnent des nouvelles brèves, mais permettent la découverte de nouveaux paysages, sont les signes des changements qui se produisent dans les trente ans qui précèdent le premier conflit mondial. Les routes, puis les chemins de fer, dont le réel essor date de la IIIe République, furent des facteurs essentiels de modernisation. En permettant le transport de produits jusque-là inconnus, des changements alimentaires, de nouveaux objets de consommation, de nouveaux cadres mentaux, ils participèrent d'une lente uniformisation du territoire

---

7. Eugen Weber, *La Fin des terroirs, la modernisation de la France rurale, 1870-1914*, Paris. Fayard et Recherches, 1983, pour la traduction française.
8. Alain Corbin, *Le Territoire du vide*, Paris, Aubier, 1988.
9. Cinq lettres par habitant en 1860, neuf en 1869, quatorze en 1880, et quarante à la veille de la guerre.

national et d'un renouvellement des sensibilités, à laquelle la diffusion de la presse allait profondément contribuer.

Avec l'envol des tirages et l'élargissement du public, on a assisté à l'apparition d'un nouveau mode de lecture. À la lecture collective s'est substituée la lecture individuelle. (Premier avatar d'une « société individualiste démocratique de masse » ?) Par ailleurs, le journal - comme l'école - contribua à l'instauration de nouveaux cadres de référence. Il apporta, lui aussi, une touche nouvelle à la connaissance de l'espace national, puis à l'environnement mondial. En fournissant une information universelle, il dressait une carte neuve des représentations et contribuait à un renouveau de l'imaginaire. Il donnait également une épaisseur au temps. Rythmé jusque-là par le retour des saisons et les histoires individuelles, le temps se teintait maintenant d'universel. Les nouvelles quotidiennes venues d'ailleurs ponctuaient désormais les conversations et les échanges. Comme le dit justement Marc Martin[10], il superposa « aux mémoires individuelles une mémoire sociale plus riche ». Pendant longtemps, la cloche du village avait rythmé le temps de la campagne ou les activités de la bourgade, et son rôle est essentiel dans l'histoire des sensibilités collectives. Alain Corbin a rappelé cette histoire[11]. Les cloches remplissaient un rôle essentiel : alarme, liesse ou malheur, elles donnaient le temps de la vie à la campagne. Elles jouaient aussi le rôle d'un bulletin météorologique. Giono rappelle qu'à Manosque, avant 1914, les cloches signalaient l'arrivée de l'orage. En indiquant les vêpres, elles donnaient également aux paysans le signal du début ou de la fin d'une tâche. Or, lentement, dans la campagne, les cloches se sont tues. Bien avant que ne se diffusent les montres-bracelets, la radio et la télévision, c'est le passage du train, dont le bruit est porté par le vent, qui peu à peu cadença le rythme des tâches.

La « massification » de la diffusion de l'information inaugurait de nouvelles formes de temporalité. Nerveuse, l'information avait désormais la fougue de l'éclair. « Vite et loin », l'exigence s'en

---

10. Marc Martin, *Médias et journalistes de la République*, Paris, Odile Jacob, 1997. Cf. p. 78.
11. Alain Corbin, *Les Cloches de la terre. Paysage sonore et culture sensible dans les campagnes au XIXᵉ siècle*, Paris, Albin Michel, 1994.

dessinait rapidement et déjà se profilait l'« homme pressé » de Paul Morand.

Au tempo du jour et de la nuit succédait le temps contrôlé, le temps maîtrisé. Au temps qui ne comptait pas, au temps poreux, ouvert à l'imprévu, à l'inattendu, se substituait un temps compté, calculé et soumis à l'efficacité de la production...

Mais, outre la vitesse et l'exactitude, était apparue une nouvelle exigence de la modernité : la clarté, la concision. Il faut dire doré-navant beaucoup en quelques mots. Le message obéissait désormais aux lois du rendement ! L'information, dès les années 1860, par-ticipait à une première « mondialisation » de l'économie.

Le réseau télégraphique fut le premier réseau réellement mon-dial. Dès la fin des années 1860, la masse hostile des océans avait été vaincue. Au tournant du siècle, la terre et le fond des océans étaient parcourus d'un réseau de câbles. Ils permirent, dit Stefan Zweig[12] « que la pensée à peine élaborée, le mot écrit d'une encre encore humide pouvaient déjà, à la seconde même, être reçus, lus, compris à des milliers de milles de distance, et que le courant invisible qui oscillait entre les deux pôles de la minuscule pile voltaïque pouvait s'étendre à toute la surface de la terre, d'une extrémité à l'autre ».

Maxime du Camp, quant à lui, visitant le Bureau central des télégraphes à Paris, s'y « figure assez bien le milieu d'une toile d'araignée ». Une immense toile d'araignée qui commence à cou-vrir le monde entier. Un Web avant la lettre et qui, déjà, inquiète.

L'histoire des relations entre technique et société est faite d'ajus-tements difficiles et souvent conflictuels. Rapidité et immédiateté d'un côté, la technique apparaît n'exister que sous la pression d'une innovation permanente ou presque. Lenteur de l'autre - sociétés qui semblent engoncées dans des systèmes qui, naturellement, les protègent et s'autoreproduisent. Les philosophes, Simondon[13] en tête, nous ont montré que la technique et l'humain étaient noués

---

12. Stefan Zweig, *Les Très Riches Heures de l'humanité*, Paris, Belfond, 1989, pour la nouvelle traduction de l'allemand.
13. Gilbert Simondon, *Du mode d'existence des objets techniques*, Paris, Aubier, 1958.

par une relation complexe. Quant à Bernard Stiegler[14], lui aussi philosophe de la technique, il explique comment, pour faire face aux nécessités nouvelles engendrées par le processus d'innovation permanente qui signe la réalité de la révolution industrielle, s'est mis en place un système d'information devenu planétaire. Photographie, phonographie, télégraphe, cinéma, radiodiffusion, téléphone, télévision, informatique... la fusion s'est accomplie selon des rythmes contrastés. Voici comment il souligne l'enjeu anthropologique de ce qui s'est déroulé et se déroule sur l'axe de cette histoire : « La mémoire mondiale a finalement elle-même été soumise à une industrialisation qui affecte directement les processus psychiques et collectifs d'identification et de différenciation, c'est-à-dire d'individuation. C'est par les technologies analogiques et numériques que s'est pleinement accomplie l'industrialisation de la mémoire. Ces technologies relèvent, avec les toutes récentes bio-technologies, des industries de programmes[15]. »

L'histoire des relations complexes entre innovation et société apparaît donc ponctuée de moments phares qui, symboliquement, semblent être les points de passage obligés vers des ères nouvelles. Il en fut ainsi pour l'imprimerie en 1456 avec la bible de Gutenberg, cela est vrai aussi pour l'exposition de 1881, qui remettait en question le règne du charbon et de la vapeur, en introduisant de nouvelles filières techniques telles que l'électricité, ou bien en 1948, pour le transistor, ou en 1971, pour le microprocesseur et le laser. Or, la fin des années 90 marque aussi - et nous en sommes à la fois acteurs et témoins - un virage vers ce que nous cherchons, hésitants, à désigner sous l'imprécis vocable de « société de l'information » ou « société de communication ». Les contours tremblés en restent flous. Cette société n'est-elle pas née à la fois de l'essor sans équivalent de l'électronique, de l'informatique et de l'audiovisuel, et aussi de la longue crise commencée au cours des années 70, et aussi peut-être de l'effondrement des idéologies ?

À un monde stable, aux repères techniques clairs, aux

---

14. Bernard Stiegler, *La Technique et le Temps*, tome I, « La faute d'Epiméthée », Paris, Galilée, 1994.
15. Bernard Stiegler, *La Technique et le Temps*, tome II, « La désorientation », Paris. Galilée, 1996. Cf. p. 11.

productions établies, aux contours idéologiques et politiques affir-
més, a succédé, au cours des années 80-90, un monde instable aux
contours imprécis, aux recompositions (industrielles ou politiques)
fréquentes, voire permanentes. L'insécurité de la pensée s'est substituée aux chemins balisés des jugements sûrs. De nouveaux équilibres sont à inventer. À la production, à la consommation et à la
communication de masse se substituent de nouvelles formes. De
nouvelles sensibilités se dessinent. Au modèle de masse, qui portait
en lui, enfoui, un désir d'égalitarisme, a succédé le « sur mesure ».
Il s'agissait, sur le modèle de l'école, de diffuser à toutes et à tous,
dans les conditions les meilleures et avec égalité de traitement, un
service (ce fut le cas du service public de la radiotélévision au temps
de la RTF puis de l'ORTF) que l'État providence prenait à sa charge.
La multiplication des chaînes, le câble, le satellite, le *pay per view*,
ont donné naissance à une communication destinée à des segments
précis de clientèle. Comme le consommateur est devenu l'inventeur de son propre mode de consommer, la profusion de la communication permet à chacun d'entre nous de devenir le propre créateur
de son mode de communiquer. Elle se fait dans la différence.

Or, un réseau comme Internet semble pousser cette logique à
l'extrême. Certes, comme le souligne Dominique Wolton[16], ce qui
symboliserait - pour peu qu'on soit dupe des discours unanimistes
- la liberté individuelle, signifie aussi « filet » *(net)* et « toile » *(web)*.
Faut-il pour autant rester prisonnier de cette image ? Il importe
donc de se déprendre - les auteurs de ce livre l'ont bien compris
- d'un modèle déterministe et d'un mode de pensée strictement
techniciste. Les réseaux qui aujourd'hui se mettent en place - les
réseaux et le réseau des réseaux, à la fois dans son unicité et sa
pluralité - semblent dessiner un nouvel espace public, mais également reconfigurer une sphère privée, nomade et fluctuante. Un
lieu délocalisé, un lieu qui n'existe pas, qui ne se décrète pas, qui
semble loin d'un modèle hiérarchisé, rigide, mais au contraire un
espace imprécis d'expérimentations, de flânerie, d'autonomie. Se
dessinerait ainsi une valorisation à l'extrême de l'individualisme,
une liberté individuelle exacerbée. Or, ce que projette aussi le Net,

---

16. Dominique Wolton, *Penser la communication*, Paris, Flammarion, 1997. Cf. p. 236.

c'est un espace commun qui apparaît de l'ordre de l'infini, une immense place, la place d'un marché où se jouent les échanges, les débats et les discussions.

Mais cet espace utopique, sauf à se complaire dans le mythe ou dans des représentations simplistes, reste à penser, reste à inventer. Or, et nous en sommes ici aux hypothèses encore hasardeuses, la multiplicité des écrans accompagnera peut-être des nouveaux savoirs, des formes d'écriture et de fiction jusque-là inédites, une théâtralisation nouvelle des émotions...

Vertige d'espaces encore à découvrir et vers lesquels nous pourrions suivre le Rimbaud des *Illuminations* : « J'ai tendu des cordes de clocher à clocher ; des guirlandes de fenêtre à fenêtre ; des chaînes d'or d'étoile à étoile, et je danse. »

Patrice A. Carré

Glossaire

Agents intelligents
Logiciels programmables permettant d'effectuer une recherche d'informations ou de produits sur le Net à partir du profil de l'utilisateur ou d'une demande spécifique telle que : quel disquaire virtuel propose le meilleur prix pour tel titre ?

ART
Autorité de régulation des télécommunications, mise en place en janvier 1997, afin de veiller à l'équilibre des conditions juridiques et tarifaires de la concurrence dans le domaine des télécommunications, notamment pour les modalités d'interconnexion des opérate.. L'ART, qui instruit les demandes de licence, est composée de cinq membres nommés par le gouvernement et les présidents de l'Assemblée nationale et du Sénat.

Asynchrone
Mode de communication s'affranchissant de la disponibilité simultanée de l'émetteur (ou expéditeur) du message et du récepteur (ou destinataire). L'E-mail est le meilleur exemple de communication asynchrone par rapport à une communication synchrone comme le téléphone.

Browser
De l'anglais *to browse*, « feuilleter un livre ». Logiciel de navigation permettant de se déplacer d'un serveur à un autre et, à l'intérieur d'un serveur donné, d'accéder aux différentes ressources documentaires.

CD-ROM (cédérom)
Compact Disc Read Only Memory. Disque compact dont la mémoire conserve des informations inscrites une fois pour toutes, lisibles par un ordinateur. Sa capacité est de 650 Mo.

Cookie
« Marquage » logiciel sur le disque dur d'un ordinateur effectué à l'occasion de la visite d'un site, à des fins de marketing. Le cookie, qui permet de reconnaître l'internaute lors de ses connexions ultérieures, peut être effacé par l'utilisateur.

Cybernétique

Du grec, *kubernân*, « diriger », et *kubernetes*, « gouvernail » (également racine du mot gouverner). Science des processus de commande et d'interaction des organismes vivants, des machines et des systèmes socioéconomiques.

DVD

Digital Video Disc. Nouveau format de disque compact, d'une capacité plus de huit fois supérieure.

E-mail (Mél)

Adresse électronique, c'est-à-dire l'adresse postale sur un réseau. Elle permet de recevoir et d'envoyer des messages.

FAQ

Frequently Asked Questions. Questions les plus fréquemment posées sur un sujet donné, faisant l'objet de réponses types.

Firewall

« Pare-feu ». Dispositif logiciel de protection d'un site à accès autorisé, requérant un mot de passe pour consulter un service. Les Intranets sont dotés de firewalls pour éviter les intrusions d'utilisateurs non agréés.

HTML

HyperText Markup Language. Langage utilisé pour créer des documents accessibles sur l'Internet.

HTTP

HyperText Transfer Protocol. Protocole de transfert des pages hypertextes sur le Web.

Hypertexte

Principe de base du Web. Organisation de serveurs en réseaux multiples permettant de passer facilement d'un site à l'autre. Se dit aussi des liens internes à un site ou à un CD-ROM permettant de naviguer de page en page.

Interactivité

Mode de communication dans lequel les notions d'émetteur et de récepteur tendent à se diluer, grâce à un dialogue individualisé qui personnalise la relation au média. Ainsi l'utilisateur décide du déroulement du programme et peut même le modifier.

Java

Langage de programmation HTML, développé par la société Sun, qui est en passe de devenir le standard de facto des images animées sur le Web. Les « applets » Java sont des mini-applications réalisées dans ce langage.

Modem
« Modulateur/démodulateur ». Appareil permettant de convertir un signal analogique en un signal numérique et vice versa, afin de relier un terminal à un réseau de transmissions de données. Le modem est le périphérique qui permet de relier l'ordinateur au réseau via la ligne téléphonique.

Moteur de recherche
Logiciel ultrarapide permettant d'identifier les documents électroniques accessibles sur divers serveurs et traitant d'un thème particulier. À distinguer des répertoires qui classent les sites par secteurs.

Nom de domaine
Partie centrale d'une adresse Internet. Par exemple : http ://**www.entreprise.tm.fr**/repertoire/page.htm. Permet d'identifier et de situer un serveur. À droite le domaine de premier niveau (ici .fr) précédé du second niveau (ici .tm, *trade mark* pour « marque déposée »), puis du troisième, relevant du « domaine privé » (nom commercial).

Off line
Hors ligne. Applications disponibles en local (comme le CD-ROM).

On line
En ligne. Services ou réseaux accessibles à travers une liaison télématique ou par un ordinateur muni d'un modem.

PGP
Pretty Good Privacy (« assez bonne confidentialité »). Logiciel de cryptage développé par Phil Zimmermann avec une clé de 128 bits (la même que celle utilisée par les téléphones mobiles), offrant un niveau maximal de sécurité.

Pixel
PICture ELement. Le plus petit élément constitutif d'une image, représenté sous forme numérique.

Push/pull
La technologie push apparue en 1996 permet d'envoyer (« pousser ») vers l'utilisateur les informations automatiquement sélectionnées en fonction du profil. S'oppose à pull (« tirer, retirer »), démarche du netsurfer qui va chercher lui-même sur la Toile les informations qui l'intéressent.

TCP-IP
Transmission Control Protocol-Internet Protocol. Protocole de communication utilisé par l'Internet.

Tiers de confiance (ou tiers certificateur)
Intermédiaire agréé par les pouvoirs publics, destiné à introduire la confiance dans la transaction électronique en certifiant au vendeur que l'acheteur est solvable et à ce dernier

que le vendeur n'est pas un fantôme virtuel sur le réseau. Ce type de « notaire électronique » est prévu par les dispositions législatives prises en France en 1996 concernant le développement du commerce électronique.

URL
Uniform Resource Locator. En français, « localisateur uniforme de ressources ». C'est-à-dire l'adresse d'un site ou d'une page sur le Web.

Virtuel
Ce qui n'est pas réel, ce qui a été créé de façon artificielle, grâce aux techniques informatiques de création et de reproduction d'images et de sons.

Termes d'origine québécoise :
- *Toile*, pour le Web.
- *Fureteur* ou *butineur*, pour le navigateur.
- *Babillard*, pour le BBS ou réseau de communication interne propre à une association ou une communauté (selon des normes non compatibles avec le langage HTML).
- *Courriel*, pour courrier électronique.

Une sélection de sites Internet de référence

Associations de promotion et de réflexion sur l'Internet

Orientations générales
Internet society France : http ://www.isoc.asso.fr
Association française de la télématique multimédia (Aftel) :
http ://www.aftel.fr
Initiative pour l'Internet (INI) http ://www.admiroutes.asso.fr/initiati/index.htm

Veille technologique/actualité du Net
Atelier de la compagnie bancaire : http ://www.atelier.fr
Chroniques de Cybérie : http ://www.cyberie.qc.ca

Prospective/usages
Club de l'hypermonde : http ://coda.fr/hypermonde
NetworkWizards : http ://www.nw.com
Jupiter Communications : http ://jup.com/jupiter

Applications spécifiques
Association française pour le commerce et les échanges électroniques (Afcee) :
http ://www.afcee.asso.fr
Commercenet : http ://www.commerce.net
Association française du télétravail et des téléactivités :
http ://www.aftt.net

Autoroutes de l'information

États-Unis
National Information Infrastructure Virtual Library :
http ://nii.nist.gov

France
Secrétariat d'État à l'Industrie (télécommunications) : http ://www.telecom.gouv.fr

Union européenne
Europa : http ://europa.eu.int
Information Society Project Office (ISPO) : http ://www.ispo.cec.be
Information Market : http ://www2.echo.lu
Challenge Bangemann : http ://www.challenge.stockholm.se

Québec
Secrétariat d'État aux Autoroutes de l'information : http ://www.sai.gouv.qc.ca

Finlande
Ministère de l'Éducation nationale : http///www.minedu.fi
Statistics Finland : http//www.stat.fi

Administrations et institutions

Présidence de la République : http ://www.elysee.fr
Premier ministre : http ://www.premier-ministre.gouv.fr
Sénat : http ://www.senat.fr
Assemblée nationale : http ://www.assemblée-nat.fr
Ministère des Affaires étrangères : http ://www.france-diplomatie.fr
Ministère de la Culture et de la Communication : http ://www.culture.fr
Délégation générale à la langue française : http ://www.culture.fr/culture/dglf
Ministère de l'Éducation nationale : http ://www.education.gouv.fr
Ministère de la Santé : http ://www.sante.fr
Ministère de l'Économie, des Finances et de l'Industrie : http ://www.finances.gouv.fr
Datar : http ://www.datar.gouv.fr
Admiroutes : http ://www.admiroutes.asso.fr

Collectivités territoriales

District de Parthenay : http ://www.district-parthenay.fr.
District de Villars-de-Lans : http ://www.district-villarsdelans.fr
Inforoutes de l'Ardèche : http ://www.inforoutes.ardeche.fr
Issy-les-Moulineaux : http ://www.issy.fr
Marly-le-Roi : http ://www.mairie.marlyleroi.fr
Montigny-le-Bretonneux : http ://www.mairie-montigny78.fr

Tourisme et culture

Maison de la France : http ://www.maison-de-la-france.com (ou.fr)
Fédération nationale des offices de tourisme et syndicats d'initiative :
http ://www.tourisme.fr
Musée du Louvre : http ://www.louvre.fr
Musée d'Orsay : http ://www.orsay.fr
Bibliothèque nationale de France : http ://www.bnf.fr
Cité des Sciences et de l'Industrie : http ://www.cite-sciences.fr
Futuroscope : http ://www.cned.fr/serveur/sommaire/futuroscope.html

Médias

Le Monde : http ://www.le monde.fr
Libération : http ://www.liberation.fr
Les Échos : http ://www.les echos.fr
La Voix du Nord : http ://www. la voix du nord.fr.
Le Télégramme : http ://www.bretagne-online.tm.fr
Ouest-France : http//www.france-ouest.tm.fr
Nice Matin : http ://www.nice matin.fr.
Slate : http ://www.slate.com.
Wall Street Journal : http ://www.wsj.com.
Time Magazine : http ://www.pathfinder.com.
Radio France : http ://www.radio france.fr
TF1 : http ://www.tf1.fr
France Télévision : http ://www.francetv.fr
La Cinquième : http ://www.lacinquieme.fr

Commerce électronique et publicité

Publicité : http ://www.cybergold.net.
Globe On Line : http ://www.globeonline.fr
Les Trois Suisses : http ://www.trois suisses.fr
La Redoute : http ://www.redoute.fr
Le Furet du Nord : http//www.furetdunord.fr
Amazon : http ://www.amazon.com.
Camif viniphile : http ://www :viniphile.tm.fr
All About Wine : http ://www.aawine.com

Emploi

ANPE : http ://www.anpe.fr
Cadres On Line : http ://www.cadresonline.com
Compulink : http ://www.compulink.tm.fr
Syselog : http ://www.syselog.fr/emploi.html

Divers

Cyberpapy : http ://www.cyberpapy.com
Mygale : http ://www.mygale.org/mygale

Bibliographie

MICHEL ALBERGANTI, *Le Multimédia, la révolution au bout des doigts*, Le Monde Éditions/ Marabout, 1996.

ARNAUD ANDRÉ, JACQUES HABIB, JEAN-CLAUDE GUEZ et GUY VANDEBROUCK, *L'Entreprise digitale. Comment les nouvelles technologies transforment les entreprises françaises*, First, Andersen Consulting, 1996.

JACQUES ATTALI, *Chemins de sagesse. Traité du labyrinthe*, Fayard, 1996.

RENAUD DE LA BAUME et JEAN-JÉRÔME BERTOLUS, *Les Nouveaux Maîtres du monde*, Belfond, 1995.

RENAUD DE LA BAUME et JEAN-JÉRÔME BERTOLUS, *La Révolution sans visage*, Belfond, 1997.

OLIVIER BELLIN, *Le multimédia. Qui, quand, quoi ?*, Hachette, 1996.

ARNAUD DUFOUR, *Internet*, PUF, « Que sais-je ? », 1996.

GUILLAUME DE BUNGE, NICOLAS DEMASSIEUX, JEAN-MARC ENGELHARD, CÉLINE LACOURCELLE, ARIANE MOLE, FABIENNE ROULLEAUX et DOMINIQUE SEMONT, *Multimédia et enseignement supérieur*, Éditions du Go, 1996.

BILL GATES, *La Route du futur*, Laffont, 1995.

JEAN-CLAUDE GUÉDON, *La Planète Cyber. Internet et cyberespace*, « Découvertes » Gallimard, 1996.

SERGE GUÉRIN, *Internet en questions*, Economica, 1997.

CHRISTIAN HUITÉMA, *Et Dieu créa l'Internet*, Eyrolles, 1995.

LÉONIDAS KALOGEROPOULOS et ALAIN LARAMÉE, *Multimédia et Autoroutes de l'information*, Les livres de l'entreprise, Nathan, 1995.

PIERRE LÉVY, *L'Intelligence collective. Pour une anthropologie du cyberespace*, La Découverte, « Poche Essais », 1997.

RAYMOND-MARIN LEMESLE et JEAN-CLAUDE MAROT, *Le Télétravail*, PUF, « Que sais-je ? » 1996.

DOMINIQUE MONET, *Le Multimédia*, Flammarion, « Dominos », 1995.

ABDELAZIZ MOULINE, *L'Industrie des services informatiques*, Economica, 1996.

NICOLAS NEGROPONTE, *L'Homme numérique*, Pocket, 1995.

DOMINIQUE NORA, *Les Conquérants du cybermonde*, Calmann-Lévy, 1995.

FRANK POPPER, *L'Art à l'âge électronique*, Hazan, 1993.

JOËL DE ROSNAY, *L'Homme symbiotique. Regards sur le troisième millénaire*, Le Seuil, 1995.

PAUL VIRILIO, *Cybermonde, la politique du pire*, Textuel, « Conversation pour demain », 1996.

PAUL VIRILIO, *La Vitesse de libération*, Galilée, 1995.

Sources documentaires

Journaux et magazines grand public et spécialisés

L'AFP, *L'Atelier, journal de la communication électronique, Business Week, CD-Rama, Cordis Focus* (Commission de l'Union européenne), *La Correspondance de la presse, The Economist, Enjeux, Les Échos, L'Expansion, L'Express, Information Society News* (Ispo, Commission de l'Union Européenne), *Le Figaro, 01 Informatique, Internet Reporter, Libération, Le Monde informatique* et sa lettre spécialisée « Droit informatique & Multimédia », *Le Monde, The New York Times, Planète Internet, Science et Vie Micro (SVM), Stratégies, La Tribune, Time Magazine, Télétravail Magazine, Webmaster, Wired.*

Rapports

Le Télétravail et les Téléservices en France, Thierry Breton, Documentation française, 1993 et 1994.
Les *Autoroutes de l'information,* Gérard Théry, Documentation française, 1994.

Les Réseaux de la société de l'information, rapport du groupe présidé par Thierry Miléo, Commissariat général au plan, 1996.
La Presse électronique, Jean-Charles Bourdier, rapport remis au premier ministre, 1997.
Parthenay, ville numérisée. L'intégration des nouvelles technologies dans la continuité du développement local engagé, Jérôme Chaussoneaux, 1997.
Internet, les enjeux pour la France, Association française de la télématique multimédia, 1997.
Rapport sur la France et la société de l'information, un cri d'alarme, une croisade nécessaire, Pierre Laffitte, Office parlementaire d'évaluation des choix scientifiques et technologiques, 1997.
L'Internet, un vrai défi pour la France, Patrice Martin-Lalande, rapport remis au premier ministre, 1997.
Multimédia et réseaux en éducation, Alain Gérard, rapport remis au premier ministre, 1997.
Les techniques des apprentissages essentiels pour une bonne insertion dans la société de l'information, Franck Sérusclat, Office parlementaire d'évaluation des choix scientifiques et technologiques, 1997.

La Réforme des noms de domaines génériques, Olivier Iteanu et Daniel Kaplan, rapport pour l'Aftel et l'Isoc, 1997.

Publications

« D'Internet aux autoroutes de l'information ». Regards sur l'actualité, n° 217, *La Documentation française*, janvier 1996.
Télétravail, Télé-économie, une chance pour l'emploi et l'attractivité des territoires, Datar, collection « Idate », 1995.
Le Télétravail, vague de fond ou engouement passager, Geneviève Gontier, Centre d'études sur l'emploi, dossier 4, 1994.
Revue *Réseaux*, CNET, n° 78, Dossier « Les Autoroutes de l'information », juillet-août 1996.
Le Monde diplomatique, « Internet, l'extase et l'effroi », octobre 1996.
Penser les usages, actes du premier colloque international SEE-Irest-Adera, Bordeaux, mai 1997.
Le Monde de l'éducation, « Le multimédia », n° 247, avril 1997.

Documents européens

Croissance, compétitivité et emploi (rapport Delors), 1994.
L'Europe et la Société de l'information planétaire. Recommandations au Conseil européen (rapport Bangemann), 1994.
Vers la société de l'information en Europe : un plan d'action, Communication de la Commission au Conseil et au Parlement européens, ainsi qu'au Comité économique et social et au Comité des régions, 1994.
Vivre et travailler dans la société de l'information, livre vert de la Commission, 1996.
La Société de l'information : de Corfou à Dublin, de nouvelles priorités à prendre en compte, Communication de la Commission au Conseil et au Parlement européens, ainsi qu'au Comité économique et social et au Comité des régions, 1996.
Le Droit d'auteur et les Droits voisins dans la société de l'information, livre vert de la Commission européenne, 1996.
Le Multimédia éducatif, Commission européenne, janvier 1997.

Document québécois

Pour une stratégie de mise en œuvre de l'autoroute de l'information au Québec, rapport du secrétariat québécois à l'Autoroute de l'information, 1996.

Documents finlandais

Education, Training and Research in the Information Society, ministère de l'Éducation, Helsinki, 1995.
Towards a Culture Oriented Information Society, ministère de l'Éducation, Helsinki, 1996.
Worldwide Way to Wisdom, Developing Information Networks in Finland, ministère des Transports et de la Communication, Helsinki, 1997.
On the Road to the Finnish Information Society, Statistics Finland, Helsinki, 1997.

Remerciements

Pierre Alzon, directeur général, Dégriftour.
Jacques Attali, conseiller d'État.
Jean-Paul Baquiast, conseiller technique pour les systèmes d'information auprès du ministère de l'Économie, des Finances et de l'Industrie.
Jacques Bessières, consultant, Connectica.
François Bourdoncle, maître de recherche à l'École des mines de Paris.
Françoise Bourgain-Wade, attachée de presse.
Patrice Carré, chef du département information, patrimoine et histoire, France Télécom.
Miguel Chevalier, artiste-peintre.
Jean-Pierre Dalbera, chef de la mission recherche et technologie, ministère de la Culture et de la Communication.
Xavier Daras, consultant, Le réseau d'information multimédia.
Christiane Feral-Schuhl, FG associés, avocate au barreau de Paris.
Hervé Fischer, président du Marché international des inforoutes et du multimédia (MIMM), Montréal.
Christophe Fouquet, chargé de communication, mairie de Parthenay.
Guy Fréry, chargé de communication, Syndicat intercommunal à vocation unique des inforoutes de l'Ardèche.
Emmanuel Guirado, directeur informatique Havas Voyages, président de la Société informatique des agents de voyage (SIAV).
Michel Hervé, maire de Parthenay.
Daniel Kaplan, consultant, Mercatique, média et commerce électronique, vice-président de l'Internet Society France.
Pierre Laffitte, sénateur des Alpes-Maritimes et président de la fondation Sophia Antipolis.
Jean-Claude Pélissolo, président de l'Association française du commerce électronique et des échanges (AFCEE) et président d'Edifrance.
Henri Pigeat, ancien président de l'AFP, président de l'Institut international des communications (IIC) et conseiller de *La Voix du Nord* pour le multimédia.
Alain Rousseau, ingénieur du son.
Jean-Bernard Schmidt, directeur général de Sofinnova.
André Teste du Bailler, adjoint au maire de Marly-Le-Roi.
Nicole Turbé-Suétens, Distance Expert, présidente de l'Association française du télétravail et des téléactivités (AFTT).
et Florence Falcand.

Biographie des auteurs

Philip Wade

Philip Wade, cinquante-trois ans, énarque, a un parcours de près de vingt ans dans les différents secteurs du multimédia. Il est actuellement conseiller pour les nouvelles technologies à la direction du tourisme, secrétariat d'État au Tourisme. Il a exercé des fonctions de direction dans l'audiovisuel, à Télédiffusion de France et sa filiale Sofratev, dont il a été président ; dans l'informatique, auprès de la société GSI ; et dans les télécommunications, chez Motorola/Iridium. Il est l'auteur de *L'Audiovisuel, faux débats et vrais enjeux*, Fayard, 1983.

Didier Falcand

Didier Falcand a trente-deux ans. Après avoir travaillé à *Lyon Figaro* et dans le groupe Liaisons, il est aujourd'hui rédacteur en chef adjoint du magazine *Stratégies*, le premier journal professionnel de la communication.

Titres disponibles dans la collection « Mutations »

  * Collection "Mutations/Mangeurs".
  ** Collection "Mutations/Sciences en société".

Éditi

Direc
Nicole Czechowski. Monique Paillat. *Fabrication/Secrétariat de rédaction :* Bernadette Mercier, *assistée de* Hélène Dupont *et de* Alice Breuil. *Graphisme :* Kamy Pakdel. *Service financier :* Béatrice Labadie. *Gestion et administration :* Agnès André. Hassina Mérabet. *Service de presse :* Agnès Biltgen.

Abonnements au 1er janvier 1998 : la collection « Mutations », complémentaire des collections « Monde », « Mémoires » et « Morales », est vendue à l'unité (120 F par ouvrage) ou par abonnement (France : 500 F ; étranger : 600 F) de 5 titres par an. L'abonnement peut être souscrit auprès de votre libraire ou directement à Autrement, Service abonnements, 17, rue du Louvre, 75001 Paris. Établir votre paiement (chèque bancaire ou postal, mandat-lettre) à l'ordre de NEXSO (CCP Paris 1-198-50-C). Le montant de l'abonnement doit être joint à la commande. Veuillez prévoir un délai d'un mois pour l'installation de votre abonnement, plus le délai d'acheminement normal. Pour tout changement d'adresse, veuillez nous prévenir avant le 15 du mois et nous joindre votre dernière étiquette d'envoi. Un nouvel abonnement débute avec le numéro du mois en cours. Vente en librairie exclusivement. Diffusion : Éditions du Seuil.

Directeur de la publication : Henry Dougier. Revue publiée par Autrement.
Comm. par. 55778. Corlet, Imp. S.A., 14110 Condé-sur-Noireau. N° 28148.
Dépôt légal : février 1998. ISBN : 2-86260-780-0. ISSN : 0751-0144. *Imprimé en France*